DE ZUSJES CARPENTER

Vertaald door Anneke Panella-Drijver

Risa Green

DE ZUSJES
CARPENTER

mistral

mistral

ZIN OM TE LEZEN

Oorspronkelijke titel: *The Carpenter Girls*
Oorspronkelijke uitgave © 2008 Risa Green
Nederlandse vertaling © 2010 Anneke Panella-Drijver en
Mistral / FMB uitgevers, Amsterdam

Mistral is een imprint van FMB uitgevers,
onderdeel van Foreign Media Group

Omslagontwerp: Oranje Vormgevers
Omslagbeeld: Oranje Vormgevers
Auteursfoto: Teness Herman
Typografie en zetwerk: Peter de Lange

ISBN 978 90 499 9880 6
NUR 302

www.uitgeverijmistral.nl
www.fmbuitgevers.nl

DEEL EEN

1 LAYNIE

Hij staat in zijn eentje midden in de kamer, werpt me ongemakkelijk een blik toe, kijkt vervolgens naar het bankstel achter hem en weer terug naar mij. Zijn overhemd heeft hij uitgedaan en elke keer dat hij beweegt bollen zijn buikspieren onder zijn gebronsde, onbehaarde huid op.

'Wil je dat ik dit staand doe of moet ik gaan zitten?' vraagt hij. Alsof het mij wat kan schelen. Ik haal mijn schouders op.

'Wat jij het prettigst vindt,' zeg ik en ik doe mijn best minder verveeld te klinken dan ik me voel. Hij knikt en gaat zitten terwijl zijn buikspieren alle kanten op schieten, als kleine beestjes die uit een val proberen te ontsnappen.

'Ben je zover?' vraag ik. Hij strijkt met zijn hand door zijn dikke, donkere haar en haalt diep adem. Zijn lichtblauwe ogen houdt hij op de boom in de hoek van de kamer gevestigd.

'Karen, fijn, daar ben je. Ik heb slecht nieuws. Misschien kun je beter even gaan zitten.'

'Wat is er aan de hand, Brady?' vraag ik monotoon.

'Karen, John is dood,' antwoordt hij. Hij heeft een lege blik in zijn ogen, volkomen wezenloos. Hij had Karen evengoed verteld kunnen hebben dat de melk op is. Ik ga rechtop zitten en plak een grote, vrolijke glimlach op mijn gezicht. Er zijn zoveel redenen waarom ik dit gedeelte haat. Ik heb er een hekel aan dat ik ze moet vertellen hoe goed ze waren terwijl het overduidelijk is dat ze beter een echte baan kunnen gaan zoeken. Ik heb er een hekel aan dat ik moet liegen dat ik contact op zal nemen. Ik heb er een hekel aan dat het nummer 'Another one bites the dust' altijd omhoog borrelt als ik lieg dat ik nog contact opneem.

'Oké, bedankt...' Ik kijk naar zijn portretfoto om zijn naam te checken. 'Heath. Dat was geweldig. Hartelijk dank.' Heath lijkt in de war.

'Dat was alles? Weet je het zeker? Want ik heb de hele scène uit mijn hoofd geleerd.' Ik glimlach zo geforceerd dat mijn wangen pijn doen en ga staan. *And another one down and another one down, another one bites the dust!*

'Nee, dat was echt heel goed. Echt waar. We nemen contact met je op.'

Ik doe de deur open, begeleid hem naar buiten en werp een blik op nog zo'n twaalf mannen 'tussen de eenentwintig en vijfentwintig, van elk ras, zeer aantrekkelijk met een verplicht wasbordje' die zitten te wachten om auditie te doen voor de rol van Brady, de strandwacht van de club waar Zane (codenaam 'John' vanwege geheimhouding) zal verdrinken.

Ja, dat klopt. Zane Hansen, de favoriete acteur van tv overdag, het personage waarmee, volgens een onderzoek van *Soap Opera Digest*, drieënzeventig procent van de Amerikaanse vrouwen hun echtgenoot zouden bedriegen, gaat verdrinken. Het is heel wat in het soapwereldje. Naast het gebruik van codenamen tijdens de audities, moeten we ervoor zorgen dat alle acteurs het script teruggeven voordat ze het pand verlaten, omdat de omroep van plan is dit voor zo'n hoog mogelijk kijkcijfer uit te melken en ze willen niet dat het uitlekt door een verbitterde acteur die de rol niet heeft gekregen. Ik zie de programma-aankondiging al voor me: 'Mis de meest schokkende *S&S* aflevering van de eeuw niet! Adembenemend.'

Het is zo dom allemaal, het gaat om een meningsverschil over een salaris. Het contract van de jongen die Zane speelt – Tommy Runson heet hij in het echt – moet dit jaar worden verlengd en hij dreigt op te stappen als ze hem geen belachelijke hoeveelheid geld bieden. Dus laten ze hem doodgaan om te bewijzen dat *S&S* prima kijkcijfers blijft behalen na Tommy Runsons vertrek net zoals de vijfentwintig jaar voordat hij de rol kreeg. In de tussentijd stampt Tommy als een kleuter over de set en vertelt hij iedereen dat hij klaar is met het gezeik in het tv-wereldje en dat de filmaanbiedingen bij zijn manager binnenstromen.

Maar iedereen weet dat hij terug zal komen. Dit gebeurt constant. Natuurlijk krijgt hij filmrollen aangeboden, maar voor waardeloze producties die rechtstreeks op video uitkomen, of als hij geluk heeft speelt hij 'sexy man nr. 1' in een stripclubscène in een speelfilm. Maar als hij bijna op zwart zaad zit en voldoende is vernederd, komt hij smekend op zijn blote knieën terug naar CBC en bedenken ze een manier om dat lastige gedoe dat hij dood is weer recht te breien en maakt hij zijn comeback tijdens de kijkcijferpeilingen in mei.

Ik zie al helemaal voor me hoe het zal gaan: Zane heeft het op miraculeuze wijze overleefd door zich aan een tak vast te klampen waarna hij naar een nog niet in kaart gebracht eilandje voor de kust van New York is gedreven. Het eiland is onbewoond, maar het wemelt er van de grote tonijnen die hij heeft gevangen en dichtgeschroeid op een zelf gefabriceerd rooster. Hij vertelt iedereen dat de tonijn het enige was wat hem op de been hield, omdat het hem deed denken aan de tonijncarpaccio die Courtney en hij altijd in hun favoriete restaurant in Manhattan aten, en hij wist gewoon dat hij het moest overleven zodat hij op een dag met Courtney naar dat restaurant terug zou kunnen gaan. Alleen dacht Courtney dat hij dood was en is ze van verdriet met Grayson naar bed gegaan en nu zijn ze verloofd. Zane vindt dat niet erg, want na zijn afschuwelijke bijna-doodervaring is hij een andere man geworden, maar ook een geweldige kok en dus opent hij een restaurant genaamd Courtney's en moet ik een hele tering-cast voor het restaurant zien te vinden en niet te vergeten een gastvrouw 'tussen de vijfentwintig en dertig, blank, buitengewoon knap, niet blond alsjeblieft', om Zanes nieuwe vlam te spelen.

Jemig. Ik moet echt weg bij dagtelevisie.

Ik draai me om en loop terug naar de castingruimte waar mijn assistente Gina met haar pen in de aanslag boven een zwart, plastic clipboard staat te wachten.

'Oké, Heath, ja of nee?' vraagt ze. Mijn schouders verstarren en ik staar haar kil aan.

'Karen, Zane is dood,' zeg ik met een robotachtige stem.

'Ik neem aan dat je nee bedoelt,' reageert Gina lachend.

'Het is niet grappig,' zeg ik. 'Heb je enig idee hoe pijnlijk het is om in die kamer te zitten en dezelfde afschuwelijke zinnen steeds weer opnieuw te moeten aanhoren? Ik laat mijn nagels er nog liever met een tang uitrukken.' Gina trekt een neppruilmondje.

'Ach, arme Laynie, hoofd casting voor de dagprogramma's van CBC,' zegt ze en ze schudt haar hoofd. 'Ze zit de hele dag in één ruimte met sexy man-

9

nen die halfnaakt zijn.' Ze snuift en doet net of ze huilt. 'Het is echt verschrikkelijk.'

'Niet slecht,' zeg ik tegen haar. 'Je zou zelf eens auditie moeten doen. Volgens mij komt er binnenkort een rol vrij voor een kattige assistente, tussen de twintig en vijfentwintig met een sarcastische houding. Perfect voor jou.' Gina trekt een gezicht.

'Wat je wilt,' zegt ze. 'Als ik jou was, zou ik proberen een paar telefoonnummers los te krijgen. Je hebt enorm veel macht over deze jongens. Ze zouden maar al te graag met je in bed duiken.'

Ik kijk haar vragend aan. 'Eh, ja, dat is de castingbank, ook bekend als "seksuele intimidatie" op onze juridische afdeling. En voor het geval je het bent vergeten, ik ben verloofd.' Ik houd de ringvinger van mijn linkerhand omhoog en zwaai mijn verlovingsring voor haar neus heen en weer.

'Ik weet dat je verloofd bent. Ik wil alleen maar zeggen dat het een zeldzame kans is. Ik weet zeker dat Ethan het zou begrijpen.'

'En ik weet zeker van niet. Zou je nu alsjeblieft weg willen gaan zodat ik de toekomst van *The Strong and the Stunning* veilig kan stellen?'

'Prima, maar probeer wel een paar nummers voor mij te krijgen, oké?' Ze houdt haar onberingde ringvinger in de lucht en zwaait die op en neer. 'Want ik ben niet verloofd. Ik heb niet eens een vriend. Zelfs geen date.'

'D'r uit,' commandeer ik. Ze steekt haar tong uit, opent de deur en loopt de hal in. Een paar minuten later doet Gina de deur weer open en stapt er opnieuw een shirtloze man naar binnen, dit keer met blond haar en bruine ogen.

'Dit is Cody McNeal,' kondigt Gina aan. Ik blader door de stapel portretfoto's voor mijn neus en vind degene met zijn naam erop. Ik kijk naar Cody, hij is zeker tien jaar ouder dan op de foto. Eenentwintig tot vijfentwintig, mooi niet. Deze vent is als hij mazzel heeft drieëndertig. Gina geeft me een dubbelgevouwen stuk roze papier uit haar blocnote en loopt de kamer uit. Ze knipoogt naar Cody en vormt met haar lippen het woord 'succes' terwijl ze de deur dichttrekt.

Cody gaat op de bank zitten, haalt een kopietje van het script tevoorschijn en begint direct te lezen. Hij struikelt meteen over de eerste regel.

'Mag ik opnieuw beginnen?' vraagt hij nerveus.

'Natuurlijk,' zeg ik, alsof ik al niet heb besloten dat hij de rol niet krijgt. Ik doe alsof ik zijn cv bestudeer terwijl hij de tijd neemt om rustig te worden en ik vouw het stuk papier open dat Gina me heeft gegeven.

'Bel je moeder,' staat er. Bovenaan staat een vinkje naast het vakje 'dringend'.

SARAH

'Kunnen we nu overgaan tot de orde van de dag?' Molly slaat met haar hamer op tafel en het gekwebbel houdt onmiddellijk op. 'Goed, we hebben veel te bespreken. De schoolbazaar is over nog geen twee weken en er moet nog veel gebeuren! Eerst maar de verslagen van de verschillende commissies. Lizzie en tarieven. Wat hebben jullie?'

Terwijl Lizzie en een aantal andere vrouwen discussiëren over hoeveel bonnetjes we voor een suikerspin moeten vragen, blader ik door mijn grijze map waarop met grote rode letters CALDWELL SCHOOL staat. Ik vind het stapeltje kwitanties dat ik zocht en in gedachten tel ik op hoeveel geld ik nog van de bazaarcommissie tegoed heb. Bijna duizend dollar. Gelukkig, denk ik. Dat zou genoeg moeten zijn voor de aanbetaling voor het zomerkamp van de meiden, zodat ik weer een paar maanden heb voor ik me zorgen hoef te maken over hoe ik de rest ga betalen. Ik zucht. Dit gegoochel met geld wordt zo langzamerhand erg vermoeiend en ik ben het zat om steeds maar weer een smoesje te moeten verzinnen. 'O, ik vind het zo jammer, maar we kunnen dit jaar echt niet naar Aspen, mijn moeder heeft ons nodig in New Jersey.' 'Ja, de meisjes willen zo graag een paard, maar Jessie is erg allergisch.' Ik ben het zo zat om altijd maar te moeten doen alsof alles in orde is en dat alles is zoals het was. Het zou zoveel makkelijker zijn als de kinderen naar een normale school zouden gaan.

Plots hoor ik Molly mijn naam zeggen en ik ga met een schok rechtop zitten.

'Sarah,' zegt ze ongeduldig. 'Ben je er nog?' Ik kan Molly Royce niet uitstaan. Of, zoals ze erop staat zichzelf te noemen, Molly McKinley-Royce. Ze beweert dat ze familie van William McKinley is, de vijfentwintigste president van de Verenigde Staten. Maar ik heb William McKinley op internet opgezocht en hij had twee dochters die alle twee op zeer jonge leeftijd zijn overleden, dus als ze familie van hem is, wat ik ten zeerste betwijfel, is het niet erg waarschijnlijk dat ze direct van hem afstamt. Hoe dan ook, ze gedraagt zich als iemand van koninklijken bloede. Ze is van nature supermooi: lang, slank en blond, zo'n vrouw die alleen maar in Californië geboren kan zijn. Haar echtgenoot is natuurlijk ouder. Veel ouder. Minstens twintig jaar. Ik heb hem op de schoolreünie gezien en vorig jaar tijdens de kerstuitvoering van de kinderen. Hij is niet lang, iets te zwaar en niet bijzonder knap. Zijn haar wordt dunner, hij heeft ouderdomsvlekken op zijn handen, rimpels in zijn gezicht en een blik in zijn ogen die mijn man 'fonkelloos' zou noemen. Ik heb gehoord dat hij een echte rotzak is. Als hij geen miljardair en mediamagnaat zou zijn, zou hij waarschijnlijk alleen zijn of getrouwd zijn met een afgrijselijke vrouw die hij niet uit kan staan. Maar hij is wél miljardair en mediamagnaat, dus is hij getrouwd met lange, mooie, blonde, oppervlakkige Molly.

Je zou moeten zien hoe ze met haar diamanten ring pronkt. Alsof het een oorlogsmedaille is. Alsof ze hem heeft verdiend. Hij is zeker acht karaats. Hij neemt bijna haar hele vinger in beslag en ze draagt hem altijd. Ze droeg hem zelfs toen we vorig jaar plantjes in de schooltuin gingen poten. Alle andere moeders droegen een spijkerbroek met opgerolde pijpen en Crocs, en wij wroetten met onze blote handen in de aarde, maar Molly had hooggehakte lakleren laarzen aan en die enorme steen aan haar vinger die vooral mijn dochter verblindde als de zon erop scheen. En nu denkt ze dat ze superbelangrijk is omdat ze voorzitter van de ouderraad op Caldwell is, alsof dat iemand wat kan schelen.

'Ja,' zeg ik. 'Sorry. Ik haalde net mijn papieren tevoorschijn. Oké. De advertenties...' Molly onderbreekt me.

'Zou je eerst je naam en functie kunnen vermelden?' vraagt ze geërriteerd omdat ze me eraan moet herinneren. Dit is Molly's regel sinds ze haar ambt vorig jaar juni heeft aanvaard. Het is bespottelijk, de basisschool heeft slechts driehonderdvijftig leerlingen en het zijn ieder jaar dezelfde twintig moeders die al het vrijwilligerswerk doen. We kennen elkaars namen heus wel. Maar Molly is geobsedeerd met procedures; aan het begin van haar voorzitterschap citeerde ze altijd een zekere Robert en zijn ideeën over hoe vergaderingen zouden moeten verlopen. Pas na een maand besefte ik dat ze refereerde aan het boek *Robert's Rules of Order.*

Molly slaat haar armen over elkaar en wacht, en ik probeer niet te glimlachen als ik eraan denk hoe hard ze op haar bek zou gaan als ze ooit een meeting in de echte wereld moest leiden.

'Ik ben Sarah Felton, reclame en marketing,' zeg ik. Molly knikt goedkeurend en ik ga verder. 'Zoals ik al zei, het adverteerwerk is zo goed als rond. Er komen advertenties in alle plaatselijke bladen, dit weekend en elke dag van de volgende week. Waarschijnlijk hebben jullie de reclameborden in de stad al zien hangen. Er komt een groot bord boven Wilshire Boulevard bij Los Angeles Cienega en één op Sunset vlak bij de oprit naar de 405.' Stephanie Lerner (haar echtgenoot is ook ouder en hoofd van een filmstudio, welke kan ik me niet meer herinneren) glimlacht naar me vanaf de andere kant van de tafel.

'Ik vind de slogan die je voor de advertenties hebt bedacht geweldig,' zegt ze. '"De bazaar is pas een feest als jij er bent geweest."' Ze schudt haar hoofd. 'Hoe ben je daar op gekomen?' vraagt ze.

'Ik weet het niet,' antwoord ik. 'Ik heb elf jaar in de reclame gewerkt. Het gaat waarschijnlijk nooit weg. Eigenlijk is het knap vervelend. Ik kan geen tijdschrift lezen zonder in gedachten de tekst van anderen te herschrijven.' Molly slaat weer met haar hamer.

'Orde, orde, graag. Dit is geen plek voor gekeuvel, dames, laten we verdergaan met het volgende verslag.'

Molly wijst naar Joanne Knabel (de familie van haar man is eigenaar van Knabel Farms, de grootste zuivelonderneming in de Verenigde Staten) en Joanne vermeldt haar naam en het feit dat ze verantwoordelijk is voor de attracties en de spelletjes. Terwijl ze het probleem beschrijft dat ze heeft met de man die een vijftien meter hoge klimmuur zou moeten plaatsen, haak ik af en leg mijn map op schoot zodat niemand hem kan zien. Zonder hem open te slaan, steek ik mijn hand ertussen en haal een crèmekleurig, vel papier van zware kwaliteit tevoorschijn. Mijn cv.

Ik heb Bill nog niet verteld dat ik op zoek ben naar een parttimebaan. Ik moet wel. Het kan me niet schelen wat hij zegt, ik kan niet gewoon toekijken zonder een poot uit te steken. Mijn hemel, ik heb elf jaar ervaring in de reclame; het is echt zonde om dat niet te gebruiken. Een baan zoeken is alleen moeilijker dan ik had gedacht. Natuurlijk had ik niet verwacht dat de grote bedrijven interesse in me zouden hebben, maar ik had verwacht dat de middenmoot zou staan te trappelen om me in dienst te nemen. Ik heb bij McCann Avery gewerkt, dé top in de reclamewereld. Het is zo ironisch. Toen ik daar nog werkte, werd ik iedere dag door een headhunter gebeld. En nu lukt het me niet eens om ergens een gesprek te krijgen. Ik ben zelfs afgewezen door de bedrijven waar de mensen op de grafische afdeling altijd de draak mee staken.

Maar het geeft niet. Ik heb mezelf net ingeprent dat ik niet trots ga lopen doen en geen snob zal zijn. Ik heb me zelfs ingeschreven bij thejobfactory.com. Twee dagen geleden, toen de meiden naar school waren, heb ik vier functies gevonden die best veelbelovend leken. En voor het geval ik iets over het hoofd heb gezien, heb ik mijn cv aan de algemene sollicitatielijst voor marketingfuncties toegevoegd. Ik neem aan dat er wel iemand bereid is me te betalen.

Ik loop vluchtig door mijn cv en probeer er kritisch naar te kijken, als een potentiële werkgever.

> *BA in marketing, George Washington University.*
> *McCann Avery Advertising. Hoofd copywriter*
> *verantwoordelijk voor reclamecampagnes ter waarde van*
> *miljoenen dollars in belangrijke nationale publicaties.*
>
> *Tegenwoordig huismoeder. In deze periode veel*
> *reclamewerkzaamheden gedaan voor schoolbazaars en*
> *liefdadigheidsinstellingen op vrijwilligersbasis.*

Jakkes. Dat laatste klinkt... waardeloos. Ik kan het bedrijven niet kwalijk nemen dat ze me niet willen ontmoeten. Ik zou mezelf niet eens willen ontmoeten. Ik kan het maar beter opgeven en solliciteren naar een baantje bij Gap Kids.

Molly slaat weer met haar hamer en ik schuif mijn cv vlug terug in de map. Ik wil niet dat iemand erachter komt dat ik wil gaan werken. We hebben nog niemand over onze geldproblemen verteld – zelfs onze families niet – en als mensen zouden horen dat ik op zoek ben naar een baan... mijn hemel, ik hoor het gefluister al.

Haar man is eigenaar van H&H Records. Waarom zou zij moeten werken?

Weet je, zijn vader is overleden vlak voordat ze zijn getrouwd. Hij moet minstens vijftig miljoen hebben geërfd. Denk je dat ze dat allemaal heeft verbrast?

Misschien zijn ze onder huwelijkse voorwaarden getrouwd.

Misschien zijn ze onder huwelijkse voorwaarden getrouwd en is ze aan het sparen om bij hem weg te gaan.

Ik doe mijn map dicht en stop hem weer in mijn tas waar ik hem kan zien.

'Oké,' zegt Molly vanaf het hoofd van de tafel. 'Ik denk dat iedereen weet hoe belangrijk het is om deze laatste weken ons steentje bij te dragen. We moeten het goede voorbeeld aan de andere vrijwilligers geven, maar ook aan onze kinderen. Dus ik verwacht dat jullie je voor de volle honderd procent in zullen zetten tijdens het opbouwen en het opruimen, want als jullie het niet doen, kunnen we ook niet verwachten dat anderen ons zullen helpen.' Ze kijkt de tafel rond en maakt met iedereen even oogcontact. 'Goed dan. Ik stel voor dat we elkaar zondag over twee weken om acht uur 's ochtends op het grasveld aan de voorzijde ontmoeten om alles op te bouwen.' Lizzie van tarieven steekt haar hand op.

'Ik sluit me daarbij aan.' Molly kijkt haar stralend aan.

'Geweldig. Wie is er voor?'

'Ik,' zeg ik, tegelijkertijd met alle anderen aan de tafel.

'Wie is er tegen?' Molly kijkt naar ons en ik kan zien dat ze tot vijf telt terwijl ze wacht op een tegenstander. 'Oké dan,' zegt ze uiteindelijk. 'Tot zaterdag de veertiende om acht uur.'

Mijn mobieltje trilt in mijn zak, ik pak hem en kijk vlug naar het nummer. Netnummer 609. Dat is mijn moeder. Ik druk de oproep weg en stop de telefoon weer in mijn zak. Ik bel haar wel als ik straks in de auto zit.

Eerst moet ik Janie ophalen van de kleuterschool en bovendien zijn mobieltjes op het terrein van Caldwell strikt verboden.

Molly heft haar hamer theatraal op en laat hem een keer op de tafel vallen.

'Deze vergadering van de ouderraad van Caldwell is nu gesloten.'

2 LAYNIE

'Hoi, schat,' zeg ik in mijn headset. 'Hoe gaat het met mijn bijna beroemde scenarioschrijver en verloofde?'

'Ik ben geruïneerd,' antwoordt hij. 'Ik ben er net achter gekomen dat *The Times* een artikel aan *Days of Dragons* in de uitgaanssectie van de weekendbijlage wijdt.'

'Ho,' zeg ik. 'Dat is toch juist goed?' Hij zucht.

'Alleen als het een goed verhaal is. Stel dat het waardeloos is? Stel dat ze schrijven dat Ethan Shaw aan de crack moet zijn geweest toen hij het schreef?'

Ik sluit mijn ogen. Dus het wordt weer zo'n dag. Ik ben Ethan en zijn stemmingswisselingen zo zat. Je zou toch denken dat de man die het script heeft geschreven voor de film met de meeste filmsterren en het grootste budget van het jaar, en waar iedereen al tijden op wacht, de twee weken voor de première enorm opgewonden zal zijn. Maar ik zweer het je, Ethan is negatiever en neurotischer dan hij ooit is geweest, wat op zich al een hele prestatie is. Een paar jaar geleden tijdens een van zijn google-mezelf-aanvallen vond hij een MySpace-pagina van een jochie van een middelbare school in Nebraska. Het ventje riep dat hij *Cliffs of Angels* niet wilde zien omdat het was geschreven door dezelfde gozer die *Party for One* had geschreven en hij vond het script van *Party for One* nergens op slaan. Jemig, Ethan was vier dagen van slag. Ik dacht: schat, doe even normaal. Hij zit op de middelbare school. In Nebraska nota bene. Ik zou dit nooit tegen hem zeggen, maar soms denk ik dat hij niet geschikt is voor blootstelling aan dergelijke media.

'Ethan, ik weet vrij zeker dat ze niet zullen schrijven dat je aan de crack was. Dat zou kwaadsprekerij zijn, denk ik, of laster. Hoe je dat bij een krant ook noemt.'

'Laster,' zegt hij. 'En ik bedoel alleen maar dat het een ramp zou kunnen zijn.'

'Liefje, het is een grote film. Er komen recensies in duizenden kranten. Je kunt niet verwachten dat ze allemaal positief zullen zijn.'

'Ik verwacht ook niet dat ze allemaal positief zijn. Maar dit is de *Los Angeles Times* en ik woon in Los Angeles. Iedereen die ik ken, leest deze krant, dus zou het niet gênant voor me zijn als ze schrijven dat het een rotfilm is?'

'Natuurlijk wel. Maar ze schrijven heus niet dat het een rotfilm is. En zelfs als ze dat wel doen, hou ik nog steeds van je. Oké?'

Ethan snuift. 'Ja, dan komt het allemaal goed. Ik raak uit de gratie en zit zonder carrière, maar jouw liefde sleept me erdoorheen en uiteindelijk kom ik er weer bovenop. Hé, misschien moet ik daar eens een film over schrijven! O, wacht, dat is al zo'n achtduizend keer gedaan.'

'Goed, ik doe gewoon net alsof je geen enorme klootzak bent, omdat je gestrest en ongerust bent. Maar houd de volgende keer je scherpe opmerkingen voor je, ja.'

'Sorry,' zegt hij nu zonder een spoor van sarcasme in zijn stem. 'Je hebt gelijk, ik ben een klootzak. Ik weet het. Het spijt me.'

'Nou, goed dan. Er staat een lange rij shirtloze mannen met wasbordjes op me te wachten. Pas goed op jezelf, oké?'

'Oké. Ik hou van je.'

'Ik ook van jou.' Ik verbreek de verbinding en roep Gina, die de deur zo vlug opendoet dat ik zeker weet dat ze mee stond te luisteren.

'Heb je iets nodig?' vraagt ze.

'Toen je mijn moeder net sprak en ze zei dat het dringend was, klonk het toen alsof ze doodging of deed ze gewoon theatraal?'

'Ik heb haar niet gesproken. Ze heeft een berichtje ingesproken. Maar ze klonk gewoon. Ze zei alleen dat je haar onmiddellijk terug moest bellen omdat ze je iets zeer belangrijks te vertellen had.' Ik zucht. Het is erg moeilijk om mijn moeder in te schatten, erg belangrijk kan betekenen dat ze net heeft gehoord dat ze kanker heeft, maar ook dat ze mijn vriendje van de middelbare school is tegengekomen en dat hij nu kaal is.

'Hoeveel Brady's staan er nog te wachten?' vraag ik.

'Nog maar twee. En die zijn allebei te vroeg. Ze staan ingepland voor vier uur en kwart over vier. Die van halfvier en kwart voor vier zijn niet op komen dagen.'

'Oké. Dan bel ik haar nu wel even. Maar ik wil dat je over tien minuten naar binnen komt en heel hard zegt dat de baas van CBC me dringend wil spreken. Oké?' Gina knikt. 'Heel hard,' herhaal ik.

'Begrepen,' zegt ze ernstig. 'Wacht maar, ik bel haar wel even.' Ze loopt het kantoor uit en even later gaat de telefoon over en gaat er een groen lampje branden. Ik klik op mijn headset en wacht tot ze me heeft doorverbonden.

'Mevrouw Carpenter?' vraagt Gina.

'Ja.'

'Ik heb Laynie Carpenter voor u aan de lijn.' Mijn moeder aarzelt en ik heb er onmiddellijk spijt van dat ik Gina heb laten bellen. Hier ga ik zoveel gezeik mee krijgen.

'O-ké,' zegt mijn moeder met een stem die vervuld is van irritatie. Gina zet haar in de wacht en ik druk op het knopje van de intercom om tegen Gina te zeggen dat ik aan de lijn ben.

'Mevrouw Carpenter,' zegt Gina, 'ik verbind u door met Laynie.'

'Bedankt, Gina,' zeg ik. Ik wacht tot Gina ophangt en het groene lichtje uitgaat. 'Hallo, mam.'

'Leg me nou eens precies uit waarmee je het zo druk hebt dat je geen drie seconden hebt om zelf te bellen? Ben je zo belangrijk dat je zelfs je eigen moeder niet meer kunt bellen zonder hulp van je assistente? Of ben je vergeten hoe je een nummer intoetst? Of ben je misschien een vinger kwijtgeraakt en ben je vergeten me dat te vertellen?'

Ik zucht. 'Het spijt me. Zo gaat het in Hollywood nu eenmaal. Het is een gewoonte.'

'Maar wel een stomme gewoonte. En een stomme stad.'

Echt, de meeste ouders die ik ken, zouden het geweldig vinden als hun dochter de casting van een grote tv-zender doet, maar mijn moeder niet. Mijn moeder vindt televisie – wacht maar – stom. Ze is vast de enige in

Amerika die helemaal niet kijkt. Toen ik ging studeren en uit huis ging, heeft ze de tv zelfs weggedaan. Mijn vader heeft een oud zwart-wit-tv'tje in de garage verstopt en als mijn moeder niet thuis is, sluipt hij er stiekem heen om naar het *Rad van fortuin* of een American football-wedstrijd van de Eagles te kijken.

'Het is absoluut een stomme stad,' zeg ik, denkend aan mijn gesprek met Ethan. 'Daar kunnen we het over eens zijn. Maar, wat is er aan de hand?' vraag ik. Ze haalt diep adem en zucht.

'Je vader en ik gaan scheiden,' zegt ze nuchter. Heel even ben ik stil terwijl ik de woorden verwerk en ze in mijn hoofd herhaal om er zeker van te zijn dat ik het goed heb gehoord en dat ze niet zei dat ze gaan rijden. 'Laynie?' vraagt ze. 'Ben je er nog?'

'Zeg alsjeblieft dat jullie een paard gaan kopen. Jullie verhuizen naar een boerderij en kopen een paard. Is dat het?'

Ze kucht met een lachje alsof ze wil zeggen, dat is het niet. Helemaal niet.

'Het spijt me, schat. We hebben geprobeerd er samen uit te komen. Echt waar. Maar het gaat gewoon niet meer.'

Ik voel de tranen in mijn ogen prikken. 'Jullie zijn achtendertig jaar getrouwd!' gil ik. 'Hoe kan het niet meer gaan?'

Ze zucht. 'Laynie, ik weet dat het moeilijk is om er plots achter te komen dat dingen anders zijn dan ze lijken en deels geef ik mezelf daar de schuld van, want ik heb altijd geprobeerd alles mooier voor te doen. Ik wilde dat je zus en jij een gelukkige jeugd hadden en ik wilde niet dat jullie je schuldig zouden voelen of verdrietig zouden zijn, dus heb ik jullie nooit laten merken hoe ik me echt voelde. Maar eerlijk gezegd denk ik dat het tussen je vader en mij nooit echt goed heeft gezeten. We waren zo jong toen we elkaar ontmoetten. Hij is de enige man met wie ik ooit samen ben geweest, en ik word steeds ouder en ik wil over een paar jaar niet op mijn sterfbed liggen met de gedachte dat ik mijn leven anders had willen inrichten. Ik wil meer. Ik wil het beste uit mijn leven halen.' Wacht eens even. Die uitspraak ken ik.

'Heb je naar *Oprah* gekeken?' vraag ik beschuldigend. Er valt een lange stilte. Mijn hemel. Wat een leugenaar. 'Ik dacht dat je nooit tv-keek!'

schreeuw ik. 'Ik dacht dat je van tv dom werd. Je verwijt mij al tien jaar dat ik in de tv-wereld werk en nu kom ik erachter dat je stiekem naar Oprah Winfrey kijkt! Dat meen je toch niet?'

'Ik heb niet stiekem naar Oprah Winfrey gekeken,' gaat ze tegen me in. 'Ik was bij de tandarts en daar kun je tv-kijken terwijl ze met je bezig zijn, waarschijnlijk om je af te leiden van de boorgeluiden. Toevallig stond er een aflevering op over vrouwen met kinderen die het huis uit zijn en hun echtgenoot hebben verlaten, en dat heeft me aan het denken gezet.'

'Mijn hemel, mam, je hebt één keer naar *Oprah* gekeken en nu ga je bij pa weg? Maar goed dat het niet over vrouwen ging met kinderen die het huis uit zijn, die ze vervolgens hebben vermoord, anders was ik nu misschien wel dood geweest.'

'Laynie, overdrijf niet zo. Dit gaat niet om Oprah. Oprah heeft alles slechts bevorderd. Toen ik die show zag en die vrouwen hoorde praten over hoe ze het leven leidden dat ze altijd hadden gewild, dat ze reisden, mensen ontmoetten en de wereld echt beleefden... nou, dat gaf mij de moed om te doen wat ik al jaren wilde doen.'

'Jaren?' vraag ik.

'Ja. Al bijna sinds het begin van ons huwelijk heb ik het gevoel dat je vader me belemmert. Hij houdt niet van vliegen, hij vindt het niet leuk om mensen te ontmoeten, hij houdt niet van veranderingen of iets nieuws. Hij eet elke dag dezelfde vier dingen.

Weet je dat ik altijd al een cruise heb willen maken? Als klein meisje droomde ik van een cruise als huwelijksreis. Maar ik ben nooit geweest. Ik ben tweeënzestig en ben nog nooit op een cruise geweest, en weet je waarom niet?' Ze hoeft me niet te vertellen waarom niet want het is vanwege dezelfde reden waarom ik nog nooit op een boot was geweest tot ik naar de universiteit ging en in Marina del Rey met drie van mijn dispuutgenoten op een zuipschuit terechtkwam.

'Omdat pa zeeziek wordt,' antwoord ik.

'Precies. Hoor eens, ik hou van je vader, echt waar, maar hij is een enorme lastpak. En misschien is het mijn schuld wel omdat ik hem al die jaren zo heb verwend. Ik had hem kunnen dwingen een pleister tegen misselijkheid te dragen of eens Indiaas eten te proeven. Maar die tijd ligt ver achter ons en ik ben het zat. Ik heb mijn plicht als echtgenote gedaan. Ik heb voor hem gezorgd en twee kinderen grootgebracht. Nu ga jij trouwen en zelf een gezin stichten en ik heb eindelijk het gevoel dat ik toestemming krijg om weer voor mezelf te gaan leven. En dat is precies wat ik ga doen.'

Ik heb er niets tegenin te brengen. Wat zou ik moeten zeggen? Nee, mam, leef je eigen leven niet. Blijf lekker ongelukkig met pa tot je doodgaat. Ik ben gewoon geschokt, meer niet. Ik bedoel, ik had geen flauw idee dat ze zo ongelukkig was. Vlug ga ik in gedachten terug naar mijn kindertijd en ik vraag me af of ik tekens heb gezien van het feit dat ze zo ongelukkig was, maar ik kan me niets herinneren wat een aanwijzing had kunnen zijn. Ik heb altijd gedacht dat mijn vader en zij een warme, liefdevolle relatie hadden. Het is moeilijk in te denken dat het allemaal slechts een schijnvertoning was.

'Hoe gaat het met pa?' vraag ik. Ik probeer me voor te stellen hoe mijn vader keek toen ze aankondigde dat ze hem ging verlaten, maar ik twijfel tussen het beeld dat hij in een hoopje ellende op de vloer ineenstortte of op zijn knieën viel en haar smeekte het niet te doen. Van de gedachte alleen al raak ik van streek, maar mijn moeder lacht.

'Niets aan de hand. Geloof mij, schat, zo gelukkig was hij nu ook weer niet met mij. Hoewel ik hem wel een keuze heb gegeven. Ik heb hem een lijst overhandigd met alle dingen die ik nog wil doen voordat ik doodga en gezegd dat hij die samen met mij kan doen of dat ik ze alleen ga doen. Hij wilde me liever laten gaan.' Oké misschien was het ineenstorten/smeken lichtelijk uit de richting. Maar ik kan me de lijst wel voorstellen. Waarschijnlijk begon het met 'Athene, cruise naar', en eindigde het met 'Zimbabwe, safari in'. Intussen zit mijn vader het liefst op een steiger met een vishengel in zijn ene en een cola light in zijn andere hand.

'Moet je luisteren,' zegt ze alsof ze kan horen wat ik denk. 'Het wordt heus geen nare scheiding zoals bij de mensen waar jij woont. Wij houden het vriendelijk en beschaafd. Er komt geen advocaat aan te pas. We hebben al onze bezittingen verdeeld en een regeling uitgewerkt zodat ik wat alimentatie krijg. Allemaal erg eerlijk. Ik heb hem gezegd dat ik Thanksgiving en kerst nog best samen wil vieren, als hij dat wil. Ervan uitgaande dat ik tegen die tijd nog geen vriend heb. Hoewel je dat niet kunt weten.

Ik hoorde dat sommige stellen die uit elkaar zijn en allebei opnieuw zijn getrouwd met elkaar op stap gaan en dat iedereen geweldig met elkaar overweg kan.'

'Misschien loop je iets op de zaken vooruit, ma.' Ik veeg een traan weg die net over mijn wang gleed en slik een snik in. Ik wil haar niet laten merken dat ik huil. Als het op mensen aankomt, stopt mijn moeder iedereen graag in hokjes. Volgens haar ben ik de gevoelige die bij het minste of geringste huilt terwijl mijn zus praktisch en volwassen is en elke situatie aankan.

Laynie is de baby, zei mijn moeder altijd tegen iedereen, maar haar zus kwam als veertigjarige ter wereld.

Het is blijkbaar nooit bij haar opgekomen dat het feit dat iedereen weet dat mijn moeder denkt dat ik een baby ben, mijn zelfvertrouwen kan schaden. Of dat ik mijn hele leven bezig ben haar te bewijzen dat ik sterk ben en dat ik de dingen ook aankan. Het zal mij dus niet gebeuren dat ik nu instort.

Terwijl ik probeer weer tot bedaren te komen, denk ik eraan wat mijn therapeut me heeft geleerd om in dergelijke situaties te doen: focus op de praktische kant, kijk niet naar de emotionele kant. Prima. Ik haal diep adem en denk aan de praktische vragen die op deze situatie van toepassing zijn. Had ik nu maar een van die 'Worst-case-scenario'-handboeken bij de hand. Zoals *Worst-case-scenario overlevingsgids: je moeder heeft je zojuist verteld dat ze je vader gaat verlaten na bijna veertig jaar huwelijk omdat ze meer avontuur in haar leven wil.* Dat zou een goede zijn. Die zou ik kopen.

'Hoe gaan jullie het doen?' vraag ik. 'Trekt een van jullie in een appartement?'

'Nou, ik heb je vader gezegd dat hij de flat aan de kust mag hebben en hij wil daar permanent gaan wonen. Hij heeft daar altijd na zijn pensioen willen gaan wonen en nu kan hij iedere dag op die stomme steiger zitten. Hij heeft al een enorme flatscreen voor in de woonkamer gekocht. Echt, hij staat te popelen om te vertrekken.'

'Dus dan blijf jij thuis wonen?' vraag ik. Ze aarzelt. 'Mam?'

'Nou, eh, Laynie, dat is de andere reden waarom ik bel. Je vader en ik hebben het huis verkocht. Het is tien keer meer waard dan toen we het kochten en verkopen leek ons beiden logisch. Zes uur nadat het op de markt kwam, waren we het al kwijt. Niet te geloven, hè? De makelaar zei dat het een record was. Hoe dan ook, de nieuwe bewoners willen er zo snel mogelijk in trekken en de overdracht is over twee weken.'

'Twee weken!' Ik ben al bijna twee jaar niet thuis geweest, maar op de een of andere manier is de gedachte dat het niet meer van ons is verschrikkelijk. Ik probeer het me voor de geest te halen: grijs, twee verdiepingen, Cape Cod-stijl met zwarte luiken als twee haakjes om alle ramen heen; een enorme eik in de voortuin met een lange, dikke tak die mijn vriendinnen en ik gebruikten om naar de jongens in de buurt te gluren; de roestige oranje schommel die nog steeds in de achtertuin staat.

Normaal gesproken ga ik elk jaar met Thanksgiving en kerst naar huis, maar afgelopen jaar zijn we met Thanksgiving naar Ethans familie geweest en daarna met kerst naar Hawaï. Het was een beetje een teleurstelling, want ik had gehoopt Ethan te laten zien waar ik ben opgegroeid om even de hectiek van Los Angeles te verlaten. Ethan stond er echter op dat we naar Maui zouden gaan. Alle mensen uit de entertainmentindustrie gaan daar met kerst heen, zei hij. Het is een goede gelegenheid om te netwerken. Bovendien, zei hij, wil je toch niet echt een week met je zus in New Jersey doorbrengen? Maar het was er verschrikkelijk. Het hotel zat stampvol mensen uit Los Angeles, dus ik had net zo goed thuis kunnen blijven. Bovendien was er in de verste verte niets ontspannends aan, iedereen zat aan het zwembad zaken te doen met zijn mobiele telefoon en de mensen stonden om vijf uur 's ochtends op om de beste ligstoelen te krijgen of ze lieten hun nanny, persoonlijke assistent of bodyguard om vijf uur opstaan om de beste ligstoel te krijgen. Als je wel uitsliep en pas om een uur of negen of tien bij het zwembad kwam, was elke stoel bezet en moest je op een handdoek in het zand zitten. Het was afschuwelijk. Ik heb Ethan laten zweren dat het volgend jaar kerst in New Jersey of niets zou zijn. Het wordt nu dus niets neem ik aan.

'Dat klopt,' bevestigt mijn moeder. 'Maandag over twee weken. Er staan nog een boel spullen in je oude kamer en ik weet niet of je wilt dat ik ze weggooi of dat je nog dingen wilt bewaren, dus ik dacht dat jij en je zus misschien een paar dagen hierheen zouden kunnen komen om door jullie spullen heen te gaan en mij te helpen met inpakken.'

'Dat kan niet, mam,' protesteer ik. 'Ik heb een baan. Ik kan niet zomaar midden in de week alles uit mijn handen laten vallen, bovendien gaat Ethans film over twee weken in première. Daar moet ik wel bij zijn en hij ziet het op dit moment helemaal niet zitten, hij heeft me echt nodig. Kunnen jullie alles niet gewoon inpakken en ergens opslaan tot ik daarheen kan komen?' De toon van mijn moeders stem slaat opeens helemaal om.

'Je hebt twee weken,' zegt ze standvastig. 'Alles wat nog in het huis ligt op de dag dat we verhuizen zetten we buiten voor de vuilnisman.'

Ik ben woedend. 'Je had me best wat eerder kunnen waarschuwen. Je belt me op en gooit dit nieuws zomaar voor mijn voeten: "Trouwens, je vader en ik gaan scheiden, ik heb het huis verkocht en je moet morgen even naar de andere kant van het land vliegen om je spullen in te pakken." Ik ben volwassen, mam. Ik heb een leven. Ik ben kleine Laynie niet meer die zich zomaar door iedereen laat commanderen.'

Er wordt op mijn deur geklopt en Gina komt binnen.

'Laynie,' roept ze luidkeels. 'De directeur van CBC is aan de lijn, het is dringend.' Ze glimlacht en steekt haar duimen in de lucht.

'Nou,' zegt mijn moeder. 'Ik neem aan dat je op moet hangen, het klinkt belangrijk. Bel me maar als je je vluchtinformatie hebt, dan kan ik je komen ophalen.'

'Tot ziens, mam,' zeg ik kil.

'Dag, schat,' zegt ze opgewekt alsof we net geen woorden hebben gehad. Alsof ze door net te doen alsof ik het goedvind wat ze zojuist heeft gedaan, ik het goedvind wat ze heeft gedaan. 'O, doe me een plezier, neem dezelfde vlucht als je zus, dan hoef ik niet twee keer naar het vliegveld. Ik hou van je.'

Mijn zus. Verdorie. Dit wordt steeds erger.

SARAH

Als ik het klaslokaal binnenloop, komt Janie naar me toe gerend en slaat haar kleine armpjes om mijn knieën heen.

'Mammie!' roept ze. Ze draagt het officiële Caldwell-schooluniform – een lichtgroene trui met Schotse ruit met daaronder een witte blouse – maar haar staartjes die ik vanmorgen zo zorgvuldig heb ingedaan, zitten bijna los.

'Hallo, schatje,' zeg ik tegen haar. 'Heb je een leuke dag gehad?' Janie knikt en houdt een tekening omhoog van een broodmager meisje met één enorm groen been en lang, krullend blond haar. Haar ogen staan zo dicht bij elkaar dat ze elkaar bijna aanraken. Het is net een kruising tussen Cyclops en Sammy Hagar.

'We hebben vandaag de letter "Z" gedaan en ik heb een zeemeermin getekend.' O, het is een zeemeermin. Schattig. Leuk om te bewaren. Zodra ik thuis ben, zet ik de datum erop en zal ik hem in de doos met werkjes stoppen die de meiden hebben gemaakt en die ik niet weg kan gooien. Ik haal net Janies roze Doornroosje-broodtrommeltje uit haar kastje als mevrouw Landes, Janies juf, aan komt lopen.

'Hallo,' zegt ze en ze glimlacht wat ongemakkelijk. 'Ik wilde je even laten weten dat Janie op het schoolplein een voorval met Carly Royce heeft gehad.'

'Een voorval,' herhaal ik. 'Hoe bedoel je?' Mijn hart begint sneller te kloppen als ik eraan denk wat de gevolgen kunnen zijn als mijn dochter de gezworen vijand van Molly Royce' dochter is.

'Nou,' zegt juf Landes. 'Ik wil niemand de schuld geven, maar de meisjes hadden ergens ruzie over en toen gaf Janie Carly een duw en toen viel Carly op de grond en stootte haar hoofd. Ze heeft gelukkig niets.' Juf Landes lacht nerveus. 'Gelukkig heeft iemand de rubberen tegels uitgevonden!' Ik kijk naar Janie die naar de grond staat te kijken.

'Waar hadden jullie ruzie over?' vraag ik.

Juf Landes haalt haar schouders op. 'Ik heb geen flauw idee. Ze hebben geprobeerd het uit te leggen, maar ik kon er geen touw aan vastknopen. Iets met een vliegtuig.'

Ik pak Janies hand en bedank mevrouw Landes. 'Ik praat wel met haar,' zeg ik. 'Het zal niet meer gebeuren.' Ik trek Janie zo snel mogelijk de klas uit en naar de auto op de parkeerplaats. Molly heeft de vergadering maar een minuut of twee na mij verlaten en ik heb geen zin haar nu tegen te komen, vooral niet voordat ik precies weet wat er is gebeurd. Ik zet Janie in haar stoeltje, maak de gordel vast, stap in en kan dan eindelijk het portier achter me dichttrekken. Ik ben zo blij dat het vandaag niet mijn beurt is voor Jessies carpool. Nu kan ik gewoon naar huis en hoef ik niet over twee uur terug te komen als de oudere kinderen uitgaan.

Ik rijd de parkeerplaats af en als ik veilig voor het verkeerslicht buiten het schoolterrein sta, draai ik me om en kijk naar Janie op de achterbank.

'Wat is er gebeurd?' vraag ik. Janie haalt haar schouders op.

'Niets. Carly is gewoon stom.'

'Janie, je weet dat ik dat geen leuk woord vind.' Mijn moeder vindt alles stom en daar kan ik echt niet tegen. Ik weet zeker dat Janie het van haar heeft opgepikt toen we er met kerst waren. 'Nou, waar hadden jullie ruzie over? Waarom werd je zo boos over een vliegtuig?' Janie zucht alsof ze zichzelf overgeeft aan het feit dat ze dit uit zal moeten leggen.

'Nou, het zit zo, Carly zei dat wanneer ze met het vliegtuig gaat, ze niet door een detectiepoortje hoeft en dat ze geen ticket krijgt en dat ze niet in een rij hoeft te wachten en dat alleen zij en haar familie in het vliegtuig zitten. Dus heb ik haar gezegd dat ze geen dingen mag verzinnen en zij zei dat dat niet zo was, maar ik weet dat het wel zo was omdat wij zo vaak met het vliegtuig naar oma gaan en zo gaat het op een vliegveld gewoon niet. En toen werd ik boos omdat ze niet ophield en heb ik haar geduwd.'

Mijn hemel. Ik kijk haar even aan en probeer een manier te bedenken om dit aan te pakken. Ik heb duizenden boeken over opvoeden gelezen, maar op de een of andere manier ben ik nooit een hoofdstuk tegengekomen over hoe je het concept privévliegtuigen aan een zesjarige moet uitleggen. Geen haar op mijn hoofd die eraan denkt haar de waarheid te vertellen. Dan wil ze weten waarom wij niet op die manier vliegen en ik heb echt geen trek in een discussie over waarom Carly's familie zoveel rijker is dan die van ons.

'Janie, zelfs al vind je het niet leuk wat ze zei, je mag iemand niet duwen.'

'Dat weet ik. Ik wilde het ook niet, maar ik werd heel boos. Maar ze loog toch, niet mammie?' Ik houd mijn blik strak op de weg zodat ik haar niet aan hoef te kijken terwijl ik lieg.

'Dat weet ik niet, schat. Misschien ging Carly met haar familie ergens heen waar niet zoveel mensen heen gaan en dus zaten ze alleen in het vliegtuig en hoefden ze niet in de rij te staan. Dat kan.' Ik kijk vlug naar haar in de achteruitkijkspiegel, maar ik zie dat ze er geen woord van gelooft.

'Dat denk ik niet,' zegt ze. 'Volgens mij is Carly gewoon een leugenaar.'

'Nou ja, misschien wel,' zeg ik. Precies op dat moment gaat mijn mobieltje weer en herinner ik me dat ik mijn moeder nog niet heb teruggebeld. Ik vis hem uit mijn zak en kijk naar het nummer. Mijn moeder. Normaal gesproken belt ze altijd op de meest ongelegen momenten, maar deze keer is haar timing perfect. Ik klik de telefoon in de carkit op het dashboard en zet haar op de speaker.

'Hoi, mam,' zeg ik. 'Janie zit in de auto, wil je haar gedag zeggen?'

'Hoi, Janie Benie,' gilt ze. 'Hoe gaat het met mijn favoriete kleuter?'

'Goed,' gilt Janie terug.

'Ik hou van je,' zegt mijn moeder.

'Ik ook van jou, oma.'

'Ah-halij mij-ij van de eaker-spay,' zegt mijn moeder. Ik haal hem van de speaker en Janie lacht.

'Oma doet gek,' zegt ze.

'Je moest eens weten,' zeg ik. 'En?' vraag ik nieuwsgierig. 'Heb je het haar verteld?'

'Ja, ik heb net opgehangen.'

'En?'

'En, ze doet net alsof er niets aan de hand is, maar ze was erg ontdaan en verrast en ik denk een beetje boos. Maar dat gaat wel weer over.' Ik slaak een zucht van opluchting.

'Gelukkig,' zeg ik. 'Ik was echt bang dat ze hysterisch zou worden. Heeft ze gevraagd of ik het wist?'

'Nee. Ze heeft helemaal niet naar je gevraagd.' Natuurlijk niet. Typisch weer. Ik zit erover in hoe ze het nieuws zal oppakken en zij vraagt zich niet eens af hoe het met mij gaat. Natuurlijk zou ze woedend zijn als ze wist dat ik het al een halfjaar weet. En helemaal als ze wist dat ik degene ben geweest die mijn moeder heeft aangemoedigd en haar ervan heeft overtuigd dat het beter is. En ook als ze zou weten dat ik via Craigslist een appartement voor mijn moeder heb gevonden. Maar zij heeft mijn moeder dan ook nooit gevraagd of ze wel gelukkig is. Het zou zelfs niet in haar opkomen aan haar te denken als een echt mens met echte problemen. In haar gedachten is mam alleen maar iemand die eten kookt tijdens de feestdagen en haar helpt een trouwjurk uit te zoeken. Ze is zo egoïstisch en onvolwassen. Wacht maar tot ze kinderen krijgt en iemand anders voor de verandering belangrijker is dan zij.

'Luister,' zegt mijn moeder en ze verandert van onderwerp. 'Ik heb goed nieuws. Het huis is verkocht.'

'O,' zeg ik verbaasd. 'In één dag? Hebben jullie een goed bod gekregen?'

'Een geweldig bod, maar de overdracht is over twee weken.'

'Twee weken?' roep ik uit. 'Is dat niet wat vlug? Hoe ga je alles in hemelsnaam zo vlug inpakken? Ik was van plan om tegen die tijd naar je toe te komen om je te helpen.'

'Dat komt goed uit,' zegt ze. 'Want je moet alle spullen uit je oude kamer uitzoeken en ophalen anders gooi ik ze weg. We verhuizen maandag over twee weken.'

'Dat meen je niet,' zeg ik. 'Het lukt me niet om voor die tijd naar je toe te komen. De schoolbazaar is over twee weken en daar moet ik nog bijna veertig borden voor maken. En ik kan de meiden ook niet zomaar alleen laten. Wie past er dan op en haalt ze uit school?' Op de achterbank begint Janie te jengelen.

'Waar ga je heen, mammie? Ga je ergens heen zonder ons?' Ik kijk via de achteruitkijkspiegel naar haar.

'Nee, schatje, mama gaat helemaal nergens heen. Maak je geen zorgen.' Terwijl ik dit zeg, komt er een ander gesprek binnen. Ik herken het nummer niet en bedenk me plots dat het iemand over een baan kan zijn. Ik praat weer in de telefoon. 'Wacht even, mam, er komt een ander gesprek binnen.' Ik neem het wisselgesprek aan. 'Hallo, met Sarah.'

'Sarah, met Molly Royce.' O, nee.

'Hallo, Molly, hoe gaat het?' vraag ik onschuldig.

'Nou, eigenlijk ben ik een beetje geschrokken. Ik heb Carly net opgehaald bij mevrouw Landes en die zei dat Janie haar vandaag op het speelplein een duw had gegeven. Weet je, ik wil dit niet erger maken dan het is, maar Caldwell heeft een nultolerantiebeleid wat pestkoppen betreft.'

Dit kan ze niet menen. Janie is bijna twee maanden te vroeg geboren en zit qua lengte en gewicht onder in de groeicurve. Jemig, ze is het kleinste meisje op school.

'Molly, je kunt Janie nou niet echt een bullebak noemen. Volgens mij hebben de meisjes gewoon een meningsverschil gehad, meer niet.'

'Mam, wie is dat?' brult Janie vanaf de achterbank. 'Waarom zei je dat ik een bullebak ben?' Ik maan haar met mijn hand tot stilte terwijl ik naar Molly's gezeur luister.

'Nou, Carly zei dat Janie haar een grote, vette leugenaar vindt en dat komt op mij over als pesten.'

'Ja, ik weet zeker dat het op jou zo overkomt, en ik begrijp hoe je je voelt, maar Janie was boos en liet zich een beetje meeslepen. Ik heb het er al met Janie over gehad en ze begrijpt dat het verkeerd is wat ze heeft gedaan en ze zal het niet meer doen.' Het is even stil terwijl Molly nadenkt.

'Nou, voor deze ene keer wil ik het wel door de vingers zien, maar ik vind wel dat Janie Carly haar excuus moet aanbieden.'

'Dat is goed, Molly. Ik heb mijn moeder aan de andere lijn en dat is belangrijk. Kunnen we hier een andere keer verder over praten?'

'Eigenlijk zie ik niet in wat er belangrijker kan zijn dan onze kinderen leren dat hun gedrag consequenties heeft en dat het niet goed is om mensen een duw te geven als ze daar zin in hebben, Sarah.' O, als Carly maar iets van haar moeder heeft, kan ik het haar niet kwalijk nemen dat ze haar een zet heeft gegeven. Ik zou haar op het moment wel door de telefoon willen trekken om haar op haar bek te rammen.

'Natuurlijk. Je hebt gelijk. Hoor eens, ik zal vanavond nogmaals met Janie praten en ervoor zorgen dat ze morgen haar excuses aanbiedt.'

'Ik wil mijn excuses niet aanbieden, mam. Ik haat Carly. Ze is stom en ze liegt.' Ik draai me om en kijk Janie boos aan.

'Mond dicht,' zeg ik tegen haar zonder geluid te maken. 'Is dat goed?' vraag ik aan Molly.

'Ja, volgens mij is dat wel een aanvaardbare oplossing. Bedankt.'

'Graag gedaan. Tot morgen. Dag!' Ik neem de andere lijn weer aan terwijl ik me omdraai naar Janie.

'Wacht even, mam,' zeg ik. 'Nog heel even.' Ik kijk Janie streng aan. 'Je biedt Carly morgen je excuses aan, Janie. Het kan me niet schelen of je haar aardig vindt, je hebt haar geduwd en dat mag niet.'

'Goed,' zegt Janie terwijl ze tegen haar tranen vecht. 'Maar jij bent een gemene moeder! Je bent supergemeen!'

'Mam,' zeg ik weer in de telefoon. 'Sorry. Janie heeft vandaag iemand op school geduwd en de moeder van dat meisje belde.' Mijn moeder lacht.

'Wat een prachtmeid is Janie toch. Net een agressief blaffend hondje dat denkt dat ze een grote hond is. Zeg maar tegen haar dat ik "goed zo, meid" heb gezegd.'

'Echt niet, dat doe ik niet. En verander niet van onderwerp. Niet te geloven dat je denkt dat ik ogenblikkelijk naar de andere kant van het land kom vliegen. Heus, ik ben een volwassen vrouw. Je kunt niet verwachten dat ik alles uit mijn handen laat vallen omdat jij het zegt.' Ik hoor haar gniffelen.

'Weet je, dat zei Laynie nou ook,' zegt ze tegen me op een extreem zelfvoldaan toontje. 'Ik heb altijd al gezegd dat jullie meer op elkaar lijken dan jullie willen toegeven. Nu zeg ik tegen jou wat ik tegen haar ook heb gezegd: zorg ervoor dat jullie met dezelfde vlucht komen, want ik heb geen zin om twee keer naar het vliegveld te gaan. Ik moet ophangen, het verhuisbedrijf belt me terug op de andere lijn. Ik hou van je!'

Ze hangt op en ik staar naar de telefoon in mijn hand. Ik had haar nooit moeten aanmoedigen om voor zichzelf op te komen. Ik heb een monster gecreëerd.

3 LAYNIE

Op mijn bureau staat een foto van mijn ouders op het feestje dat Sarah en ik voor hun vijfendertigste trouwdag hadden georganiseerd. Mijn moeder heeft een afschuwelijke paarsgebloemde jurk aan, maar ze lacht, ziet er opgewekt uit en haar gezicht is enorm glad voor iemand van haar leeftijd. Ik kan me nog herinneren dat ik haar die dag vroeg of ze iets had laten doen omdat haar huid er zo perfect uitzag, maar ze gaf me een knuffel en zei dat haar vrienden vast en zeker leuke cadeautjes voor haar mee zouden nemen, maar dat niets mijn compliment zou kunnen overtreffen. Nou, ik ben blij dat ik iets aardigs tegen je kon zeggen, zei ik. Want ik vind je jurk echt afschuwelijk. Ze had gelachen en haar ogen straalden en ik weet nog dat het me zo'n goed gevoel gaf dat ik haar ogen zo kon laten stralen.

Ik pak het zware, zilveren lijstje op, bestudeer haar even en kijk vervolgens naar mijn vader. Hij heeft een scheve glimlach om zijn lippen – dat hebben hij, Sarah en ik alle drie – en hij ziet er, ik weet het niet, niet echt gelukkig uit, maar wel op zijn gemak. Of misschien is het tevreden. Alsof zijn leven hem prima bevalt en hij verder niets nodig heeft. Ik kijk weer naar mijn moeder en nu zie ik het wel. Ik weet niet hoe ik het ooit heb kunnen missen, in haar ogen achter die glimlach schuilt... verlangen. Ik strijk met mijn wijsvinger over mijn vaders gezicht en op het moment dat ik de koude gladheid voel, begin ik te huilen. Nou, snikken is het eigenlijk meer. De tranen stromen over mijn wangen en uit mijn keel komen van die geluidjes die ik niet in de hand heb – en geloof mij, ik probeer ze echt uit alle macht in bedwang te houden – en ik snak naar adem. Ik heb mijn adem niet meer in de hand, mijn hart begint sneller te kloppen en hoewel ik weet dat ik flauwval als ik ga hyperventileren, kan ik het niet tegenhouden. Het volgende dat ik me herinner, is dat ik op de grond lig, op mijn rug met de foto van mijn ouders plat op mijn voorhoofd.

De deur zwaait open en ik zie Gina's voeten op me af snellen.

'Laynie? Laynie? Wat is er gebeurd? Gaat het wel?' Ze pakt mijn arm en trekt me voorzichtig overeind. 'Ik hoorde een plof en toen ik op de deur klopte, antwoordde je niet. Lieve god, je voorhoofd bloedt.'

'Echt?' Ik haal mijn vinger over mijn voorhoofd en als ik ernaar kijk, zit er inderdaad bloed op. 'Het lijstje is vast op mijn hoofd terechtgekomen toen ik viel. Geweldig.' Ik sta op en ga op mijn bureaustoel zitten.

'Ben je flauwgevallen?' vraagt Gina. Ik knik.

'Mijn hemel, dit zijn toch geen Hollywoodfratsen? Heb je vandaag wel gegeten?'

'Ik heb geen anorexia,' zeg ik afwijzend. 'Ik had een paniekaanval en ging hyperventileren.'

'O, nee, nee, niet hyperventileren. Diep ademhalen. Van diep ademhalen word je rustig. Van oppervlakkig ademhalen ga je tegen de vlakte.' Ze trekt een tissue uit een doos en drukt hem tegen mijn voorhoofd. 'Houd dat er maar even op. Hoofdwonden bloeden erg, maar zo te zien is hij niet erg diep.'

'Ben je soms verpleegkundige?' vraag ik haar. 'Werk je stiekem op een ambulance als je hier niet bent?'

'Ik heb drie zusjes, Laynie. Dan leer je wel om goed voor mensen te zorgen. Waarom raakte je in paniek? Omdat je geen Brady kunt vinden? Luister, ik weet dat het best lang duurt, maar je vindt vast iemand die geweldig is. Dat doe je altijd.' Ik kijk haar geïrriteerd aan.

'Ik raakte niet in paniek om Brady, Gina. Alsjeblieft zeg, doe me een lol.'

'Wat dan? Wat is er gebeurd?' Ze slaat haar hand voor haar mond. 'Mijn hemel. Is alles in orde met je moeder?' Fluisterend vraagt ze: 'Is ze ziek?'

'Ze gaat scheiden,' zeg ik. Mijn onderlip trilt als ik het hardop zeg. 'Mijn ouders gaan scheiden.' Gina staart me heel even aan en ik zie dat ze twijfelt of ik lieg, maar dan begint ze te lachen.

'Zijn je ouders nog getrouwd?' vraagt ze. 'Echt waar? Ik wist niet dat iemand van onze generatie nog ouders had die getrouwd waren. Godsamme, Laynie, kreeg je daarom een paniekaanval?'

'Ze zijn achtendertig jaar getrouwd geweest,' leg ik uit. 'Ik vond het nogal verontrustend.'

'Je bent volwassen,' brengt ze me in herinnering. 'Wat kan jou het nou schelen of je ouders nog samen zijn of niet? Je hebt ze niet meer nodig. Wees blij dat je geen zeven meer bent en elke donderdagavond een vijfjarige, een driejarige en een eenjarige in een taxi mee naar je vader moet nemen omdat allebei je ouders een straatverbod hebben en twee kilometer bij elkaars huis vandaan moeten blijven. Dat is pas verontrustend.' Ik sla mijn ogen neer en kijk naar de grond.

'Oké, goed dan,' zeg ik tegen haar. 'Jij wint. Ik ben niet verontrust, ik ben bedroefd. Goed?'

'Nee,' schreeuwt ze bijna. 'Niet goed. Bedroefd ben je als je met kerst bij vrienden moet blijven slapen omdat je moeder met haar vriend in Florida en je vader met zijn vriendin in Mexico zit. Dán ben je bedroefd. Mag ik je wat vragen? Hadden je ouders vaak ruzie toen je klein was?' Ik schud mijn hoofd.

'Nee, ze hadden bijna nooit ruzie.'

'Zeiden ze de hele tijd tegen je dat ze elkaar haatten?'

'Nee, natuurlijk niet.'

'Vind je dat je een leuke jeugd hebt gehad en dat je ouders van je hielden?' Ik haal mijn schouders op, want ik weet niet helemaal zeker waar ze heen wil.

'Eh, ja.'

'Oké, dan is er niets om verdrietig over te zijn. Je ouders hebben of erg goed verborgen dat ze ongelukkig waren of ze zijn pas sinds kort ongelukkig. Hoe dan ook, jij bent er zonder kleerscheuren vanaf gekomen, dus wat kan jou het schelen wat ze nu doen? Je viert alleen geen kerst of Thanksgiving met allebei je ouders meer. Vorig jaar ben je met kerst niet eens naar huis geweest.'

'Nou, mijn moeder zei dat we kerst en Thanksgiving nog best samen kunnen vieren.' Gina gooit haar handen in de lucht.

'Begrijp je niet wat ik je probeer te vertellen? Het beïnvloedt je leven niet. Je kunt beter zeggen dat je geluk hebt.'

'Goed dan. Ik ben niet verontrust of bedroefd. Mijn ouders gaan scheiden en ik heb geluk.'

'Je hebt inderdaad geluk,' zegt Gina spottend. 'Je bent eenendertig. Wiens ouders blijven er nou getrouwd tot hun kinderen eenendertig zijn?' Blijkbaar is dit een retorische vraag, want ze wacht niet op een antwoord, maar doet de deur open en loopt weg. 'Volgende Brady over drie minuten,' roept ze boos en ze neemt niet eens de moeite om zich even om te draaien.

De Brady van vier uur heeft een vreemde glinstering in zijn ogen waardoor ik me afvraag of hij misschien geen halfuitgehongerd meisje aan een ketting in zijn kelder heeft zitten, maar de Brady van kwart over vier is zo perfect dat wanneer hij door de deur komt ik er ogenblikkelijk van overtuigd ben dat hij het is. Hij ziet er echt als een strandwacht uit. Niet als een nepperfecte *Baywatch*-strandwacht, maar als een oprechte, realistische Santa Monica State Beach-strandwacht, inclusief de gladde, gebruinde huid die zo schattig rimpelt bij zijn ogen als hij lacht, het zongebleekte haar en wenkbrauwen, en het door de oceaan nat gespatte strandwachtuiterlijk. Alleen slist hij. Het is geen komedie of gewoon een grappige manier van praten, maar echt een spraakgebrek. Erg jammer, want toen hij me vertelde dat Sjon dood isj, leek hij werkelijk van slag.

Als ik thuiskom, zit Ethan zoals gewoonlijk op de bank. Ik zweer het je, die vent is er al in geen zes dagen vanaf geweest. Volgens mij is hij bang om naar buiten te gaan en erachter te komen dat hij alles heeft gedroomd en dat hij eigenlijk gewoon de zoveelste schrijver in Los Angeles is die moeite heeft om een script aan de man te brengen.

'Hoi,' zeg ik tegen hem.

'Hoi,' zegt hij met een megaglimlach. 'Je hebt geen idee hoe blij ik ben om je te zien. Soms lijkt het wel alsof de dagen weken duren.'

'Nou, als je af en toe misschien eens naar buiten zou gaan, zou het niet zo erg zijn.'

'Ooo, slechte dag op kantoor gehad, schat?' vraagt hij met zijn sarcastische, komische tv-seriestemmetje.

'Mijn moeder heeft me vandaag gebeld,' zeg ik terwijl ik mezelf naast hem op de bank laat vallen. 'Ze gaat bij mijn vader weg. Ze gaan scheiden.'

'Echt waar?' vraagt Ethan.

'Ja. Niet te geloven, hè?' Ik voel de tranen weer in mijn ogen springen, maar probeer ze niet tegen te houden.

'Eh, eigenlijk wel. Ik bedoel, Layn, je weet dat ik je vader best aardig vind, maar hij doet de godganse dag helemaal niets. Hij zit alleen maar te zitten. Ik kan niet geloven dat je moeder zo lang bij hem is gebleven.' Ik kijk hem stomverbaasd aan.

'O, hallo, pot. Ik ben ketel. Leuk je te ontmoeten. Trouwens je bent zwart.'

'Kom op, Laynie. Ik zit hier een paar dagen omdat ik gestrest ben over de filmpremière. Je vader zit al jaren te niksen.'

'Maar voorheen vond ze dat altijd prima. Waarom wil ze dan nu opeens weg?'

'Geen idee, ze heeft haar grens bereikt. Mensen kunnen heel veel hebben tot ze het zat zijn en knappen. Bij sommigen duurt het nu eenmaal langer om dat punt te bereiken. Maar je hebt geluk dat het nu is gebeurd en niet eerder. Mijn moeder had haar grens bereikt toen ik elf was.'

'Ik weet het,' gil ik en mijn stem breekt. 'Ik weet het, ik mag me gelukkig prijzen. Mijn ouders gaan scheiden en het enige dat ik hoor, is dat ik geluk heb.' Ethan schuift dichter naar me toe en legt zijn hand op mijn been.

'Hé,' zegt hij wat zachter. 'Zo belangrijk is het nu ook weer niet. Je bent volwassen. Je bent niet meer van je ouders afhankelijk. Je verdient meer geld dan je vader ooit heeft gedaan. En trouwens, je bent naar Californië verhuisd om aan je ouders te ontsnappen. Het enige dat verandert is dat je twee telefoontjes per week moet plegen in plaats van één. Wat een ramp, Laynie. Wat een ramp.' Ik duw zijn hand van mijn been en sta op.

'Ik wil even alleen zijn, Ethan. Ik begrijp dat het voor jou geen ramp is, maar voor mij is het dat wel.'

'Waarom?' vraagt hij. 'Waarom is het zo'n ramp?'

'Dat weet ik niet,' zeg ik. Ik weet het echt niet. Alles wat hij en Gina hebben gezegd, is waar, maar ik heb nog steeds het gevoel alsof de hele wereld om me heen in duigen valt. 'Het is gewoon zo.'

Aan de grote slaapkamer van ons appartement zit een balkon en als je in de hoek op het zuidoosten gaat staan, kun je jezelf het dak optrekken. Op een heldere dag kun je helemaal naar het strand kijken, en 's avonds kun je de hele stad zien. Ik heb het Ethan nooit verteld, hij zou het maar verpesten met een eindeloos aantal scenario's waarin ik doodga nadat ik hierop ben geklommen. En dat zouden niet de gebruikelijke waarschuwingen zijn voor als je per ongeluk van het dak valt of dondert. Nee, Ethan zou een einde voor me bedenken dat geschikt is voor een blockbuster, zoals bijvoorbeeld onthoofding door een laagvliegende helikopter of verplettering door vallend spaceshuttlepuin. Maar het geeft niet. Ik vind het prettig hier af en toe te komen om even te zitten en na te denken, hoewel ik hier de laatste tijd kom omdat het de enige plek is waar ik echt privacy heb.

Ik kijk op het Cartier-horloge dat Ethan me vorig jaar voor mijn verjaardag heeft gegeven – alleen Ethan koopt een Cartier-horloge bij Cartier terwijl er negenduizend andere juweliers in deze stad zijn waar hij precies hetzelfde klokje voor twintig procent minder had kunnen kopen – haal mijn Blackberry uit mijn zak en tik een berichtje.

> Erg slechte dag. Kan wel een schouder gebruiken om op uit te huilen, zelfs virtueel.

Ik druk op verzenden en wacht. Nog geen minuut later vibreert de Blackberry in mijn hand en ik glimlach.

> Wat is er gebeurd? Alles in orde?

Ik begin weer te typen.

> Mijn ouders hebben ons huis verkocht en gaan na 38 jaar scheiden. Zeg niet dat ik geluk heb omdat ze het zo lang met elkaar hebben uitgehouden.

Het duurt even, maar dan vibreert de telefoon weer.

> Wauw. 38 jaar. Wat triest. Je voelt je vast ontheemd. En je voelt je door niets volwassener dan door de scheiding van je ouders.

Ik schud verbaasd mijn hoofd en de tranen schieten in mijn ogen. Ik wist wel dat hij het zou begrijpen. Hoe is het toch mogelijk dat iemand die ik nog nooit heb ontmoet me beter kent dan iedereen die ik ken? Ik begreep niet precies waarom ik zo verdrietig ben en hij snapt het na slechts één zin. Het is net alsof hij in me heeft gekeken en alle emoties en gevoelens die rond zweefden in een georganiseerde, beknopte gedachte bij elkaar heeft gestopt. Ik typ terug:

Precies.

Ik aarzel en typ dan verder.

Waarom woon je niet in Los Angeles???

Ik voel gefladder in mijn buik als ik op verzenden druk.

Waarom woon jij niet in New Mexico?

Ik glimlach weer. New Mexico. Wie woont er in hemelsnaam in New Mexico?

Je kunt er niet lekker shoppen en ik lust geen cactussen.

LOL. Ooit cactus geproefd? Niet slecht. Smaakt naar kip.

Ik hoor Ethan roepen, dus ik typ vlug een antwoord terug.

Er wordt gebeld. Mijn vriendinnen komen vanavond langs. Spreek ik je morgen?

Ik klim het dak af en glip de slaapkamer weer in. Ik hoor Ethan de trap op lopen en als hij naar binnen komt, doe ik net alsof ik de badkamer uit kom.

'Hé, ben je er soms ingevallen?' vraagt hij. Zijn humeur is compleet omgeslagen, hij glimlacht en zijn stem klinkt een stuk vrolijker dan de afgelopen weken. Ik glimlach naar hem en steek mijn linkervoet in de lucht.

'Ja, die rothakken blijven altijd in de afvoer steken.'

Ethan lacht en kust me op mijn wang. 'Je bent zo slim,' zegt hij en hij knijpt in mijn schouder. 'Dat vind ik nou zo leuk aan je. Hé, je raadt het nooit, ik werd net door mijn agent gebeld en die vertelde dat de filmcriticus van de *Boston Globe* heeft geschreven dat *Days of Dragons* en ik citeer "een briljant vervaardigde film is met een totaal onverwacht einde". Goed, hè?' Ik knik en feliciteer hem. 'Kom op,' zegt Ethan tegen me. 'Je hebt gelijk over dat gehang. Waarom gaan we niet ergens een hapje eten? Iets goeds, ik heb zin om het te vieren.' Jawel, feestvieren stond echt boven aan mijn lijstje voor vanavond. Jippie, mijn ouders gaan scheiden, ik geef nog een rondje.

Maar ik heb geen zin om met hem in discussie te gaan. Emotioneel gezien ben ik te leeg om ruzie te maken. De Blackberry vibreert in mijn zak en terwijl ik achter Ethan aan naar beneden loop, haal ik hem uit mijn zak en kijk vlug naar het berichtje.

> Fijn dat er mensen komen om je af te leiden. Ik ben thuis als je wilt chatten.
> Hopelijk wordt morgen een betere dag.

Ethan draait zich om en ziet me lezen.

'Van wie is dat?' vraagt hij. Ik verwijder het berichtje en laat de Blackberry in mijn tas glijden.

'Niemand,' zeg ik. 'Gewoon werk.' Ik glimlach naar hem en pak zijn hand. 'Kom, ik barst van de honger.'

SARAH

Toen we uit school kwamen, heb ik *High School Musical 2* in de dvd-speler gestopt en Janie voor de tv gezet. De film is totaal ongeschikt voor een zesjarige, maar Jessie kijkt er de hele tijd naar, dus natuurlijk vindt Janie het geweldig, want ze vindt alles leuk wat haar grote zus leuk vindt. Ik glimlach en herinner me dat Laynie net zo was toen we klein waren. Zij deed altijd alles na wat ik deed. Ik had overal posters van Ralph Macchio uit het blad *Tiger Beat* boven mijn bed hangen en Laynie en ik kusten hem iedere avond welterusten voor we gingen slapen, hoewel ze pas zeven was en geen idee had waarom we foto's van Ralph Macchio kusten. Het jaar dat mijn vrienden en ik met Halloween als punkrockers verkleed gingen, had Laynie al drie maanden geroepen dat ze als Holly Hobby wilde en mam was weken bezig geweest om een prachtig kostuum voor haar te naaien. Maar toen ze mij de avond van Halloween zag, met mijn blauwe haar en nepring door mijn neus werd ze hysterisch en stond ze erop ook als punkrocker te gaan. Arme mam scheurde de mouwen en de onderkant van de Holly Hobby-jurk af, stak gaten in het lijfje en sprayde er graffiti overheen. Laynie had uiteindelijk het coolste punkrockerkostuum uit de hele buurt.

Het is zo irritant dat ze soms zegt dat mam nooit wat voor haar deed. Ik weet zeker dat ze zich dat kostuum niet eens meer kan herinneren.

Ik zucht. Ik hoop echt dat mijn meiden later samen goed met elkaar op kunnen schieten. Ik vind het erg jammer dat Laynie en ik geen goed contact meer met elkaar hebben. Zussen zouden juist elkaars beste vriendinnen moeten zijn, maar met Laynie heb ik het gevoel dat ik ben bedrogen. En het ergste is, ik heb geen flauw idee waarom ze me niet aardig vindt. Het zou veel makkelijker zijn als er iets aanwijsbaars was, als ik bijvoorbeeld met haar vriendje naar bed was geweest of achter haar rug over haar had geroddeld. Maar er is niets. Ik sta altijd voor haar klaar en ik probeer haar altijd overal mee te helpen, maar zij neemt steeds meer afstand. Ik zweer het, we wonen een kwartier bij elkaar vandaan, maar ik zag haar vaker toen ik vijfduizend kilometer verderop, in New York woonde. Nou ja, misschien gaat het beter als we naar huis gaan. Misschien stelt ze zich wat meer open nu pap en mam gaan scheiden.

Ik ga achter de computer zitten om een vlucht voor volgend weekend te zoeken. Het moet wel komend weekend. Dan vertrek ik meteen nadat ik de meiden vrijdag heb weggebracht. Dan heb ik zaterdag en zondag om mam te helpen en dan vlieg ik maandagochtend weer terug zodat ik Jessie van school kan halen. Dan heb ik nog bijna een hele week om alles voor de bazaar te regelen en dan hoef ik alleen nog maar iemand te regelen die de meiden vrijdagmiddag kan ophalen. Niet slecht. Ik moet alleen Laynie vandaag wel bellen om te kijken wat haar beter uitkomt zodat ik een vlucht kan boeken. Mijn maag draait zich om als ik besef dat ik weer vierhonderd dollar op mijn creditcard moet zetten. Nu ik hier toch zit, kan ik net zo goed mijn sollicitaties even checken.

Nerveus typ ik het internetadres voor thejobfactory.com in en ik log in. *Welkom, Sarah Felton? Ben je Sarah Felton niet? Klik dan hier.*

Ik klik op 'controleer mijn account' en het lijstje met de vier functies waarop ik heb gereageerd, verschijnt. Ik klik op de eerste van redacteur met 'flexibele werktijden' waarvoor 'thuiswerken' een mogelijkheid was.

Sorry, deze functie is vervuld.

Balen. Het klonk perfect. Ik klik op de volgende, een freelance positie voor een 'klein reclamebureau in West-Los Angeles'.

Sorry, deze functie is vervuld.

Ik klik op de volgende en de volgende, maar ook die functies zijn vervuld.

Wat een teleurstelling. Ik begrijp niet hoe deze mensen het allemaal zo snel doen. Het is pas twee dagen geleden, hoe kunnen er nu al sollicitatiegesprekken en een tweede gesprek hebben plaatsgevonden? De praktische kant van mijn hersenfunctie zegt me echter dat ik niet zo naïef moet doen. Natuurlijk is het gewoon een beleefde manier om te laten weten dat ze geen interesse hebben. Ik schud mijn hoofd. Er moet iets zijn wat ik niet goeddoe. Zo moeilijk kan het toch niet zijn om een baan te krijgen nadat ik er een paar jaar tussenuit ben geweest voor de kinderen?

Verslagen klik ik op het e-mailgedeelte van de website en als mijn mailbox in beeld verschijnt, zie ik naast het pictogram met het envelopje een (1) staan. Waarschijnlijk een berichtje van de website om me te bedanken voor mijn registratie. Ik klik erop en ga al met de cursor naar de deletetoets.

Hallo. Wij zijn een dvd-verpakkingsbedrijf in Los Angeles en op zoek naar een copywriter die korte stukjes over films voor op de dvd-hoes kan formuleren. We hebben uw cv gezien en zouden u graag willen spreken. De tijden zijn flexibel, maar u moet wel in staat zijn goed samen te vatten en ongeveer tien stukjes per week te schrijven. U zou vanuit huis of bij ons op kantoor kunnen werken. Neem zo spoedig mogelijk contact op met Deb.

Mijn hemel. Dit is waanzinnig. Dit is de perfecte baan. Ik zou betaald worden om thuis films te kijken? Er moet een addertje onder het gras zitten. Dat kan niet anders.

'Janie,' roep ik richting de huiskamer. Ze antwoordt niet. 'Janie!' Ik loop erheen en tref haar in een tv-coma. 'Janie voor aarde.' Uiteindelijk ziet ze mijn hand en kijkt ze me geërgerd aan.

'Wat, mam?'

'Ik moet even iemand bellen vanuit de slaapkamer. Wil je me alsjeblieft niet storen?' Janie knikt en valt weer terug in haar trance. Ik denk niet dat ik bang hoef te zijn dat ze me stoort.

Ik ga op de rand van het bed zitten en draai het nummer dat in de e-mail stond. Hij gaat drie keer over en net als ik denk dat ik een berichtje moet inspreken, neemt er een man op.

'Hallo?' vraagt hij. Hij klinkt buiten adem en ik vraag me af of ik misschien het verkeerde nummer heb gedraaid.

'Eh, hallo, is Deb er ook?'

'Met wie spreek ik?' vraagt hij.

'Met Sarah Felton. Ik reageer op een e-mail die ik heb ontvangen over een baan als copywriter. Is dit het juiste nummer?'

'Ja, wacht even.' Ik hoor geschuifel op de achtergrond, een paar mensen schreeuwen en dan een vrouwenstem.

'Met Deb,' zegt ze. Ze heeft een krassende stem en het lijkt wel alsof ze kauwgom in haar mond heeft. Ik moet goed onthouden dat dit Hollywood is en dat de dingen hier anders gaan.

'Hoi, Deb. Met Sarah Felton. Je had me gemaild over een baan als copywriter?'

'Sarah wie?'

'Felton,' zeg ik. 'F-E-L.' Deb onderbreekt me.

'O, die. Je bent die moeder die de marketing voor de school van haar kinderen doet.'

'Ja,' zeg ik. 'Dat ben ik.'

'Ja, dat was schattig. We vonden het erg leuk.' Ik glimlach tegen mezelf. 'Dus je hebt ons echt gebeld.' Het is meer een mededeling dan een vraag en ik vang vaag iets van verbazing op. Waarschijnlijk dacht ze dat iemand als ik – met voorheen een goede reclamefunctie – geen interesse zou hebben om voor een klein bedrijf als dat van haar te werken. O, ze moest eens weten. Ik doe mijn best om elk vleugje wanhoop uit mijn stem te bannen.

'Nou, de functieomschrijving voldoet aan mijn behoeften op dit moment,' zeg ik. Ze denkt hier even over na en dan vraagt ze, blijkbaar tevreden met mijn antwoord, of ik nog vragen heb.

'Eh, nou, er stond dat ik vanuit huis of bij jullie op kantoor kon werken, maar ik geef absoluut de voorkeur aan werken vanuit huis. Is dat goed?'

'Ja, geen enkel probleem. Maar je moet wel eens per week hierheen komen om de films op te pikken en terug te brengen.'

'O, goed. Waar zitten jullie?'

'In de vallei. Chatsworth.' Chatsworth. Dat is niet naast de deur, maar als het maar één keer per week is, kan ik het doen als de meiden naar school zijn. 'Verder nog vragen?'

'Eh, sorry dat ik zo direct ben, maar wat is het salaris?'

'We betalen tweehonderd dollar per film, contant. Je doet tien films per week, dat is tweeduizend per week. Er zijn echter geen secondaire arbeidsvoorwaarden. Geen ziektekostenverzekering, geen pensioen, niets van dat alles.'

'Contant?' herhaal ik ongelovig.

'Contant,' zegt ze. 'We zijn een cashorganisatie. Is dat een probleem?'

Eh, nee. Ik maak vlug een paar berekeningen in mijn hoofd. Tweeduizend per week is bijna, eens kijken, honderdduizend per jaar. Contant. Mijn hart begint te bonzen. Ik wil deze baan.

'Nee,' zeg ik zelfverzekerd. 'Geen enkel probleem.'

'Goed. Wanneer zou je kunnen beginnen?'

'Eh, ik kan meteen beginnen. Ik moet volgend weekend weg, maar ik zou voor een gesprek...'

'Geweldig,' zegt Deb die me weer onderbreekt. 'Je bent aangenomen. Ik zal je ons adres mailen zodat je de spullen op kunt komen halen en iedereen kan ontmoeten. Kun je morgenochtend?'

'Echt waar?' vraag ik. 'Ik heb de baan? Je wilt me zelfs niet eerst ontmoeten?'

'Dat hebben we net toch gedaan?'

'Eh, ja, dat is wel zo.' Ik ben zo blij dat ik het gevoel heb dat mijn hart uit elkaar klapt, de alarmbellen die ik hoor rinkelen en me waarschuwen dat dit wel heel makkelijk gaat, verdring ik. 'Bedankt,' zeg ik. 'Hartelijk bedankt.'

'Geen dank,' zegt Deb, 'Tot morgen dan.' Ik ren naar de huiskamer en schreeuw zo hard dat Janie die op de bank zit tien meter de lucht in springt.

'Mam, is er iets ergs gebeurd?' Ik til haar op en zwaai haar in het rond.

'Nee, niets ergs. Jouw mama heeft erg, erg veel geluk.' Ik kus haar overal, maar ze wringt zich in allerlei bochten om weg te komen.

'Stop, hou op,' jammert ze. 'Nu mis ik mijn favoriete gedeelte.' Ik steek mijn tong naar haar uit, houd de onzichtbare microfoon voor mijn mond en zing mee terwijl Sharpay 'Fabulous' uitbrult. Janie slaat haar ogen ten hemel, maar negeert me.

4 LAYNIE

Weet je hoe het voelt om 's ochtends wakker te worden en je heel even alle slechte dingen die de vorige dag zijn gebeurd bent vergeten, een soort gelukzalig geheugenverlies? Nou, daar had ik vanmorgen geen last van. Toen ik mijn ogen opendeed, wist ik meteen dat ik het weekend naar huis moest. Ik had er ook al naar over gedroomd. Vooral over Sarah die mijn spullen op e-Bay had gezet en ze voor miljoenen dollars had verkocht om het geld vervolgens aan die bekakte school te doneren waar haar kinderen op zitten zodat ze een gebouw naar haar en haar bekakte echtgenoot kunnen vernoemen.

Ik werp een blik op de wekker, zeven minuten over acht. Tijd zat. Ik hoef pas om tien uur op mijn werk te zijn. Ik draai me om om te kijken of Ethan al op is. Zijn hoofd ligt begraven onder een kussen om het zonlicht tegen te houden dat door het dakraam naar binnen valt en zijn linkervoet steekt aan het voeteneind onder het dekbed uit.

'Eth,' fluister ik tegen hem. Hij beweegt niet. 'Ethan,' zeg ik vervolgens iets harder. Hij wuift met zijn hand naar me alsof hij een vlieg weg wil jagen en ik sla zachtjes tegen zijn vingertopjes. 'Ik moet met je praten.' Hij trekt het kussen weg en draait zijn gezicht mijn kant op, maar zijn ogen zijn nog steeds gesloten. Ik neem aan dat hij bedoelt dat hij luistert.

'Ik denk dat ik vrijdag naar New Jersey moet. Ik kan Sarah niet alles alleen laten doen.'

'Sarah wil alles alleen doen,' mompelt hij. 'Ze heeft niets anders te doen. Ze zou het geweldig vinden als je alles aan haar overlaat.'

'Dat weet ik,' zeg ik. 'Daarom wil ik het ook niet. Ik ga alleen het weekend,' beloof ik. Ethan doet zijn ogen open. Hij kijkt bedroefd.

'En ik dan?' vraagt hij. 'Heb je enig idee hoeveel recensies er op zondag verschijnen? In elke krant van het land zal wel iets in het weekendkatern staan. Laat je mij hier gewoon in mijn eentje achter om die recensies te verwerken?'

'Het spijt me,' zeg ik. 'Ik zal je iedere dag bellen. Twee keer per dag als je wilt. Ik moet dit doen. Ik vind het een verschrikkelijk idee dat Sarah en mijn moeder door al mijn oude spullen gaan en beslissen wat belangrijk is en wat niet.' Hij gaat rechtop zitten en kijkt me aan alsof hij denkt dat ik niet spoor.

'Niets ervan is belangrijk,' zegt hij zakelijk. 'Als het belangrijk zou zijn geweest, zou je het wel hebben meegenomen toen je hierheen verhuisde.'

'Het heeft sentimentele waarde,' zeg ik. 'Ik spaarde van alles toen ik klein was. Ik heb alle brieven nog die ik ooit op zomerkamp heb gekregen. Ik heb mijn stickerboekjes van de lagere school nog, oude dagboeken, mijn T-shirt van de diploma-uitreiking op de middelbare school. Weet je dat ik een speldje heb van het eerste casino dat in Atlantic City is gebouwd? Dat is tegenwoordig vast wel wat waard.'

Ethan snuift verachtelijk. 'Jawel, het kost je duizend dollar om naar huis te vliegen om een speldje op te halen dat als je geluk hebt twintig dollar waard is. Erg logisch.'

'Het zijn niet alleen de spullen, maar ik wil het ook afsluiten. Ik wil het huis nog één keer zien. Ik moet afscheid nemen.' Ethan draait zich om en legt het kussen op zijn hoofd.

'Je doet maar,' hoor ik hem mompelen.

SARAH

Ik werp een blik op het klokje van de magnetron, het is zeven minuten over acht. Ik heb nog dertien minuten voordat de meiden in de auto moeten zitten. Ik roep ze, ze zitten in de huiskamer *Hannah Montana* te kijken en te ontbijten.

'Janie, Jessie, tandenpoetsen, we moeten over een paar minuten weg.' Ik doe hun lunch in de broodtrommeltjes en probeer me er niet druk over te maken dat Jessie vanmorgen zes pannenkoekjes heeft gegeten en vervolgens om pasta vroeg voor tussen de middag. Ik zou er tegen haar nooit iets over zeggen, maar ze is dit jaar veel aangekomen en ik maak me er zorgen over en niet alleen vanwege gezondheidsredenen. Kinderen zijn tegenwoordig al wreed genoeg zonder ze een reden te geven om je te plagen.

Bill loopt zijn overhemd dichtknopend de keuken in, terwijl ik Jessies rugtas controleer om te zien of haar huiswerk erin zit.

'Hoi,' zegt hij en hij spreidt zijn armen voor onze gebruikelijke ochtendknuffel. Ik sla mijn armen om zijn nek en kus hem op zijn wang.

'Ik heb roereieren voor je gemaakt,' zeg ik. 'Het staat op tafel.'

'Is er nog sap?' vraagt hij.

'Heb ik al voor je ingeschonken.' Hij glimlacht, maar voor hij naar het ontbijtnisje kan lopen, houd ik hem tegen. 'Bill, ik moet aankomend weekend naar New Jersey. Mijn moeder heeft het huis verkocht en ik moet haar helpen inpakken. De overdracht is over twee weken.' Hij doet zijn ogen dicht alsof hij zojuist iets heeft gehoord wat te verdrietig voor woorden is.

'Kan Laynie dat niet doen?' vraagt hij. 'Jij hebt kinderen. Wat doet zij, audities regelen voor een stelletje slechte acteurs? Kan dat geen dag wachten? Waarom is alles in jouw familie altijd jouw verantwoordelijkheid?'

Ik zucht. Hier hebben we het al zo vaak over gehad. Waarom moet ik altijd de kerst- en verjaardagscadeautjes voor mijn vader en moeder kopen? Waarom moest ik toen mijn vader longontsteking had naar huis om voor hem te zorgen? Waarom logeert mijn moeder altijd bij ons als ze op bezoek komt? Hij lijkt gewoonweg niet te begrijpen dat het Laynie niets kan schelen. Hij begrijpt niet dat als ik het niet doe, er niets gebeurt.

'We gaan allebei,' verzeker ik hem. 'Mijn moeder heeft gezegd dat we al onze oude spullen moeten uitzoeken anders gooit ze ze weg.'

Bill slaat zijn ogen ten hemel. 'Laat ze ze dan weggooien. Wat kan er nog liggen?'

'Er zitten dingen bij die ik mee wil nemen voor de meiden. Ik heb nog wat posters in mijn oude kamer hangen die leuk in hun kamers zouden staan en ik heb al mijn oude kinderboeken nog. Ik wil Janie mijn oude exemplaar van *A wrinkle in time* graag geven. Dat was mijn favoriete boek. Volgens mij heb ik het wel vijftig keer gelezen. Alleen weet ik niet of ze er al oud genoeg voor is. Misschien over een jaar of twee, maar ik weet zeker dat ze *Ramona Quimby* erg leuk zal vinden. Ik heb de hele serie gewoon op de boekenpl...'

'Sarah,' onderbreekt Bill me. 'Als je precies weet wat er staat, kun je je moeder toch vragen de dingen op te sturen die je hebben wilt?'

Ik schud mijn hoofd. 'Dat zou kunnen, maar dat is het niet alleen. Ik heb haar beloofd dat ik zou helpen inpakken. Ze moet het hele huis in haar eentje doen. Mijn vader helpt ook niet. Hij verhuist morgen naar de flat aan de kust en neemt alleen zijn kleren en zijn oude visspullen mee. Mijn moeder moet echter door achtendertig jaar spullen heen.' Ik spreid mijn handen uit met mijn handpalmen naar boven alsof ik hem wil laten zien dat ik geen keuze heb. 'Ik moet haar helpen.'

'Hoe moet ik dat dan doen?' vraagt hij. 'Ik moet werken. Ik kan de meiden niet uit school halen of op tijd thuis zijn om eten te koken.'

'Dat weet ik,' zeg ik tegen hem en ik haal een stuk papier tevoorschijn met het schema dat ik heb opgeschreven. 'Ik heb alles geregeld. Stephanie Lerner haalt ze vrijdag op uit school en neemt ze mee naar haar huis. Daar blijven ze een nachtje logeren en zij brengt ze zaterdagmiddag na de lunch hierheen. Je hoeft ze dus alleen zaterdag en zondag maar te vermaken en maandagochtend naar school te brengen. Ik ben weer op tijd terug om ze op te pikken.' Terwijl ik dit vertel, gaat Bill aan tafel zitten, slaat de krant open en neemt onder het lezen een hapje van zijn eieren. 'Goed?' vraag ik. Hij geeft geen antwoord. 'Bill. Ik praat tegen je. Is het oké?' Hij vouwt de krant dubbel zonder naar me te kijken.

'Je doet maar,' zegt hij.

5 LAYNIE

Ik haast me naar kantoor en laat daar mijn tas op de grond naast de bank vallen terwijl ik ga zitten. Op het bijzettafeltje ligt een stapel nieuwe portretfoto's die Gina daar vanmorgen heeft neergelegd. Ik zucht. Nog meer Brady's. Normaal gesproken zou ik deze rol in drie dagen hebben weggegeven. Ik zou zeven of acht knappe gozers langs hebben laten komen en ik zou de beste van het stel hebben uitgekozen. Misschien geen Emmytalent, maar het is voor een soap. Zo hoog ligt de lat niet. Maar dit is anders. Er is iets met deze rol aan de hand. Omroepbazen bemoeien zich er op dit niveau anders nooit mee. Ze komen natuurlijk naar de laatste callback, maar ze sturen me niet aan zoals ze bij het zoeken van een Brady hebben gedaan. Echt, vorige week kreeg ik zelfs een memo van het hoofd dagtelevisie over hoe ik mijn castingaankondigingen moet schrijven en waarop ik tijdens de audities moet letten. In de onderwerpregel stond: re: De rol van 'Brady Harmon'.

Ik lachte bijna hardop toen ik het zag. Ik kan niet geloven dat een vent die op Harvard heeft gezeten tijd steekt in het samenstellen van een heel memo over de rol van een strandwacht voor een soap overdag.

Filmsterren als Julianne Moore, Alec Baldwin en Tommy Lee Jones zijn in dramaseries overdag begonnen en we hopen dat dagtelevisie ook in de toekomst door mensen uit de entertainmentindustrie zal worden bekeken en dat zij het als kweekvijver voor jong talent blijven beschouwen. De rol van Brady Harmon als gevolg van het op handen zijnde vertrek van Zane Hansen is essentieel voor *S&S* en CBC in het algemeen. De castingaankondiging dient als eis tv-ervaring te bevatten.

Goed dan. Omdat ik hier elke dag zit en op zoek ben naar gozers die niet kunnen acteren.

Als ik door de portretfoto's blader, op zoek naar de volgende Alec Baldwin, klopt Gina op de deur en komt naar binnen zonder op een reactie te wachten.

'Je vlucht is gereserveerd. Je vertrekt vrijdag om zes uur en komt zondag om vier uur weer aan. Omdat je nog heel veel airmiles hebt, heb ik je geüpgrade naar businessclass.' Ze kijkt om zich heen om er zeker van te zijn dat er niemand voor mijn kantoor staat en fluistert: 'Wil je weten wat ik heb gehoord?' Ik kijk niet eens op. Gina is de grootste roddeltante van het hele kantoor, ze hoort altijd wel iets.

'Wat heb je gehoord?'

'Ik heb gehoord dat ze overwegen een spin-off van S&S te gaan maken met Brady in de hoofdrol.' Nu kijk ik wel op.

'Echt waar?' Gina knikt, zichtbaar tevreden met zichzelf omdat ze dit voor mij heeft onderschept. 'Maar dat is nog niet alles,' zegt ze oprecht opgewekt.

'Hoezo? Waar heb je het over?' Gina kijkt weer om zich heen en als ze ziet dat de kust veilig is, buigt ze zich naar me toe.

'Ik heb gehoord dat het op primetime zal worden uitgezonden. Niet te geloven, hè? Een primetime spin-off van een soap. Geniaal. Laynie, als jij deze man cast en hij wordt een grote ster zal de omroep je niet bij de dagprogramma's laten rondhangen. Dan kun je elk programma krijgen dat je wilt. En even voor de goede orde, dan wil ik met je mee. Ik wil hier niet achterblijven om de rest van mijn leven soaps te doen.' Ja, denk ik, welkom bij de club.

'Ik zou mijn bureau nog maar niet uitruimen,' adviseer ik haar. 'Je weet nog niet eens of het waar is. Waar heb je het eigenlijk gehoord?' Ik ben absoluut sceptisch. Ik denk niet dat er een omroep is geweest die ooit een spin-off van een soap op primetime heeft uitgezonden en ik weet nog niet of ik het het briljantste of het belachelijkste idee vind dat ik ooit heb gehoord. Het klinkt echter wel logisch, door het memo en alles. Als zij hopen dat ze deze vent op primetime kunnen zetten, zouden ze zeker voorzichtig zijn met wie ze casten. Dan willen ze niet de eerste de beste sukkel. Dan willen ze iemand met tv-ervaring. Iemand met sterkwaliteit. O, lieve god.

'Ik kan mijn bronnen niet onthullen,' draait Gina eromheen. 'Niemand mag het nog weten en het is nog maar in het beginstadium. Misschien gaat het wel niet door.'

'Oké, vertel me dan alleen of je het van een assistent of van een manager hebt gehoord.' Gina aarzelt, maar geeft dan toe.

'Ik heb het van een assistent van een manager gehoord. Meer zeg ik niet. Laat me even weten welke gozer ik naar binnen moet brengen,' zegt ze en ze wijst naar de portretfoto's terwijl ze de deur uit loopt. 'O, trouwens, een van die mannen heeft vroeger in *One life to live* gespeeld en mijn zus zou een moord voor zijn handtekening doen. Vind je het goed als ik hem vraag of hij zijn handtekening op zijn foto wil zetten? Als je hem wilt zien, natuurlijk.'

'Ja,' zeg ik. 'Dat is prima. Doe het alleen wel na de auditie, niet ervoor.' Gina glimlacht.

'Bedankt,' zegt ze. Ze loopt weg, maar doet dan een stap achteruit en leunend tegen de deurpost steekt ze haar hoofd weer naar binnen. 'Je hebt het niet van mij gehoord, goed?'

'Wat?' vraag ik onschuldig. Gina glimlacht goedkeurend en gaat weg.

Hmmm. Een primetime spin-off van een soap. Interessant. Gina heeft waarschijnlijk gelijk: als ik iemand aanneem die fantastisch is, zullen ze me vast voor programma's vragen die beter worden bekeken. En ik zou echt dolgraag bij soaps weg willen. Ik wil al dolgraag bij soaps weg sinds ik er begonnen ben. Ik haat soaps. Maar primetime... dat zou heel andere koek zijn.

Vanaf de andere kant van de kamer word ik door het belletje van mijn computer opgeschrokken uit mijn primetime fantasie. Ik kijk die kant op en zie een herinnering uit mijn agenda op het scherm staan. Ik heb geen flauw idee wat het kan zijn; ik heb Gina mijn hele agenda voor deze week leeg laten maken vanwege de Brady-audities. Nieuwsgierig rijd ik met mijn stoel naar mijn bureau om het te lezen.

Prik een trouwdatum!

O, ja. Het is vandaag de eerste. Wat dacht ik in hemelsnaam toen ik die herinnering er voor de eerste van elke maand voor een heel jaar in zette? Ik neem aan dat ik dacht dat ik er elke maand aan moest worden herinnerd. Aangezien het tien maanden geleden is en ik nog steeds geen datum heb geprikt, ken ik mezelf erg goed.

Ik zucht. Dit zou niet zo moeilijk moeten zijn. Ik bedoel, je slaat gewoon je agenda open en prikt een weekend, toch? In mei of juni. Is dat niet wat mensen doen? Maar mijn gedachten dwalen af naar mijn vader en moeder en de scheiding. Zullen ze nog bij elkaar willen zitten tijdens de bruiloft, of moet ik ze aan aparte tafels zetten? En stel dat mam een vriend krijgt? Moet ik die dan ook uitnodigen?

Ik probeer mijn moeder voor te stellen, op mijn trouwdag, met een andere man en de gedachte dat zij obsceen aan het dansen is met een knappe, jongere vent met lang haar en een sikje schiet door mijn hoofd. Het is zo'n grappige gedachte om mijn moeder met een toyboy te zien. Maar dan zie ik mijn vader alleen aan een tafel naar hen zitten te kijken en moet ik bijna huilen. Nee, dat zou ze hem nooit aandoen. Of wel? Jakkes, van een scheiding wordt alles zo ingewikkeld. Alsof alles nog niet ingewikkeld genoeg is.

Ik scrol verder naar de maand mei en als ik naar de lege vierkantjes staar, probeer ik me voor te stellen dat ik in een trouwjurk aan de arm van mijn vader naar Ethan aan het einde van een lang, wit gangpad loop. Ik schud mijn hoofd en sluit de agenda op mijn scherm af. Misschien volgende maand.

Precies op dat moment piept de intercom en vult de stem van Gina mijn kantoor.

'Laynie, je zus is aan de telefoon. Ze zegt dat je weet waarover het gaat. Zal ik haar doorverbinden?' Ik zucht. Ik wist wel dat Sarah me vanmorgen zou bellen. En natuurlijk weet ik waarover het gaat. Het gaat erover dat zij voor grote zus speelt, ze wil er zeker van zijn dat het goed met me gaat en me vertellen dat zij overal voor zal zorgen. Nou, dat zullen we nog weleens zien.

'Ja,' zeg ik, 'verbind maar door.' Het groene lampje gaat weer branden, ik pak mijn headset op en klik hem vast. Ik wacht tot Gina heeft opgehangen voordat ik iets zeg.

'Hoi,' zeg ik.

'Hallo,' zegt Sarah terug.

'Ik neem aan dat je over pa en ma belt.'

'Ja, ik wilde weten dat alles goed met je gaat.'

'Alles gaat goed,' zeg ik met klem. 'Ik weet dat je nog steeds denkt dat ik drie ben, maar ik ben tweeëndertig. Ik kan het heus wel aan dat onze ouders uit elkaar gaan. Zo bijzonder is het nu ook weer niet.'

'Oké dan, ik wil geen ruzie met je,' zegt ze defensief. 'Ik ben blij dat je het zo goed opneemt. Ik wilde het alleen maar even over de vluchten hebben. Het is volgens mij het meest logisch om aankomend weekend te gaan zodat jij geen vrij hoeft te nemen en ik er voor de meiden kan zijn als ze naar school moeten. Ik heb alles al geregeld. Ik heb bij American Airlines twee vluchten gevonden die ze voor me vasthouden, maar ik wilde er zeker van zijn dat de tijden voor jou...' Ik onderbreek haar.

'Ik heb mijn vlucht al geboekt,' informeer ik haar. 'Mijn assistente heeft het vanmorgen geregeld.' Er valt een stilte.

'O,' zegt ze uiteindelijk en ze lijkt teleurgesteld. 'Ik dacht dat we samen konden gaan. Mam zei dat ze tegen je had gezegd dat ze wilde dat we dezelfde vlucht zouden nemen.'

'Mam heeft mazzel dat ik kom,' snauw ik. 'Bovendien hoeft ze me niet van het vliegveld te komen halen. Ik neem wel een taxi. En ik vind het geweldig dat je een vlucht voor me hebt geboekt zonder eerst te vragen wanneer ik kan. Ik weet dat jij een relaxed leventje hebt, maar voor het geval je het bent vergeten, ik moet gewoon werken voor de kost.' Ze is stil en ik sla mijn ogen ten hemel. Alsof het mijn schuld is dat ze het contact met de rest van de wereld is verloren. Alsof ik haar heb gedwongen te trouwen met een erfgenaam van een platenlabel en haar heb gedwongen ontslag te nemen.

'Laynie,' zegt ze uiteindelijk afgemeten. 'Ik heb niets geboekt zonder je iets te vragen. Ik bel je nu om te vragen wanneer je kunt. Het enige dat ik heb gedaan, is een vlucht vast laten houden voor het geval jij ook kunt.' Ze klinkt geïrriteerd. 'Waarom doe je toch zo hatelijk?' vraagt ze. 'Mijn hemel, onze ouders gaan scheiden. Mam verkoopt het huis. Ik had gedacht dat we dit samen zouden kunnen doen en er voor elkaar konden zijn.'

Ik grom gefrustreerd. 'Begrijp je dan niet dat ik niet wil dat je voor me klaarstaat? Ik ben een grote meid, Sarah. Ik kan heel goed voor mezelf zorgen. Ik heb jou niet nodig om een vlucht te boeken of mijn spullen uit te zoeken. Dat kan ik zelf wel.'

'Ik heb nooit gezegd dat jij me nodig hebt om iets te doen,' schreeuwt ze door de telefoon. 'Ik wil alleen maar helpen, omdat ik weet dat je het druk hebt. Het was niet als oordeel bedoeld.'

'Goed,' zeg ik. 'Fijn dat je wilde helpen, maar ik heb het al geregeld.'

'Dat heb ik gehoord.' We zijn allebei stil en wachten tot de ander wat zegt. 'Wanneer ga je?' vraagt ze uiteindelijk.

'Ik vertrek vrijdagmiddag,' zeg ik. 'En ik vlieg zondagavond weer terug.'

'Met welke maatschappij?'

'American,' geef ik toe.

'Nou, ik was van plan vrijdagmorgen te vertrekken en maandagochtend weer terug te vliegen, maar ik neem aan dat er zo ook tijd genoeg is. Weet je op welke stoel je zit?' vraagt ze. 'Dan kan ik zien of ze ons naast elkaar kunnen zetten.'

'Dat weet ik niet,' zeg ik. 'Maar ik zit businessclass.' Er valt weer een stilte. Waarschijnlijk overweegt ze of ze eerste klas wil opgeven om met mij beneden haar stand in businessclass te reizen.

'Weet je, misschien moet ik maar gewoon doen wat ik heb gepland,' zegt ze. 'Ik wil mam graag de hele zondag helpen. Weet je zeker dat je het niet erg vindt om met een taxi te gaan?' Ongelofelijk. Het is vast leuk om te rijk voor businessclass te zijn. Het verbaast me dat ze geen privévliegtuig voor het weekend heeft gecharterd.

'Nee hoor, helemaal niet,' zeg ik geërgerd. 'Ik zie je vrijdag thuis wel.'

'Doen we.' Ze aarzelt alsof ze overweegt iets wel of niet tegen me te zeggen. 'Laynie, zullen we voor pa en ma proberen geen ruzie te maken?'

De deur van mijn kantoor wordt op een kier gezet en Gina steekt haar hoofd naar binnen. Ze wijst op haar horloge en ik steek mijn vinger in de lucht.

'Ja, oké,' zeg ik met een zucht. 'Zeg, ik moet gaan. Ik heb een auditie.'

'Goed dan,' zegt ze. 'Dan zie ik je vrijdag.'

'Prima, dag.' Ik hang op en roep Gina die de deur meteen opendoet. 'Ik ben zover,' zeg ik tegen haar als ik ga staan en mijn blouse rechttrek. Ze knikt, rent naar buiten, doet vervolgens de deur weer open en komt naar binnen met een knappe man met bruine stekels, in een rode zwembroek, maar zonder shirt. Het verkeerde type. Hij ziet er te Europees uit en helemaal niet als strandwacht die is geboren en getogen op de stranden van Californië.

'Dit is Shawn Fryman,' kondigt Gina aan en ze spreekt zijn naam extra zorgvuldig voor me uit.

'Hoi, Shawn,' zeg ik. 'Ben je er klaar voor?' Hij gaat in de stoel tegenover me zitten en steekt zijn duim in de lucht.

'Klaar,' zegt hij grijnzend. Hij begint zijn tekst voor te lezen en ik schakel hem meteen uit. Ik kan Sarah maar niet uit mijn gedachten krijgen.

Vroeger waren we zulke goede maatjes. Ik bedoel, natuurlijk zijn we altijd zeer verschillend geweest, natuurlijk heeft ze me altijd als baby beschouwd en natuurlijk wil ik haar soms met mijn blote handen wurgen. Maar diep vanbinnen, in mijn ziel, heb ik haar nooit gehaat om wie ze was. De laatste tijd weet ik het echter niet meer, want ze is zo anders. Ze is veranderd. Alles draait om geld en status, uiterlijk vertoon en niet bij anderen achter willen blijven. Het is net alsof ze te veel tijd met al die rare, rijke mensen heeft doorgebracht die haar hebben gehersenspoeld met de gedachte dat al die dingen belangrijk zijn. Ik bedoel, eerst heeft ze haar ontslag ingediend, toen hebben ze dat belachelijke huis gekocht en nu sturen ze arme Janie en Jessie naar de verfoeilijke school waar ze elke dag zo'n achterlijk uniform moeten dragen, alleen maar zodat ze de 'juiste' mensen kunnen ontmoeten. Bizar, toch.

Ik weet zeker dat ze niet eens van slag is door de scheiding. Waarschijnlijk is ze alleen maar boos omdat pa en ma het huis verkopen en ze er nu niet meer over kan opscheppen tegen al haar chique vrienden. In november had ze echt een belachelijk verjaardagsfeestje voor Jessie georganiseerd – met pony's, een suikerspinmachine en een band alsof het een trouwdag was – en toen ik daar was hoorde ik iemand aan haar vragen of ze met de kerstvakantie nog naar Aspen zou gaan. O, nee, had ze gezegd, we zijn echt dol op Aspen, maar Bill en ik vieren kerst in het huis van mijn familie, in het historische gedeelte van New Jersey. Ik zweer het je, zoals zij het zei, leek het wel of ze naar de villa van de Kennedy's zou gaan. Ik kon nog maar net voor me houden dat ons huis in 1970 op een stuk grond van duizend vierkante meter was gebouwd in een wijk met vijftig andere huizen die er net zo uitzagen.

Plots besef ik dat de man in de zwembroek me aanstaart en zit te wachten tot ik mijn tekst oplees.

'Sorry,' zeg ik terwijl ik zoek waar we zijn. 'Eh, oké. "Wat is er aan de hand, Brady? Is er iets met John gebeurd?"' De man – hoe heet hij ook alweer? Ik kijk vlug naar de portretfoto in mijn hand. Shawn. Juist. Shawn fronst zijn wenkbrauwen en kijkt me serieus aan. Hij kijkt alsof hij een erg moeilijk wiskundig probleem op moet lossen.

'Karen,' zegt hij en pauzeert drie tellen te lang. 'John is dood.' Dan kijkt hij me verwachtingsvol aan alsof hij wacht op goedkeurig of applaus. Ik glimlach.

'Shawn, wauw. Dat was geweldig,' zeg ik. Shawn kijkt me vragend aan.

'Echt waar?' vraagt hij. 'Ik bedoel, ik had het gevoel dat ik de spijker precies op zijn kop sloeg. Dat voelde ik gewoon, weet je?' Mijn glimlach wordt nog groter. Jippie! *Another one bites the dust.*

'Ja,' lieg ik. 'We nemen absoluut contact met je op.'

SARAH

Als ik de telefoon neerleg nadat ik Laynie heb gesproken, trillen mijn handen en bonst mijn hart. Ik begrijp gewoon niet wat er met haar is gebeurd. Ze is zo veranderd. Zo gemeen. We hebben natuurlijk altijd wel gekibbeld, omdat we zo anders zijn en dingen gewoon anders zien. Het laatste jaar is onze relatie echter erg slecht. Ik weet dat ze Bill niet mag. Voor ze hem zelfs maar had ontmoet, wist ze al dat ze hem niet aardig zou vinden. Maar wat heb ik gedaan? Mam heeft eens geopperd dat Laynie misschien jaloers op me is, maar dat kan ik me niet voorstellen. Ik zei tegen mam, moet je eens kijken, ze heeft een glamoureuze baan waar ze dol op is. Ze heeft een knappe, succesvolle verloofde die haar overduidelijk aanbidt. Ze verdient hartstikke veel geld. Ze is mooi, ze is slank, ze is slim en ze is grappig. Ze heeft een perfect leventje. Wat heb ik dat zij mogelijk zou willen hebben?

Ik weet dat jij een relaxed leventje hebt. Grappig genoeg weet ze helemaal niets. Ze heeft een denkbeeld over Bill en mij in haar hoofd dat echt helemaal verkeerd is, en absoluut nergens op gebaseerd is behalve op hetgeen ze in haar dwaze hoofdje heeft bekokstoofd. Ze is ervan overtuigd dat ik bakken met geld heb. Ik vraag me af hoe ze het zou vinden als ik haar zou vertellen dat we aan de grond zitten en dat de platenmaatschappij bijna failliet is. Ik vraag me af wat ze zou denken als ik haar zou vertellen dat Bills moeder met geld voor onze neus zwaait als aas aan een hengel en dat we geen andere keuze hebben dan te bijten. Ik hoor haar stem nog in mijn hoofd nagalmen. Begrijp je dan niet dat ik niet wil dat je voor me klaarstaat? Ja, Laynie, natuurlijk wel. Maar is het ooit bij je opgekomen dat ik jou nodig heb?

Verdorie. Ik heb er zo'n hekel aan dat ik pas een gevat antwoord weet nadat ik heb opgehangen.

Ik sta voor de spiegel en check mijn uiterlijk nog een keer. Ik heb al in geen zeven jaar een mantelpakje gedragen, en het is vreemd, alsof ik een kind ben dat net doet alsof ze 'kantoortje' speelt. Grappig hoe dingen veranderen. Toen ik nog bij het reclamebureau werkte, voelde ik me altijd ongemakkelijk in een spijkerbroek omdat ik altijd een pak droeg. Nu kan ik nauwelijks meer op hakken lopen. Ik moet wel zeggen dat ik geschokt was dat het nog paste. Zeven jaar en twee kinderen later, had ik niet gedacht dat ik de knopen nog dicht zou kunnen krijgen, maar het past me beter dan ooit tevoren. Misschien takel ik toch minder af dan ik soms denk.

Ik ga wat dichter naar de spiegel toe, bestudeer mijn gezicht en probeer objectief naar mezelf te kijken. Vorige week toen Bills moeder hier at, bood ze zomaar opeens aan een ooglidcorrectie voor me te betalen. Je bent zevenendertig, had ze aangekondigd. Ik heb mijn ogen laten doen toen ik dertig was. Je kunt beter niet te lang wachten, want dan zien de mensen dat je wat hebt laten doen. Ze had haar agenda tevoorschijn gehaald en het nummer van haar chirurg voor me opgeschreven. Bel dr. Feingold en zeg tegen hem dat je mijn schoondochter bent, had ze geïnstrueerd. En zeg dat hij mij de rekening moet sturen. Als je toch bezig bent, moet je misschien eens overwegen om de lijntjes bij je neus op te laten vullen en misschien een peeling voor de kraaienpootjes naast je ogen. Die zijn erg opvallend voor iemand van jouw leeftijd.

Ik had de tafel huilend verlaten en gehoord hoe zij en Bill in de huiskamer over me spraken terwijl ik de afwas deed.

Ze is zo gevoelig, had ik haar laatdunkend horen zeggen.

Nou, had Bill gezegd, ze denkt gewoon anders over de dingen dan jij. Ze is gewoon niet zo objectief over zichzelf. Maar het was erg aardig van je om het aan te bieden. Bedankt.

Ik had hem wel kunnen vermoorden. Deze ene keer had hij best tegen haar in kunnen gaan en kunnen zeggen dat ze over de schreef was gegaan, dat het niet oké is om iemand zo op haar tekortkomingen te wijzen, vooral niet als ze er niet om heeft gevraagd. Bovendien zat ik net te vertellen dat haar oudste kleindochter drie niveaus verder met lezen was dan haar klasgenoten. Maar hij is zo bang voor haar. God verhoede dat Helene boos wordt en de betalingen voor dit huis stopzet dat ik sowieso nooit mooi heb gevonden. God verhoede dat Helene boos wordt en niet meer het schoolgeld betaalt voor de privéschool waar ik mijn kinderen toch niet op wil hebben. God verhoede dat Helene boos wordt en ons leven niet langer met haar portefeuille in haar macht heeft.

Natuurlijk wist hij dat hij fout zat. Nadat zijn moeder was vertrokken, was hij de slaapkamer in gekomen met drie rozen die hij in de voortuin had geplukt.

Ik vind je prachtig, had hij gezegd. Ik vind dat je er nog net zo uitziet als toen je vijfentwintig was.

Ik wist dat hij loog – toen ik vijfentwintig was, had ik geen zwangerschapsstriemen, geen hard littekenweefsel van een keizersnede en niet te vergeten geen overhangende oogleden en kraaienpootjes – maar het was lief van hem en ik vergaf hem, net zoals altijd. Wat moet ik anders? Ik ben nog steeds verliefd op hem. Daar kan ik niets aan doen.

Ik pak mijn sleutels en loop de deur uit, maar vijfenveertig minuten later besef ik dat ik volledig de weg kwijt ben en als een kip zonder kop door Chatsworth rijd. Ik had nooit moeten zeggen dat ik geen navigatie in mijn auto wilde. Maar het was drieduizend dollar extra en het leek me onnodig omdat mijn hele leven zich binnen een straal van acht kilometer rondom ons huis afspeelt. Caldwell, de supermarkt, balletles, zwemlessen, de kinderarts, het park, de stomerij; alles bevindt zich praktisch in mijn achtertuin. Waar heb ik navigatie voor nodig? Blijkbaar voor dagen als vandaag wanneer ik de weg kwijt ben in de vallei tijdens een strikt geheime missie om mijn nieuwe werkgever te ontmoeten.

Ik zet mijn auto aan de kant en pak het stratenboek dat ik in mijn auto bewaar. Een cadeautje van mijn vader toen ik naar Los Angeles verhuisde, voordat mensen zelfs maar navigatie hadden. Het is al meer dan tien jaar oud, maar waarschijnlijk nog prima. Het is niet zo dat iemand straten heeft opgepakt en ze naar een andere locatie heeft gebracht.

Ik sla het boek open en in de kaft staat een opdracht in vervagende blauwe inkt. *Voor Sarah, ik hoop dat je altijd je weg zult vinden. Liefs, pa.* Ik glimlach en krijg een brok in mijn keel. Ik heb dit boek al zolang niet gebruikt, ik was helemaal vergeten dat hij dit had geschreven.

Gisteravond heb ik hem gebeld om te vragen hoe het met hem ging.

Gaat alles goed, pa? had ik gevraagd.

O, ja, had hij gezegd. Je kent me. Ik pas me overal aan aan. Maar aan zijn stem had ik gehoord dat hij het moeilijk had en ik had me erg schuldig gevoeld. Alsof ik hem op de een of andere manier had bedrogen. Alsof het mijn schuld was dat ma was weggegaan. Ik weet dat het niet zo is – ma wilde weg en je gaat niet bij een man weg met wie je al achtendertig jaar samen bent tenzij je er goed over hebt nagedacht – maar toch. Ik vraag me af wat ze zou hebben gedaan als ik haar niet zo had gesteund, geholpen en aangemoedigd. Ik vraag me af of ze nog bij elkaar zouden zijn geweest als ma met Laynie had gesproken over hoe ongelukkig ze was in plaats van met mij.

Maar die gedachte lach ik weg. Mam zou er nooit met Laynie over hebben gesproken. Over die dingen praat Laynie niet met mam en bovendien is Laynie altijd closer met pa geweest. Ze zou nooit tegen mijn moeder zeggen dat ze iets moet doen wat hem pijn zou kunnen doen. Niet dat ik mijn vader pijn wilde doen, natuurlijk niet. Ik hou van mijn vader en ik wil graag dat hij gelukkig is. Maar ik vind dat mijn vader achtendertig jaar lang gelukkig is geweest en dat nu mijn moeder aan de beurt is. Ik weet dat Laynie het niet zo zou zien. Als ze alles zou weten, zou ze mij overal de schuld van geven. Het zou een goed excuus voor haar zijn om nooit meer met me te praten. Maar ze komt er niet achter. Dat heeft ma beloofd.

Op de kaart vind ik de straat in Chatsworth die ik zoek en nadat ik de pagina een paar keer heb rondgedraaid, snap ik waar ik ben. Het is even verderop. Ik moet er al zo'n drie keer langs zijn gereden, maar ik was blijkbaar op zoek naar een kantoorgebouw en dit zijn allemaal huizen. Ik rijd langzaam door de straat en als ik het juiste adres ontdek, rijd ik de oprit op. Het is een wit huis in ranchstijl achter aan een doodlopende straat. Om de voortuin staat een wit hek en aan de rechterkant staat een vrijstaande garage. Wat vreemd, denk ik bij mezelf, en heel even vraag ik me af of ik in een val loop. Misschien zijn deze mensen wel seriemoordenaars en gebruiken ze personeelsadvertenties op internet om vrouwen de dood in te lokken. Ik besef dat ik niemand heb verteld dat ik hier ben en als ik verdwijn, zal het moeilijk zijn om me op te sporen.

Terwijl ik overweeg Bill te bellen om alles op te biechten, gaat de deur van de garage open en loopt er een vrouw op me af.

'Jij bent vast de moeder,' zegt ze. Het is dezelfde krassende stem als gisteren aan de telefoon. Ze heeft een spijkerbroek en tennisschoenen aan en ze draagt een wit topje waaronder zwarte bh-bandjes te zien zijn. Ze is ouder dan ik had gedacht, halverwege de vijftig misschien, erg bruin en haar glanzende zwarte haar valt op haar schouders. Ze heeft kauwgom in haar mond dat elke keer dat ze haar mond dichtdoet plopt en knalt.

'Ja,' zeg ik en ik steek mijn hand uit. 'Ik ben Sarah en jij moet Deb zijn. Leuk je te ontmoeten.' Deb schudt mijn hand en bekijkt me van top tot teen.

'Leuk pak,' zegt ze afkeurend. 'De volgende keer kun je beter een spijkerbroek aantrekken.' Ja zeg, denk ik. Ze loopt naar de garage en gebaart dat ik mee moet komen. 'Kom verder,' roept ze, 'dan kan ik je aan iedereen voorstellen.'

Ik loop achter haar aan de garage in die veel groter is dan hij van buitenaf lijkt. De ruimte is omgebouwd tot kantoor; er ligt vloerbedekking op de grond, er is airco en middenin staan vijf zwartmetalen bureaus naast elkaar, met daarop telefoons en computers. Langs drie van de muren staan bruine kartonnen dozen tot aan het plafond gestapeld en aan de derde muur hangt een enorm whiteboard met in rood onleesbaar gekrabbel erop. Deb wijst naar een grote, zwaarlijvige man aan het voorste bureau. Hij heeft een grijze snor, kort, grijs haar en hij draagt een vaal zwart T-shirt met de woorden 'Las Vegas' over zijn borstkas.

'Dit is Ed, hoofd verkoop en distributie.' Ed kijkt op van zijn computer, zwaait naar me en gaat dan verder met waar hij mee bezig was. Ze wijst naar het volgende bureau waaraan een oudere vrouw met haar rug naar ons toe geknield zit. 'Dat is Jean, zij is verantwoordelijk voor de verzendingen. Jean!' Jean is zich nergens van bewust en Deb roept haar naam voor de derde keer, nog harder. Eindelijk draait ze zich om.

'Dit is Sarah, onze nieuwe copywriter.' Jean glimlacht naar me. Ze heeft oranje haar en een jaren vijftig bril aan een kralenketting om haar nek hangen.

'Welkom,' zegt Jean. 'Prettig kennis te maken. Hé, Deb, nu je hier toch staat, weet je wat Marty met de nieuwe V3's heeft gedaan die net zijn binnengekomen?' Deb schudt haar hoofd.

'Geen idee. Maar hij zal zo wel terugkomen, dan kun je het hem vragen.' Deb wijst naar een leeg bureau achter Jean. 'Dat is Marty's bureau, Eds assistent. En die daar is van mij – ik ben trouwens de officemanager – en die achterste is voor jou.' Ze wijst naar het bureau dat helemaal leeg is op een laptop na. 'Degene die dit eerst deed, kwam hier een paar dagen per week heen. Zijn vriendin vond het niet leuk als hij thuis de hele dag films zat te kijken.'

'Mag ik vragen waarom hij is weggegaan?' Deb haalt haar schouders op.

'Hij ging naar een afkickcentrum,' antwoordt ze. 'We hebben nooit meer iets van hem gehoord. Hij was aan de meth, geloof ik.' Ed stemt er achter onze rug mee in.

'Absoluut meth,' bevestigt hij.

Ik knik en doe net alsof ik ook in staat zou zijn een methverslaving te herkennen en ik neem stilletjes alles in me op. Het is absoluut niet wat ik had verwacht. Ik had gedacht dat het een leuke, professionele ruimte zou zijn, zoals bij het reclamebureau waar ik vroeger werkte. Maar dit is... eh, anders.

'Het ziet er niet zo bijzonder uit,' zegt Deb alsof ze mijn gedachten kan lezen. 'Maar ik kan je verzekeren dat dit een zeer succesvolle zaak is. We zijn een van de grootste onafhankelijke dvd-verpakkingsbedrijven in de Verenigde Staten. Iedereen in de industrie kent ons. Iedereen.'

'O, nee,' zeg ik, 'ik vind het juist erg leuk. Dit is geweldig. Het is erg verfrissend, zo'n relaxte werkomgeving.' Deb glimlacht naar me.

'Goed,' zegt ze. 'Dan zal ik je laten zien hoe alles werkt.' Ze leidt me naar een paar dozen en legt uit dat er een systeem zit in de manier waarop ze zijn opgestapeld. Ze zijn geordend op datum van aflevering op kantoor, en die datum staat met een zwarte markeerstift op de buitenkant geschreven. Elke week moet ik langskomen voor tien nieuwe dvd's uit de oudste 'nieuwe' doos van de stapel. Ik laat ze bij Marty uitschrijven die ze weer inschrijft als ik de week erna terugkom. De samenvatting dient tussen de honderd en tweehonderd woorden te bevatten, op dubbele regelafstand en te worden gesaved op een diskette met het codenummer voor de film. Het lijkt eenvoudig genoeg en ik heb het gevoel dat ik mezelf wil knijpen. Ik kan niet geloven dat ik tweeduizend per week krijg, contant, om dit te doen. Het is bijna alsof ik misbruik van ze maak.

Deb overhandigt me twee ongelabelde dvd's, elk in een wit plastic hoesje.

'Oké,' zegt ze. 'We beginnen deze week met twee, ja? Een soort proefperiode. Dan kun jij kijken of je het wat vindt en kunnen wij zien of dat wat jij schrijft voldoet, en dan hebben we geen van beiden veel tijd of geld geïnvesteerd. Is dat goed?' Ik knik. Dat klinkt perfect, want ik wist toch niet hoe ik tien films moest kijken in de komende zes dagen voordat ik vertrek.

'Dat is prima,' stem ik in. 'Erg logisch.' Ik kijk naar de films die ze me heeft gegeven. Er staan geen titels op, op elke hoes staat slechts een nummer geprint. 'Weet je waar deze over gaan?' vraag ik haar. Deb kijkt me wat bevreemd aan.

'Dat zou ik niet weten,' antwoordt ze. 'Ik kijk er niet naar, ik verpak ze alleen maar.' Ik knik naar haar. Wat dom van me. Natuurlijk bekijkt ze ze niet. Ze heeft me net verteld dat ze bijna vijftig nieuwe films per maand verpakken, en als ze die allemaal zou bekijken, zou ze geen tijd overhouden om nog iets anders te doen. Daarom hebben ze mij aangenomen.

'Ja, natuurlijk,' zeg ik. Ik kijk op mijn horloge. Als ik niet snel vertrek, ben ik nog te laat voor Janie. 'Nou, het was leuk je te ontmoeten, Deb. Ik kijk er echt naar uit om voor jullie te werken. Nogmaals bedankt.' Ik steek mijn hand uit en Deb schudt hem.

'Nee, jij bedankt,' zegt ze. 'Er lopen in deze business niet veel betrouwbare mensen rond, dus het is fijn dat je voor ons gaat werken. Ik zie je volgende week vrijdag.'

'O, ja,' zeg ik. 'Volgens mij had ik het aan de telefoon al gezegd, maar ik ben vanaf volgende week vrijdag een weekend weg, is het goed als ik donderdag kom?'

Deb haalt haar palmtop uit haar achterzak en tapt er met een zwarte stylus op.

'Donderdag, donderdag... o, dat ben ik helemaal vergeten, Marty, Ed en ik moeten volgende week van dinsdag tot donderdagavond naar een beurs.' Ze houdt haar hoofd schuin en denkt even na. 'Waarom kom je niet gewoon maandag langs, als je weer terug bent? Is dat wat?'

Ik wil haar liever niet vertellen dat ik maandag niet langs kan komen, omdat ik pas om twaalf uur land en daarna rechtstreeks vanaf het vliegveld naar school moet om Janie op te halen. En omdat het mijn beurt is om te carpoolen voor Jessie moet ik om drie uur weer op school zijn. Ik wil niet meteen nu al moeilijk gaan doen. Nou ja. Ik kan natuurlijk ook mijn vlucht wijzigen en zondagavond met Laynie terugvliegen. Misschien heb ik wel geluk en upgraden ze me naar business zodat we samen kunnen zitten. Zo niet, dan is dat best gênant, maar dat overleef ik ook wel weer. Ik kan me niet veroorloven deze baan kwijt te raken voor uiterlijk vertoon. Dan vlieg ik zondag terug en kan ik maandagochtend hierheen komen, vlak nadat ik de kinderen naar school heb gebracht. Geregeld.

'Oké,' zeg ik. 'Doe ik.'

6 LAYNIE

Er wordt gezegd dat smog verantwoordelijk is voor de prachtige zonsondergangen in Los Angeles, maar volgens mij is dat een broodjeaapverhaal. Volgens mij hangt er in Los Angeles iets anders in de lucht, waardoor alles mooier lijkt, niet alleen de zonsondergangen. Ik weet niet wat het is – sterrenstof misschien – maar als je geluk hebt en een rustig plekje kunt vinden waarvandaan je alles in je op kunt nemen, is het moeilijk om iets negatiefs over Los Angeles te ontdekken.

Ik werp een blik op mijn rechterkuit om de lange, rode schram te bestuderen waar nu bloed uit sijpelt. Helaas is mijn rustige plekje een dak waaruit scherpe metalen voorwerpen steken.

Ik ben dol op dit appartement. Ik heb het vier jaar geleden gekocht, net toen de markt op hol sloeg. Ik kan me nog herinneren dat ik bang was dat ik er een topbedrag voor had neergelegd en dat het me veel geld zou kosten als ik het ooit zou willen verkopen. Intussen is de waarde meer dan verdrievoudigd. Ik glimlach. Ik vind het leuk om mijn geld goed te investeren. Mijn vader en ik investeerden samen in aandelen toen ik nog een tiener was – ik spaarde alles op wat ik verdiende met babysitten en een baantje bij een pizzeria in de buurt – en een paar van mijn favoriete jeugdherinneringen zijn de momenten op zondagochtend dat we samen aan de keukentafel de aandelenpagina's van de *Philadelphia Inquirer* uitplozen.

Arme pa. Ik moet steeds aan hem denken. Ik had moeten weten dat er iets mis was voordat ik ma gisteren sprak. Mijn vader heeft me sinds ik ging studeren elke maandag gebeld. De enige week die hij ooit heeft overgeslagen was een paar jaar geleden toen hij een longontsteking had en niet uit bed kon komen. Maar deze week heb ik niets van hem gehoord. Ik heb niets van hem gehoord, maar dat besefte ik vanmorgen pas toen ik op weg naar mijn werk was. Ik zat in de auto, dronk een kop koffie en plotseling begon mijn hart als een gek te bonzen en schoot er door mijn hoofd: tering, mijn vader heeft me maandag niet gebeld en het heeft drie dagen geduurd voordat ik het in de gaten had.

Erger nog, ik weet precies waarom hij niet heeft gebeld. Niet bellen was zijn manier om me te laten merken dat er iets mis was. Ik bedoel, ik ken die man beter dan wie dan ook. Hij zou me nooit zomaar opbellen en zeggen: o, zal ik jou eens wat vertellen? Je moeder gaat bij me weg. Nee, hij zou iets passiefs doen, niet bellen bijvoorbeeld en dan wachten tot ik zou merken dat hij niet had gebeld zodat ik hem zou bellen om te vragen of alles wel goed was. En dan zou hij kunnen zeggen, nee, het gaat niet goed, je moeder gaat bij me weg. Kut. Ik ben de slechtste dochter ter wereld.

Maar vanmiddag heb ik hem te pakken gekregen.

Ik heb ma gisteren gesproken, had ik gezegd. Gaat het goed met je? Hij had een lange zucht geslaakt.

O, Laynie, ik mis je zo, had hij gezegd en toen ik zijn stem hoorde breken, moest ik ook huilen. Ik wist wel dat hij het niet zo goed had opgenomen als mijn moeder deed voorkomen. Echt, zo gelukkig was je vader nu ook weer niet. Hij staat te popelen om te verhuizen. Kan het zijn dat ze dat echt gelooft? Heus, zo goed hoef je hem nu ook weer niet te kennen om te weten dat hij iets dergelijks niet zo makkelijk naast zich neerlegt. Hij is niet iemand die denkt dat achtendertig jaar huwelijk niets betekent. Hij is net als ik. Ik bedoel, ik hou wel van ma, maar mijn vader en ik hebben altijd een bijzondere band gehad. We begrijpen elkaar. We hebben hetzelfde gevoel voor humor, we houden van dezelfde dingen, we zijn allebei erg gevoelig en vatten alles persoonlijk op. Het is net zoals Sarah en mam bijna hetzelfde zijn. Emotieloos. Nooit ergens last van. Losgekoppeld, noemt mijn therapeute het. Maar omdat ze alle twee zo zijn, vinden ze het normaal. Zij denken dat ik de vreemde eend in de bijt ben.

Terwijl ik de zon achter een palmboom in de verte zie zakken, bedenk ik me dat Sarah waarschijnlijk al die tijd heeft geweten dat ma weg zou gaan. Ik sla mijn ogen ten hemel omdat ik dit niet eerder heb bedacht. Natuurlijk wist ze het, ze vertellen elkaar altijd alles. Ik zweer het, soms denk ik dat zij zich meer als zussen gedragen dan Sarah en ik ooit hebben gedaan. Het is grappig als je nog kind bent. Je hebt geen referentiekader. Je denkt dat de manier waarop jouw familie alles doet de manier is waarop iedereen het doet. Ik kan me precies het moment nog herinneren dat ik besefte dat dat niet zo was, het was hetzelfde moment dat ik besefte dat mijn moeder niet perfect was. Ik zat op de universiteit en had een vriendje uit Los Angeles. Zijn ouders woonden nog geen veertig minuten van de campus en op zondagavond ben ik een paar keer bij hem thuis wezen eten. Toen we er een keer heen gingen, had hij net een scheikunde-examen helemaal verprutst. Hij volgde een medische vooropleiding en zat in de rats omdat hij wist dat hij nooit tot een goede medische opleiding zou worden toegelaten als hij slechts een krappe voldoende voor scheikunde zou krijgen. Hoe dan ook, we zaten aan de keukentafel terwijl zijn moeder stond te koken en hij vertelde haar erover. En ik zal nooit vergeten hoe zij reageerde. Ze had drie pannen op het vuur staan, maar ze deed ze allemaal uit en liep naar hem toe alsof er op dat moment niets belangrijker was. Ze sloeg haar armen om hem heen en met haar vriendelijkste, meest liefdevolle stem zei ze dat ze wist dat hij zijn best deed en dat hij zich nooit zorgen hoefde te maken om aan de verwachtingen van anderen te voldoen, maar alleen aan die van zichzelf. Voor haar en zijn vader hing succes niet af van de school waar iemand heen gaat, maar van de goedheid van zijn hart. En ik kan me nog herinneren dat ik dacht: kan dat? Zijn er werkelijk moeders die zo praten? Als het mijn moeder was geweest, had ze gezegd dat het mijn probleem was en dat ik harder moest leren, want een dokter is zo goed als de opleiding die hij heeft gevolgd.

Op dat moment wist ik dat mijn moeder mijn beste vriendin niet hoefde te zijn, en zelfs Sarah niet. Toen begreep ik dat zij elkaar mochten hebben en ik andere mensen kon zoeken in mijn leven. En dat heb ik gedaan. Ik heb mijn vrienden en ik heb Ethan. En niet te vergeten een willekeurige vent die ik in een chatroom van een beleggingsmaatschappij heb ontmoet, die ik alleen bij zijn alias ken, maar die me beter begrijpt dan iedereen die ik ooit heb ontmoet.

Ik steek mijn hand in de zak van mijn spijkerbroek, haal mijn Blackberry eruit en begin een berichtje naar cactusjuicejay te typen. Ik heb geen idee wat ik hiermee moet. Het is zo bizar. Het is zo *Dateline NBC*. Maar het valt niet te ontkennen dat er een band tussen ons is. Ik begrijp niet helemaal wat voor relatie we hebben of wat er überhaupt tussen ons zou kunnen gebeuren, maar ik weet wel dat ik mezelf er niet toe kan zetten hem over Ethan te vertellen en ik kan Ethan niet over hem vertellen.

Hoi. Heb je het druk?

Hij reageert bijna meteen.

Nooit te druk voor jou.

Ik grijns. Ik kan er niets aan doen.

Hoe gaat het? Beter vandaag?

Ik knik tegen mezelf terwijl ik een antwoord typ.

Het begint eindelijk door te dringen. Volgende week vrijdag ga ik naar huis om mijn spullen op te halen. Mijn zus komt ook. Wordt interessant.

Waar is thuis, als ik vragen mag?

Dat mag, ik weet bijna zeker dat je geen moordenaar bent. NJ is thuis. Je bent toch geen moordenaar?

Hangt ervan af wie je het vraagt. Wanneer vertrek je?

Vrijdag @ 4.

Dus je vliegt rond 17.30 uur over NM. Ik zal zwaaien.

Hoe weet ik dat jij het bent?

Rood shirt, naast een cactus.

Ik lach hardop.

We hebben een date.

Zodra ik op verzenden druk, kan ik mezelf wel voor mijn kop slaan. Dat was een heel slechte woordkeuze. Ik heb altijd geprobeerd mijn e-mails neutraal te houden, net te doen alsof we gewoon aan het chatten waren, maar nu heb ik het verknald. Nu heb ik de deur opengezet voor iets anders, voor iets waarvan ik niet zeker weet of ik het wel wil.

Het duurt langer dan normaal eer hij antwoordt en ik word er nerveus van. Misschien denkt hij wel hetzelfde. Ik weet helemaal niets van hem, alleen dat hij in New Mexico woont en iets in Finance doet. Misschien heeft hij een vriendin of is hij getrouwd en heeft hij drie kinderen en misschien ben ik net over een grens gegaan die hij ook niet wilde overschrijden. Mijn hart begint te bonzen als ik besef dat ik misschien nooit meer iets van hem zal horen. Hij heeft zich misschien wel voorgenomen ermee te stoppen zodra het te persoonlijk zou worden en ik denk dat ik het net te persoonlijk heb gemaakt. God, ik haat e-mail in dat opzicht. Alles kan uit zijn verband worden gerukt. Ik bedoelde het niet eens zo. Ik bedoelde alleen maar dat ik zou kijken als hij zwaaide, niet dat ik een date wilde.

Maar dan vibreert de Blackberry in mijn hand. Vlinders vliegen door mijn buik terwijl ik zijn berichtje lees.

Was dat maar zo.

Lieve god. Wat heb ik gedaan?

Als ik in bed lig en wacht tot Ethan klaar is met tandenpoetsen, lig ik nog steeds aan Jays e-mail te denken. Was dat maar zo. Was dat maar zo. Het is net alsof de woorden in de lucht gebrand staan en waar ik ook kijk, ik zie ze overal. Ik probeer steeds te bedenken hoe hij eruitziet. In mijn gedachten is hij knap, heeft hij donker haar en draagt hij elke dag een maatpak naar zijn werk met daaronder een perfect gesneden helderwit overhemd. Hij is goed in vorm en als hij zijn jasje uittrekt en het aan de achterzijde van zijn kantoordeur hangt, kun je vaag de contouren van zijn buikspieren zien. Maar hij is ook erg milieubewust. Hij rijdt in een Prius, recyclet, gebruikt energiebesparende gloeilampen en alle secretaresses op kantoor zijn smoorverliefd op hem. Midden in mijn fantasie besef ik dat ik, de Prius en gloeilampen daargelaten, Tom Cruise in *Jerry Maguire* of Harrison Ford in *Working Girl* heb opgeroepen. Wat moet ik dan, net doen alsof hij dik, lelijk en kaal is? Wat zeer goed mogelijk is en waarschijnlijker dan het andere scenario, maar volgens mij heeft hij niet de persoonlijkheid van iemand die onaantrekkelijk is. Misschien ben ik gek, maar hij schrijft als een sexy type.

Ethan doet de badkamerdeur open en komt alleen in zijn boxershort naar buiten. Ik bekijk hem vanuit mijn ooghoeken terwijl ik doe alsof ik naar het nieuws kijk. Ik weet dat het niet eerlijk is om hem zo kritisch te bekijken, vooral niet omdat ik een onmogelijk perfecte man in mijn hoofd heb zitten, maar hij heeft zichzelf wel een beetje laten gaan. Om zijn middel is hij wat zachter geworden en hij is om en nabij de vijf kilo aangekomen sinds *Days of Dragons* is afgerond. Hij zit de hele dag op de bank naar films te kijken, of achter de computer om recensies te checken. Ik denk niet dat hij ook maar één keer naar de sportschool is geweest. Echt, als hij zo blijft doorgaan, heeft hij tegen de tijd dat we ooit trouwen een reserveband formaat-SUV.

'Hé,' zegt hij tegen me. 'Waar ligt die puistjeszalf die je van de dermatoloog hebt gekregen?' Hij gaat met zijn vingers over zijn kin. 'Ik voel onderhuids een grote opzetten. Net een cyste.'

'In het medicijnenlaatje,' zeg ik tegen hem.

'Bedankt. Ik denk dat ik onder kom te zitten door de stress,' legt hij uit. Hij draait zich om en gaat terug om de puistjeszalf te zoeken en het valt me op dat zijn rug er hariger uitziet dan ooit. Ik zucht.

Was dat maar zo. Was dat maar zo.

'O, dat ben ik nog vergeten te zeggen,' roept Ethan naar me. 'Ik heb een royaltycheque gekregen voor *Party of One*. Het is afgelopen maand een paar keer uitgezonden op USA. Wil jij het voor me regelen?' Dit is nóg iets van Ethan waar ik gek van word. Hij weet niets van geld. Toen ik hem ontmoette, had hij al zijn geld op een gewone spaarrekening met tweeënhalf procent rente staan. Ik kreeg bijna een hartverzakking. Hij had het bijna net zo goed onder zijn matras kunnen leggen. Ik heb geprobeerd hem iets bij te brengen over beleggingen, kortlopende monetaire schuldbewijzen en pensioenregelingen, maar zodra ik het woord financiën laat vallen, dwalen zijn ogen af.

Ik ben een kunstenaar, gaf hij uiteindelijk toe. Ik doe niet aan investeringen.

Ik heb het een poos laten gaan, deed het af als de categorie 'niet mijn probleem' van onze relatie. Maar toen hij bij me introk en we richting bruiloft leken te gaan, stond ik erop dat hij er iets aan zou doen. Ik kon er niet tegen dat zijn geld daar gewoon stond, bijna niets opleverde terwijl de bank tien procent rekende om het aan andere mensen uit te lenen. Dus vond Ethan het goed dat ik zijn geldmanager werd en nu regel ik al onze geldzaken. Sinds ik het van hem heb overgenomen, strijkt hij jaarlijks bijna twaalf procent op.

'Goed,' antwoord ik. 'Leg maar op het aanrecht, dan zet ik het maandag op je rekening.' Hij komt de badkamer uit, bril op zijn neus en witte puistjeszalf over zijn hele kin. Hij gaat onder de dekens liggen en pakt mijn been vast.

'Hoi,' zegt hij op zachte, speelse toon.

'Hoi,' zeg ik terug met mijn gewone stem. Ik staar recht voor me uit naar de tv, maar hij pakt de afstandsbediening en zet hem uit.

'Het is bijna twee weken geleden,' zegt hij terwijl hij mijn been streelt. 'Ik denk dat het wel weer tijd is voor een beetje liefde.' Ik draai me om en kijk hem aan.

Was dat maar zo. Was dat maar zo.

'Sorry, schat, maar ik heb echt geen zin vanavond. Het is een lange dag geweest en ik ben best moe.' Ethan haalt zijn hand van mijn been en draait zich op zijn rug.

'Dat zei je de vorige keer ook al. En de keer daarvoor zei je dat je hoofdpijn had. Het lijkt wel alsof we in een aflevering van *Father knows best* zijn beland. Misschien moeten we aparte bedden aanschaffen en het woord "seks" in de ban doen.'

'Dat is niet eerlijk,' zeg ik tegen hem. 'Is het ooit bij je opgekomen dat ik misschien een beetje van slag ben omdat mijn ouders gaan scheiden? Dat mijn stemming daardoor misschien wordt beïnvloed? Echt, over gevoelloos gesproken. Gisteravond wilde je op stap om de recensie te gaan vieren nadat ik je net had verteld hoe verdrietig ik was en vandaag heb je niet één keer gevraagd hoe het met me gaat. Mensen die ik nauwelijks ken zijn nog bezorgder dan jij.' Hij kijkt me verbaasd aan.

'Dus jij beweert dat je niet wilt vrijen omdat je ouders gaan scheiden?' vraagt hij. 'Wat is dat, iets psychisch? Als seks gelijk is aan huwelijk en huwelijk gelijk aan scheiden, dan is seks gelijk aan scheiden? Is het een soort transitieve eigenschap van een verknalde jeugd of iets dergelijks?'

'Houd op, Ethan. Ik zeg niet dat ik niet wil vrijen omdat mijn ouders gaan scheiden. Ik zeg dat ik niet met jou wil vrijen omdat mijn ouders gaan scheiden en het jou niets kan schelen.'

'Natuurlijk. En de vorige keer dan? En die keer daarvoor? Had je toen ook geen zin of wilde je gewoon niet met mij vrijen? Want als er iemand is met wie je liever vrijt, laat het me dan even weten, dan kan ik misschien iets regelen.'

'Houd op,' eis ik. 'Ik zeg alleen dat je zo in jezelf en je film opgaat dat je zelfs geen aandacht voor andermans gevoelens hebt. En ik vind het gewoon niet prettig om met je te vrijen als ik het gevoel heb dat het je niet kan schelen wat er met mij gebeurt.' Ethan lijkt van zijn stuk gebracht.

'O, nee, die is goed,' zegt hij. 'Mijn verloofde wil niet met me naar bed omdat ze denkt dat ik een egoïstische zak ben. Super. Ik beleef het mooiste wat me ooit is overkomen en nu kan ik er niet van genieten omdat ik de hele dag op eieren moet lopen en goed moet nadenken of ik jou wel genoeg aandacht geef.'

Ik lach spottend. 'Er niet van kan genieten? Dat meen je niet, hè? Je hebt er nog geen moment van genoten. Je bent een wrak. Dit is wat je altijd hebt gewild en nu je het hebt, ben je volkomen miserabel. Het gras is voor jou altijd ergens groener, Ethan. Ik weet niet of er ooit iets zal zijn wat jou gelukkig maakt.'

Ethan gaat rechtop zitten met een boze blik in zijn ogen. 'Weet je wat mij gelukkig zou maken, Laynie? Wat dacht je verdorie van een trouwdatum? We zijn al bijna een jaar verloofd en jij blijft steeds maar excuses bedenken waarom we het nog niet hebben gedaan. En nu kom je met dit soort onzin, dat je denkt dat ik me niets van je aantrek. Ik vraag me af of er soms iets is wat je me niet vertelt. Misschien is dit jouw manier wel om te zeggen dat je me niet meer wilt.'

Mijn hoofd tolt en ik concentreer mijn blik op de witte puistjeszalf op zijn kin, die al hard wordt. Dit draait uit op een gesprek waaraan ik nog niet toe ben, dus leg ik mijn hand op de zijne.

'Het spijt me, oké? Ik had niets moeten zeggen. Ik ben gewoon gespannen omdat ik naar huis moet en Sarah daar is en ik ben een beetje gevoelig op dit moment. Ik weet zeker dat alles goed komt zodra dit voorbij is. Ik insinueerde niet dat je egoïstisch bent.' Hoewel je dat wel bent. 'En ik insinueerde ook niet dat ik niet meer bij je wil zijn.' Hoewel ik een internetrelatie met iemand anders heb.

'Tuurlijk,' zegt Ethan sarcastisch. 'Jij gaat vrijdag voor drie dagen naar New Jersey waar je familie je compleet de stress injaagt en je stapelgek maakt. Ik weet zeker dat je helemaal niet emotioneel of boos bent als je terugkomt. Ik weet zeker dat je me dan meteen wilt bespringen. Het zou me niets verbazen als je terug zou vliegen in een leren meesteressenpakje. Wacht, mag je nog wel een zweep mee aan boord van een vliegtuig nemen?' Ik glimlach. Dit is een kant van Ethan waar ik zo dol op ben; hij is niet rancuneus. Hij kan een ruzie vlugger van zich afzetten dan wie dan ook. Ik buig me naar voren en kus hem op zijn mond.

'Ik hou van je, Ethan Shaw.' Hij raakt met zijn neus de mijne aan.

'Ik hou ook van jou, Laynie Carpenter.' Plots trekt hij zijn gezicht weg. 'Hé, verander je je naam eigenlijk als we trouwen?' Ik grijns.

'Dat weet ik nog niet,' zeg ik. 'Verander jij de jouwe?' Hij kijkt naar het plafond.

'Ik ken een vent die is getrouwd en zijn vrouw heeft een nieuwe naam verzonnen die ze beiden hebben aangenomen. Het was een soort samenstelling van hun achternamen.'

'Dus jij zegt dat je voortaan Carpenshaw wil heten? Of Shawpenter?' Hij kijkt me aan en lacht.

'Dat is raar, hè?' vraagt hij.

'Ja,' zeg ik. 'Zelfs voor jou.'

SARAH

Om negen minuten over één rijd ik zwetend van ongerustheid de parkeerplaats van Caldwell op. Ik ben nog nooit te laat geweest om Janie op te halen. Doorgaans ben ik er als eerste en sta ik een kwartier in de gang tot de meesters en juffen de deuren opendoen. Maar het verkeer vanaf Chatsworth was belachelijk druk. Het heeft me anderhalf uur gekost om hier te komen. Over hetzelfde ritje heb ik vanmorgen slechts vijfendertig minuten gedaan. Ik weet dat iedereen altijd over het verkeer in Los Angeles klaagt, maar zoiets heb ik nog nooit meegemaakt. Ik ben zo blij dat alles zich in de buurt van mijn huis afspeelt. Ik kan me niet voorstellen dat ik daar elke dag mee te maken zou hebben.

Ik zwaai een van de enorme houten voordeuren van de school open en ren naar de kleuterafdeling waar de deur van Janies klas openstaat. Ik heb nog steeds mijn pakje en hakken van vanmorgen aan en doe mijn best geen doodsmak te maken terwijl ik over de witbetegelde vloer glijd. Het is maar tien minuten, zeg ik tegen mezelf. Het geeft niet. Ze overleeft het wel. Ik houd in als ik de klas in loop en haal diep adem om mezelf weer in de hand te krijgen voordat ik naar binnen stap. Mevrouw Landes zit op een kleuterstoeltje naast de deur en Janie zit snikkend bij haar op schoot.

'Hoi!' zeg ik vrolijk als ik haar in het oog krijg. Ik ga op mijn knieën naast ze zitten en geef Janie een kus op haar voorhoofd. 'Wat is er aan de hand?'

'Je bent te laat,' wijst ze me terecht. 'Je bent nooit te laat. Ik dacht dat je me was vergeten, of dat je dood was.' Ik kijk juf Landes verbijsterd aan.

'Waarom zou je denken dat ik dood ben? Ik stond in de file, meer niet.' Ik pak haar hand en trek haar van de schoot van juf Landes af. 'Kom op,' zeg ik tegen haar. 'Zullen we om het goed te maken een ijsje gaan eten?' Janie begint te stralen en net als ik op het punt sta om haar spullen uit haar kastje te pakken, hoor ik Molly Royce op de gang.

'Ik heb het,' gilt ze en haar stem weerkaatst tussen de muren. 'Ik heb Sarah gister mobiel gebeld en haar nummer staat nog in mijn telefoon.' Ik draai me om als ze naar binnen loopt, maar ze stopt met praten als ze me ziet. Haar dochter staat naast haar met haar handen in de zij en haar blonde haar valt perfect over haar schouders, als een miniatuurversie van haar moeder.

'O, je bent er al,' zegt Molly verbaasd. 'We wilden je net bellen. Juf Landes wilde je nummer op kantoor gaan halen, maar ik heb het, dus ben ik even naar mijn auto gegaan om mijn telefoon te pakken.' Ze bekijkt me van top tot teen. 'Waarom ben je zo opgedirkt?' vraagt ze.

'O,' zeg ik en ik verzin vlug wat. 'Ik ben vanmorgen naar een liefdadigheidsevenement geweest. Het was in de vallei en er was ontzettend veel verkeer op de terugweg.' Ik kijk juf Landes verontschuldigend aan. 'Daarom ben ik zo laat,' leg ik uit. Molly kijkt me hooghartig aan.

'Waarom zou je liefdadigheidswerk in de vallei doen?' vraagt ze spottend. 'Er zijn hier in de stad toch volop mogelijkheden voor vrijwilligerswerk?'

'Dat doe ik niet,' zeg ik. 'Ik bedoel, de liefdadigheidsinstelling zit wel in de stad, maar er was vandaag een evenement in de vallei.' Molly slaat haar ogen ten hemel.

'Ik begrijp niet waarom iemand iets in de vallei zou doen. Het is er afschuwelijk en afgrijselijk heet. Hoe dan ook, ik ben blij dat je er bent want Janie heeft nog steeds haar excuses niet aangeboden omdat ze Carly gisteren heeft geduwd. Carly heeft het haar vanmorgen gevraagd, maar Janie weigerde.' Molly kijkt naar juf Landes. 'En ze zei tegen Carly dat ze stom was.' Ik raak met mijn hand mijn voorhoofd aan en kijk Janie doordringend aan.

'Janie, bied je excuses aan. Schiet op.' Janie kijkt naar de grond.

'Sorry,' mompelt ze nauwelijks hoorbaar.

'Harder,' instrueer ik haar, 'en kijk Carly aan als je tegen haar praat.' Janie kijkt Carly recht aan.

'Sorry,' zegt ze. Carly slaat haar armen over elkaar en steekt haar kin iets in de lucht.

'Het is goed zo,' zegt ze. Ze kijkt langs haar neus naar Janie en Molly knikt goedkeurend.

'Dankjewel, Janie,' zegt Molly neerbuigend en ze pakt Carly bij haar hand. 'Kom op, liefje, we willen niet te laat op tennisles zijn.' Ze knikt naar ons. 'Tot ziens, juf Landes. Sarah, tot gauw.'

Als ze weg zijn, kijk ik naar Janie die staat te pruilen en ik moet eraan denken dat mijn moeder haar vergeleek met een blaffend hondje dat denkt dat ze een grote hond is. Ik doe mijn uiterste best om niet in lachen uit te barsten ten overstaan van juf Landes.

'Gaan we nog wel een ijsje eten?' vraagt ze me.

'Natuurlijk niet,' zeg ik tegen haar. 'Niet nadat je je zo hebt gedragen.' Mevrouw Landes knikt me goedkeurend toe en net als Janie op het punt staat te gaan zeuren, knipoog ik naar haar en glimlach. Ze kijkt verbaasd, maar glimlacht dan terug.

'Kom, we gaan,' zeg ik tegen haar. 'Ik denk dat je wel een extra uur wis-kundebijles kunt gebruiken. Als we opschieten, lukt het misschien van-middag nog.'

'Oké, mam,' zegt Janie zuchtend, het spel meespelend. Ik vind het zo leuk dat ze begrijpt wat er aan de hand is. Ze krijgt niet eens bijles. Grap-pig, Jessie zou nooit hebben begrepen wat ik deed. Die vat alles zo letter-lijk op. Janie pakt mijn hand en samen lopen we het lokaal uit.

'Tot ziens, juf Landes,' roep ik. 'Bedankt.'

'Tot ziens,' zegt ze. 'Dag, Janie. Fijn weekend!'

'U ook,' gilt Janie opgewekt.

Bill heeft om vier uur gebeld om te zeggen dat hij wat later thuis zou komen, dus eet ik samen met de meiden.

'Hoe ging het op school?' vraag ik terwijl ik een schaal roerbakkip met broccoli, worteltjes en maïskolfjes op tafel zet.

'Goed hoor,' antwoordt ze. 'Is dit alles wat we eten?'

'Ik ben met de rijst bezig,' zeg ik tegen haar. 'Ik hoef het alleen nog maar in een schaal te doen.'

'Goed,' zegt ze terwijl ik het uit de pan giet. Ik zet de schaal midden op de tafel, maar Jessie schuift hem recht voor haar neus en ik doe net alsof ik niet merk dat ze drie enorme lepels opschept.

'Wil je ook wat kip?' vraag ik, de opscheplepel in de lucht houdend.

'Nee, dank je,' zegt ze. 'Ik neem alleen rijst.' Ik bijt op mijn tong om niet te laten merken wat ik voel. In het boek dat ik aan het lezen ben over te zware kinderen staat dat het mijn taak is om voor gezond, voedzaam eten te zorgen en dat het haar taak is om te beslissen wat ze daarvan wil eten en hoeveel. Er staat dat ruziemaken over wat ze eet het alleen maar erger maakt.

'Met wie heb je in de pauze gespeeld?' vraag ik nonchalant.

'Niemand,' zegt ze. 'Ik ben binnen gebleven om te lezen.'

'Ik heb tetherball gedaan met Emily en Sofia,' zegt Janie. 'En toen hebben we een wedstrijdje hoelahoepen gedaan. Ik ben de beste hoelahoeper van de wereld. Juf Landes zei dat ik waarschijnlijk een wereldrecord kon halen als ik zou willen.' Ik grinnik naar haar.

'Vast wel,' zeg ik voordat ik me weer tot Jessie richt. 'Wat heb je nog meer gedaan?' vraag ik. 'Iets leuks?' Haar gezicht licht op en haar ogen beginnen te stralen.

'Ja. Jack is vandaag jarig en zijn moeder had muffins meegebracht die ze helemaal zelf had gemaakt. Ze waren zo lekker. En ik mocht er twee, omdat ze er toch een paar over hadden.' Ik probeer te glimlachen.

'Dat is geweldig, schat. Maar heb je vandaag nog iets anders gedaan behalve eten? Heb je de kalkoensandwich opgegeten die ik in je broodtrommeltje had gedaan?'

'Nee,' zegt ze. 'Ik zat te vol na al die muffins.'

Terwijl Jessie gaat douchen en zich klaarmaakt om naar bed te gaan, doe ik Janie in bad, lees haar een verhaaltje voor en als ze eindelijk gaat slapen, klop ik op Jessies deur.

'Kom binnen,' roept ze. Ze ligt in bed en leest steunend op haar elleboog een boek. De American Girl-pop die Helene haar met kerst heeft gegeven, draagt een roze pyjama die op die van haar lijkt, en ligt op haar kussen. Ik loop naar haar toe en ga naast haar zitten, op de rand van het bed.

'Wat lees je?' vraag ik terwijl ik een plukje donker, krullend haar uit haar gezicht strijk. Ik kan er niets aan doen dat het me opvalt dat haar wangen dikker zijn geworden en dat haar pyjama strak om haar dijbenen spant. Ze houdt het boek omhoog zodat ik het kaft kan zien. *Een brug naar Terabithia.*

'Wauw,' zeg ik trots. 'Dat is best moeilijk voor iemand van jouw leeftijd. Waar heb je dat vandaan?'

Ze haalt haar schouders op. 'Uit de schoolbibliotheek,' zegt ze. 'Mevrouw Andrews prees het aan.'

'Als je erover wilt praten, laat het me dan weten. Het was een van mijn favoriete boeken toen ik klein was.'

Jessie kijkt verbaasd. 'Heb jij dit gelezen?' vraagt ze. 'Is het al zo oud?'

Ik doe net alsof ik niet beledigd ben. 'Ja, het is al zo oud,' zeg ik. 'Ouder dan de mummies in het Nationaal Historisch Museum.'

'Mam,' zegt ze plots serieus. 'Gaan opa en oma scheiden?' Ik haal diep adem. Ik wist dat dit onderwerp uiteindelijk ter sprake zou komen, maar ik had er nog niet op gerekend. Het is maar goed dat ik dit van tevoren heb voorbereid. In de week dat mijn moeder het huurcontract voor haar nieuwe appartement heeft getekend, heb ik een aantal boeken uit de bibliotheek gehaald over hoe je met kinderen over een scheiding moet praten en ik heb precies opgeschreven wat ik wil gaan zeggen.

'Waarom vraag je dat?' vraag ik.

'Ik heb gehoord dat jij en pa het erover hadden,' zegt ze. 'En je gaat zonder ons naar New Jersey en dat doe je anders nooit.'

'Oké,' zeg ik en ik probeer me te herinneren wat ik heb opgeschreven. 'Het is inderdaad waar, Jessie. Opa en oma gaan scheiden. Ze houden nog steeds heel veel van elkaar, maar ze vinden andere dingen leuk en dus hebben ze besloten dat het beter voor ze is als ze niet meer samenwonen. Zo kan oma de dingen doen die zij leuk vindt en kan opa de dingen doen die hij leuk vindt. Snap je?'

Jessie knikt en slaat haar ogen ten hemel. 'Ja, ik weet wel hoe een scheiding werkt. De meeste ouders van de kinderen op school zijn ook gescheiden.'

O, denk ik. Ik ben wat van mijn stuk gebracht en vraag me af wat Jessie nog meer weet waarvan ik niet weet dat ze het weet. Veel waarschijnlijk. Ik heb zo'n hekel aan die school. De kinderen zijn daar allemaal zo... voorlijk. Alsof ze geen acht zijn, maar bijna achttien. Ik vraag me af of ik het nog met haar over seks moet hebben, of dat ze dat ook al weet. Nee, mam, dat weet ik al. Veel kinderen op school hebben het vorig jaar al gedaan, in de eerste.

'Ik begrijp alleen niet waarom je naar New Jersey moet,' zegt ze. Ik buig voorover en druk een zoen op haar hoofd.

'Nou, liefje, oma heeft het huis verkocht en ik ga naar New Jersey om haar te helpen verhuizen naar een appartement.'

Daar denkt Jessie even over na. Ze trekt een bedenkelijk gezicht en lijkt zo sprekend op Bill. 'Ik ben nog nooit in een appartement geweest,' zegt ze. 'Is er wel plek voor ons om te blijven slapen?'

Ik knik bevestigend. 'Ja, natuurlijk. Oma heeft een appartement uitgekozen met twee logeerkamers zodat we bij haar kunnen blijven slapen als we op bezoek zijn. En opa gaat aan de kust wonen, dus bij hem kunnen we ook op bezoek gaan.'

Jessie knikt goedkeurend. 'Gaat tante Laynie met je mee?' vraagt ze.

Ik knik opnieuw. 'Ja, die gaat mee.'

'Hoe komt het dat we tante Laynie nooit meer zien? Ik mis haar.'

Ik kijk naar het plafond en wilde dat ze nog een kleuter was toen het mijn grootste probleem was dat ik haar overal heen moest dragen. 'Dat weet ik niet, liefje. Tante Laynie heeft het erg druk. Maar ik zal tegen haar zeggen dat je haar wilt zien, goed?' Jessie knikt en gaapt. 'Waarom ga je niet slapen?' stel ik voor. 'Het is een lange week geweest.'

'Mag ik dit hoofdstuk uitlezen? Ik beloof dat ik daarna het licht uitdoe.' Ze lijkt misschien qua uiterlijk op Bill, maar ze is mijn kind. Mijn moeder en ik hadden elke avond precies dezelfde discussie toen ik nog klein was.

'Goed dan, maar alleen dit hoofdstuk.' Ik geef haar nog een kus, ditmaal op haar wang. 'Slaap lekker. Ik hou van je.'

'Ik ook van jou,' zegt ze. Ik loop de kamer uit, trek de deur achter me dicht en net als ik de keuken in loop, hoor ik de garagedeur opengaan. Even later komt Bill met een stapel papier onder zijn arm naar binnen lopen.

'Hoi,' zeg ik en geef hem een kus op zijn wang.

'Hoi,' zegt hij. 'Slapen de meiden al?' Ik vertel hem dat Jessie nog wakker is en hij gaat naar haar kamer om welterusten te zeggen. Ik hoor ze lachen en ik glimlach. Hij is zo'n geweldige vader. Het is echt jammer dat hij niet meer tijd voor ze heeft.

Als hij een paar minuten later uit Jessies kamer komt, fronst hij zijn voorhoofd.

'Ze lijkt dikker,' zegt hij bezorgd. 'Ik denk dat het erger wordt.'

'Ik weet het,' geef ik toe. 'Ik maak me flink zorgen. Vanavond heeft ze alleen rijst gegeten en op school twee muffins.'

'Heb je de kinderarts al gebeld?' vraagt hij. Ik knik.

'Hij zei dat ze waarschijnlijk op het punt staat een groeispurt te krijgen. Dat kinderen soms mollig worden voordat ze groeien.'

Bill schudt zijn hoofd. 'Daar geloof ik niet in.'

'Ik ook niet, maar in dat boek staat dat we er niet te veel de nadruk op moeten leggen. Er staat dat we haar gezond eten moeten voorschotelen en moeten praten over het nemen van gezonde beslissingen. Als we haar vertellen wat ze moet doen, gaat ze alleen maar meer eten. Ik weet dat het moeilijk is, maar ik denk dat we haar haar eigen beslissingen moeten laten nemen.'

Bill glimlacht naar me. 'Je bent een geweldige moeder,' zegt hij.

Ik slaak een zucht. 'Ik doe mijn best,' zeg ik. 'Heb je al gegeten?'

'Ja, ik heb onderweg een hamburger gehaald.' Hij pakt een stapeltje post van het aanrecht en begint dat te sorteren.

'Ik heb mijn vlucht gewijzigd,' zeg ik nonchalant. 'Ik kom zondagavond terug in plaats van maandag. Ik heb Laynie gesproken en ze heeft gelijk. Ik denk niet dat het langer dan twee dagen duurt om alles te regelen en ik wil jullie niet langer alleen laten dan nodig.'

'Oké,' zegt hij. 'Bedankt. Hoe ging het gesprek?' vraagt hij. 'Was ze aardig?'

Hij weet hoeveel verdriet mijn relatie met Laynie me doet en hij wordt er gek van dat ze altijd zo gemeen doet. Ik vertel al niet meer wat ze zegt, omdat hij dan boos op haar wordt, en Bill en ik ruzie krijgen omdat ik haar verdedig. Maar hij begrijpt het gewoon niet. Bill is enig kind en hoeveel ik ook van hem houd, hij is absoluut grootgebracht met het idee dat de wereld om hem draait. Hij heeft nooit een badkamer hoeven delen, nooit ruziegemaakt over welke radiozender in de auto op mocht, nooit last gehad van iemand die zijn spullen steelt, een rommel in zijn kamer maakt of alles naaapt wat hij doet. En hij heeft zeker nooit hoeven strijden voor de aandacht van zijn ouders. Maar hij heeft ook nooit iemand gehad die even goed de stemming van zijn ouders kon peilen. Hij heeft nooit iemand gekend met precies dezelfde herinneringen. Hij heeft nooit iemand gehad die zijn zinnen kon afmaken of zijn gedachten kon lezen of precies wist wat hij ging zeggen voor hij het zei. En hij heeft nooit iemand gehad om mee te spelen en te praten en domme spelletjes mee te verzinnen, die met hem rondhing als er niemand anders in de buurt was. Dat vind ik jammer voor hem, want ik vind dat hij een prachtig deel van het leven heeft gemist. Maar omdat hij het heeft gemist, begrijpt hij niet dat hoezeer Laynie me ook irriteert, ze toch mijn zus is en alleen ik over haar mag klagen.

'Ja, hoor,' zeg ik. 'Ze vond het goed om voor mam aardig tegen elkaar te doen.'

Bill trekt zijn wenkbrauwen op. 'Eerst zien, dan geloven,' zegt hij.

Ik wil hem over mijn nieuwe baan vertellen, maar ik heb mezelf beloofd dat ik het pas doe als de proeftijd achter de rug is en ik zeker weet dat het wat wordt. Bovendien weet ik dat hij boos zal worden – hij wordt altijd boos als ik zelfs maar opper dat ik werk wil zoeken – dus ik heb geen zin om ruzie te maken over iets wat misschien niet doorgaat. Wist ik maar waarom hij er zo op tegen is dat ik weer ga werken. Hij was tenslotte degene die zei dat ik niet moest stoppen nadat Jessie was geboren. Ik kan me het gesprek nog woord voor woord herinneren.

Sarah, had hij gezegd, ze bieden je een partnerschap aan. Als je het afslaat omdat je moeder wordt, gaat het je nooit meer lukken.

Het kan me niet schelen, had ik gezegd. Ik wil bij mijn kindje zijn. We hebben het geluk dat we het ons kunnen veroorloven dat ik mijn baan opzeg, dus waarom zouden we daar niet van profiteren? Waarom zou ik mezelf uit de naad werken als ik hier kan blijven om voor Jessie te zorgen?

Oké, had hij gezegd. Maar ik hoop dat je begrijpt dat je je carrière onherstelbaar veel schade aanricht. Onherstelbaar.

Ik begrijp het gewoon niet. Als hij zich toen zo druk maakte over mijn carrière, waarom wil hij dan niet dat ik het nu nieuw leven inblaas? Het enige dat ik kan bedenken, is dat hij toen heel veel geld verdiende en nu niet meer. Alleen lijkt dat helemaal niet bij hem te passen. Hij heeft nooit ergens een groot ego over gehad en hij is niet het type dat zich ontmand voelt door een sterke vrouw. Konden we er maar over praten zonder dat hij boos wordt.

Ik werp een blik op de rekeningen bij de telefoon waar ik ze heb neergelegd. De factuur van Kiddie Dance ligt bovenop. Ik wilde er niets over zeggen, eigenlijk wilde ik het zelf regelen zodra ik mijn salaris zou krijgen. Maar het is de perfecte manier om erover te beginnen.

'We hebben weer een factuur voor Janies balletlessen gekregen,' zeg ik en ik pak de envelop. 'Wat moet ik ermee doen?' Hij gaat op een van de krukken voor het aanrecht zitten.

'Ik weet het niet. Kun je het nog even afhouden?'

'Dat kan niet,' zeg ik en ik probeer mijn stem vlak te houden. 'De uitvoering is in juni en als ik volgende week niet heb betaald, bestellen ze geen kostuum voor haar.' Ik overhandig hem het stuk papier over het aanrecht heen en hij zucht.

'Zeshonderd dollar voor dansles,' zegt hij en hij schudt zijn hoofd. 'Misschien moeten we haar gewoon vertellen dat ze ermee moet stoppen.'

Ik staar hem aan. 'Dat kan ik niet doen, Bill. Ze doet niets liever. Ze oefent de pasjes al maanden en ze praat over niets anders dan de uitvoering. Mijn moeder vliegt hier zelfs heen om het te zien. Kom op, er is vast wel iets anders waarop we kunnen besparen.'

'Ik zou het niet weten,' zegt hij vertwijfeld. 'Met alles wat we leuk vinden zijn we gestopt. We gaan niet meer uit eten, we kopen niets meer voor onszelf, we nemen zelfs geen oppas meer zodat we naar de film kunnen. Het gaat niet goed, Saar. Misschien wordt het tijd dat we het niet langer bij de meiden weghouden.' Ik loop naar hem toe, sla mijn armen om zijn nek en hij begraaft zijn hoofd in mijn schouder.

'Misschien moet ik weer gaan werken,' zeg ik zachtjes.

Hij trekt zich los. 'Niet weer,' zegt hij. 'Je kunt niet gaan werken, Saar. Wie moet er dan voor de meiden zorgen? Dan moeten we alles wat jij verdient aan een nanny uitgeven.'

'Ik zou parttime kunnen gaan werken,' zeg ik. 'Alleen als ze op school zijn. Ze zouden er nauwelijks last van hebben. En ik denk dat ik best veel kan verdienen. Ik denk dat ik bijna net zoveel kan verdienen als eerst.'

Bill schudt zijn hoofd fel heen en weer. 'Onmogelijk,' zegt hij. 'Ik heb parttimers in dienst en die verdienen een parttime salaris. Hoe dan ook, parttime werkt niet. Ze hebben je altijd nodig als je niet werkt en er lijken altijd noodgevallen te ontstaan, en daar zijn wij niet op berekend. We hebben niemand om op te vertrouwen als jij er niet bent.'

'Dat weet ik,' zeg ik. 'Maar als ik nou iets zou kunnen krijgen wat ik thuis kan doen? Als het echt maar een paar uur per week zou zijn? Ik ken mensen die dergelijk werk doen, Bill. Ze bestaan echt.'

Hij schudt zijn hoofd en slaat zijn ogen neer. 'Sarah,' zegt hij. 'Als jij gaat werken, dan komt mijn moeder erachter dat we geldproblemen hebben en dan moet ik haar vertellen wat er met het bedrijf aan de hand is.' Dus dat is het probleem. Ik had moeten weten dat het om Helene draait. Elk probleem in mijn leven komt uiteindelijk op Helene neer.

'Vertel het haar dan gewoon,' zeg ik geërgerd. 'Zul je je niet beter voelen als ze het weet? Zal de druk dan niet minder worden?'

'Nee, natuurlijk niet,' snauwt hij. 'Begrijp je het dan niet? Mijn vader heeft het bedrijf aan mij toevertrouwd. Aan míj. En het bedrijf is het enige dat mijn moeder nog van hem heeft. Als ik haar vertel dat we bijna failliet zijn en dat we de deuren misschien moeten sluiten, lieve god, Sarah dat zou haar dood worden. Het zou net zijn alsof mijn vader opnieuw sterft.'

'Oké,' geef ik toe. 'Ik weet dat het moeilijk zou zijn om het haar te vertellen, maar schat, ze komt er uiteindelijk toch achter. Je kunt niet eeuwig voor niets blijven werken en vroeg of laat is er niet genoeg geld meer om de salarissen te betalen. Dus kun je het haar beter nu vertellen, zodat we allemaal verder kunnen met ons leven.'

'Nee. Ik zal een manier vinden om het tij te keren.' Ik kijk hem sceptisch aan. 'Ik heb aan een paar mogelijkheden gewerkt,' legt hij uit. 'Een aantal nieuwe manieren om geld bijeen te brengen. Ik heb alleen wel wat tijd nodig om alles op de rit te krijgen. Als het werkt, komt alles goed. Dan komt alles meer dan goed.' Hij schudt zijn hoofd opstandig. 'Ik ga mijn moeder niet vertellen dat ik een mislukkeling ben. Dat ben ik niet.'

Ik sla mijn armen over elkaar en doe een stap naar achteren. 'Ten eerste ben je geen mislukkeling, Bill. Doe normaal, je bent afgestudeerd aan de Stanford Business School. En ten tweede kun jij er niets aan doen wat er met het bedrijf is gebeurd. Kijk eens goed om je heen, Bill. Elke platenmaatschappij verliest geld. Het is jouw schuld niet. Het heeft niet...' Maar hij kapt me af voordat ik mijn zin kan afmaken.

'Ik heb geen peptalk nodig, schat. Je kunt het nog zo mooi inpakken, maar we weten allebei donders goed dat mijn moeder het niet zo zal zien.'
Hij heeft gelijk. Helene is nou niet echt een vriendelijk, inschikkelijk type.
'Oké, misschien is dat wel zo,' geef ik toe. 'Maar toch, we hebben niet veel spaargeld meer over. Laat mij nou gewoon werk zoeken. Je moeder hoeft het niet te weten.'
Hij trekt me naar zich toe en fluistert rechtstreeks in mijn oor waardoor ik kippenvel op mijn armen krijg. 'Ik weet nog wel iets wat je kunt doen.'
Ik draai mijn hoofd om zodat ik recht in zijn ogen kijk die blauw als een vloeibare hemel zijn, en er trekt langzaam een glimlach over mijn gezicht. Van dat stiekeme gedoe in Chatsworth vanmorgen ben ik eigenlijk best een beetje hitsig geworden.
'Jij bent té erg,' zeg ik tegen hem als hij me kust.
'Dat weet ik,' fluistert hij. 'We kunnen de balletlessen niet betalen en ik wil alleen maar dat je je kleren uittrekt.'
Ik glimlach naar hem. 'O, liefje, je hoeft mij niet te betalen om mijn kleren uit te trekken. Voor jou doe ik het voor niks.'
'Mmm,' zegt hij terwijl hij kusjes in mijn hals drukt. 'Dat is heel goed nieuws. Echt heel goed nieuws.' Hij zet me op het aanrecht en begint mijn blouse los te knopen. Ik sluit mijn ogen, leun achterover tegen de tegels en sla mijn armen om zijn nek.

DEEL TWEE

7 LAYNIE

Zodra de chauffeur onze straat in rijdt, barst ik in snikken uit. In het vliegtuig en tijdens de landing in Newark was er niets aan de hand, maar toen we langs mijn oude lagere school reden, raakte ik al een beetje van streek en ik wist dat ik me niet meer goed zou kunnen houden zodra we onze wijk in reden en ik Heather Maloneys ouderlijk huis op de hoek zag staan dat er nog net zo uitzag als duizend jaar geleden toen we nog hartsvriendinnen waren. Het viel me wel op dat het huis waar Jared Mason woonde, was veranderd. Mijn moeder had verteld dat ze het vorig jaar hadden verkocht. De nieuwe eigenaar heeft het geel geschilderd en de struiken die de voortuin aan het zicht onttrokken, zijn weggehaald. Achter die struiken heb ik mijn eerste zoen gekregen. Jared was een jaar ouder dan wij, en Heather en ik hadden hem uitgedaagd om mij te kussen.

Als we door Annabelle Lane rijden en ik de namen van de gezinnen afvink die hier vroeger woonden, biggelen de tranen over mijn wangen. De familie Russell met hun Deense doggen Tweedle Dee en Tweedle Dum. Familie McCoy, hun zoon Brett had op de middelbare school een meisje zwanger gemaakt en niet eens aangeboden om de abortus te betalen. De familie Nelson waarvan de vader een paar jaar geleden homo bleek te zijn. De familie Lipinsky, onze buren, waarvan de oudste dochter weleens op mij paste en die mij mijn eerste sigaret gaf toen ik elf was. En de familie Carpenter met hun twee dochters die algemeen bekendstonden als de zusjes Carpenter. Hun vader zong altijd overal 'Ik hou hou hou van de zusjes Carpenter, ooohh yeah yeah yeah', zonder er rekening mee te houden dat zij dat gênant vonden. Ze verkleedden zich elk jaar met Halloween als miss Piggy en Kermit de Kikker, Marcus Antonius en Cleopatra, Luke Skywalker en prinses Leia of Willie Nelson en Dolly Parton en alle kinderen kregen er niet één maar twee chocoladerepen. De Carpenters op wie ieder kind in de buurt jaloers was omdat ze leuk en cool waren en het ze niet uitmaakte of hun tienerdochters thuis bier dronken zolang er daarna maar niemand achter het stuur kroop. De Carpenters die na achtendertig jaar huwelijk gaan scheiden en die al die tijd ongelukkig zijn geweest.

'Hier is het toch?' vraagt de chauffeur terwijl hij de auto stilzet en wacht tot ik in beweging kom. 'Annabelle Lane 3541.' Hij controleert het adres dat ik hem heb gegeven met het nummer op het huis.

'Ja,' zeg ik en ik pak een tissue uit mijn tas om mijn ogen droog te vegen. Ik geef hem mijn creditcard die hij door een pinapparaatje haalt dat op het dashboard van zijn auto is gemonteerd en hij geeft hem weer terug samen met de bon. Zodra ik op de stoep sta, scheurt hij weg en laat mij alleen achter. Ik haal diep adem en zuig de avondlucht naar binnen. Het ruikt vaag naar rotte, wilde appels en al mijn jeugdherinneringen komen daardoor in een razend tempo terug. Ik sluit mijn ogen en geniet even van de nostalgie, dan doe ik ze weer open en schud het van me af. Ik moet hiermee ophouden. Ik wil niet het hele weekend lopen huilen.

Ik trek het handvat van mijn koffer omhoog en loop ermee de heuvel op over de ronde straatstenen die naar de voordeur leiden en hij maakt een hard, klakkend geluid elke keer dat de wieltjes de stenen raken. Het licht op de veranda is aan, ik duikel mijn sleutels uit mijn handtas op en open zachtjes de voordeur net als toen ik nog een tiener was. Het is bijna middernacht en ik wil ze niet wakker maken. Ze zijn vast de hele dag aan het pakken geweest en waarschijnlijk uitgeput. Maar als ik de hal in loop, zie ik dat het licht in de woonkamer nog aan is en ik word begroet door het luide, aanstootgevende gelach van mijn moeder.

'Die jurk!' gilt ze. 'Waar hebben we die in hemelsnaam gevonden?' Ik blijf even stilstaan in de deuropening om Sarahs antwoord af te wachten.

'Aan zee,' zegt ze. 'Weet je dat niet meer? Aan de promenade in die chique zaak in Ceasar's. Hoe heette hij ook alweer? Talk of the Town?'

'Talk of the Walk!' gilt mijn moeder. 'Helemaal vergeten. Elk kledingstuk daar was bedekt met lovertjes. Alsof Liberace de inkoop deed.' Samen schieten ze in de lach en ik loop de kamer in, waar geen meubels meer staan. Ze zitten in kleermakerszit op de bruine vloerbedekking die nu overal grijs is behalve op de lange rechthoeken waar de banken stonden. Overal om hen heen staan dozen en ze hebben allebei een plastic wijnglas met chardonnay in hun hand. Op mijn moeders schoot ligt de *Clevelander*, ons jaarboek uit 1989, het jaar dat Sarah haar diploma haalde.

'Laynie!' roept mijn moeder als ze me in de deuropening ziet staan. 'Je bent er!'

'We hebben bijna twee uur stilgestaan op de startbaan,' zeg ik tegen ze. 'Ik had niet verwacht dat jullie nog op zouden zijn.' Ik zet mijn spullen in de hoek, loop naar mijn moeder, buig voorover en geef haar een kus op haar wang.

'Hoi,' zegt Sarah voorzichtig. Ze glimlacht nog steeds, maar ik merk dat ze zenuwachtig wordt van mijn aanwezigheid.

'Hoi,' zeg ik en ik buig me ook voorover om haar een kus te geven. 'Wat zijn jullie aan het doen?'

'We hebben Sarahs oude jaarboek gevonden en we konden het niet laten. Moet je eens kijken,' zegt mijn moeder en ze draait het boek om zodat ik kan kijken. 'Het is van het examenbal. Moet je Sarahs jurk eens zien. Kun je je voorstellen dat we daarvoor geld hebben betaald?' Het is een foto van Sarah en Eric Loomis, een footballspeler met wie ze in haar laatste jaar kort verkering heeft gehad. Sarahs haar is in de krul gezet en over haar pony is zoveel Aqua Net gesprayd dat hij rechtop staat. Ze draagt een pofferige, kobaltblauwe satijnen jurk die rijkelijk is bezet met kobaltblauwe lovertjes en kobaltblauwe kralen, om haar pols draagt ze een roze corsage en haar pumps zijn kobaltblauw geverfd zodat ze bij haar jurk passen.

'Ik herinner me die jurk nog,' zeg ik tegen mijn moeder. 'Die moest ik van je dragen naar mijn bal op Cherry Hill East.' Ik kijk naar Sarah. 'Met hoe heette hij ook alweer, die jongen van kamp.'

Sarah knikt, doet haar ogen dicht en wuift haar hand voor haar gezicht heen en weer alsof het haar bijna te binnen schiet. 'Mark Sussman,' zegt ze uiteindelijk.

'Precies,' zeg ik. Mijn moeder kijkt verbaasd op.

'Echt waar? Heb ik jou dan geen nieuwe jurk gegeven?'

Ik schud mijn hoofd en kijk haar aan alsof ze gek is. 'Je hebt nooit een nieuwe jurk voor me gekocht. De enige jurk die ik ooit heb gekregen, was voor het bal van de middelbare school. Als ik naar een feest moest, zei je altijd dat Sarah een kast vol prachtige jurken had en dat ik aan kon trekken wat ik wilde. Je zei dat ik net moest doen alsof ik in een winkel was om iets nieuws uit te kiezen.'

Mijn moeder kijkt me aan alsof ik iets heel belachelijks zeg. 'Dat heb ik niet gezegd,' houdt ze vol. Ik kijk naar Sarah voor steun en zij knikt naar mam.

'Jawel,' zegt ze.

'Jawel,' herhaal ik.

'Echt waar?' We knikken allebei. 'Dat is verschrikkelijk,' zegt ze tegen me. 'Het spijt me.'

'Het geeft niet, mam,' zeg ik. 'Ik ben eroverheen.'

Mijn moeder blaast een kusje naar me en schuift op om plaats te maken. 'Kom, ga zitten. We hebben zo'n lol.' Ik schud mijn hoofd.

'Ik ben doodmoe,' zeg ik. 'Ik heb de hele dag gewerkt en het was een lange vlucht. Ik denk dat ik beter naar bed kan gaan.' Sarah kijkt op haar horloge en dan naar mam.

'Dat zouden wij ook moeten doen,' zegt ze. 'We moeten morgen een hoop doen.'

Mijn moeder zucht. 'Oké dan,' zegt ze. 'Het is zo raar om hier zonder jullie vader of de meiden te zijn.' Ze kijkt om zich heen. 'Zonder meubels.'

Sarah geeft haar een klopje op haar arm. 'Het is goed zo, mam. Het is maar een huis, weet je nog?' Ze tikt tegen de zijkant van haar hoofd. 'Het is zoals je al zei. Herinneringen zitten hier.'

Mijn moeder zucht. 'Ik weet het,' zegt ze. 'Ik had alleen niet verwacht dat ik het zo triest zou vinden.'

Ik rol mijn ogen ten hemel. Geweldig dat 'triest' voor mijn moeder betekent dat ze er lang genoeg bij stilstaat dat alles wat ze de laatste veertig jaar voor lief heeft genomen binnenkort verdwenen is. 'Welterusten,' zeg ik terwijl ik me omdraai en de kamer uit loop. 'Tot morgen.'

'We gaan om halfzeven naar dat pannenkoekenhuis,' roept mijn moeder me na.

Ik blijf onmiddellijk staan en draai me weer om. Ik kijk Sarah recht aan. 'Ik heb een hekel aan dat pannenkoekenhuis,' zeg ik. 'Je weet dat ik er een hekel aan heb.'

Mam zucht.

'Ik begrijp niet waarom je er zo'n hekel aan hebt,' antwoordt Sarah. 'Het zijn maar pannenkoeken.'

'Ik lust geen pannenkoeken,' breng ik haar in herinnering. 'En iets anders hebben ze niet.'

Mijn moeder legt een hand op Sarahs arm omdat ze niet wil dat ze ruzie met me maakt. 'Het geeft niet,' zegt mijn moeder. 'We kunnen ook ergens anders heen gaan. Waar wil je naar toe?' vraagt ze me.

'Dat weet ik niet,' zeg ik. 'Het maakt me niet uit. Ik ben toch niet zo'n ontbijtmens.'

Sarah slaat haar armen over elkaar. 'Als je geen ontbijtmens bent, waarom kunnen we dan niet naar het pannenkoekenhuis?'

'Omdat ik geen pannenkoeken lust,' zeg ik. 'Bovendien kun je overal pannenkoeken eten.'

'Maar daar hebben ze de lekkerste pannenkoeken en ik ben er al jaren niet geweest,' jammert ze. 'Je wilt er alleen maar niet heen omdat het mijn lievelingsrestaurant is.' Mijn hemel, dit kan ze niet menen.

'Het spijt me, Sarah, dat ik de scheiding van pa en ma voor je verpest omdat ik jou niet de pannenkoeken laat eten die je wilt. Het spijt me dat dit niet het feest is dat je had verwacht.'

'Genoeg,' gilt mam. 'Jullie zijn nog geen drie minuten bij elkaar en jullie maken al ruzie. Volgens mij is dit een nieuw wereldrecord.' Ze kijkt me aan. 'We gaan naar het eetcafé,' zegt ze. 'Is dat goed?'

'Dat is prima,' zeg ik in een poging meegaand te zijn. Mam kijkt Sarah streng aan.

'Prima,' zegt ze uiteindelijk met tegenzin.

'Prima,' zegt mam. 'En nu naar bed jullie.'

Ik pak mijn tas en loop de trap op terwijl ik Sarah achter me mopperend iets over pannenkoeken hoor fluisteren. Ik negeer haar en loop naar mijn kamer die precies tegenover de hare ligt. Als uit een scène van *The Brady Bunch* doen we onze deuren tegelijkertijd open en slaan ze ook tegelijkertijd weer dicht.

SARAH

Ik heb geen flauw idee waarom ik me zo druk maak over mijn relatie met haar. Waarom doe ik er moeite voor? Waarom doe ik mezelf dit aan? Mijn moeder en ik hadden het hartstikke gezellig zonder haar en zij komt binnenlopen met haar zuursmoel en verpest alles. Ze moest mam er weer per se aan herinneren dat ze nooit een nieuwe jurk heeft gekregen. Ik ben eroverheen. Als ze er overheen is, waarom zegt ze het dan? En dat gedoe met die pannenkoeken, zulke dingen doet ze nou altijd. Ze doet net alsof ik degene ben die onredelijk is, terwijl zij eigenlijk alleen maar dwars wil liggen. Bovendien wilde ik er alleen maar heen omdat het me aan vroeger doet denken en ik weet niet of er ooit nog een gelegenheid zal zijn om erheen te gaan. Misschien begrijpt ze het niet, maar pa en ma verhuizen ergens anders heen en dan hebben we geen reden meer om naar deze buurt te komen.

Ik durf er alles om te verwedden dat ze morgenochtend niets anders dan een kop koffie neemt. Ik heb gewoon geen honger, zegt ze vast en ik zweer het je, als ze dat doet, trek ik haar met mijn blote handen over de tafel heen om haar te wurgen. Als ik dan naar de gevangenis moet en de politie vraagt me een verklaring af te leggen, zeg ik alleen dat ik gewoon pannenkoeken wilde. En als een van de juryleden tijdens de rechtszaak een zus heeft, win ik vast. Ik zal niet schuldig worden bevonden omdat ik een onmogelijke zus heb.

Ik pak mijn mobiel en bel naar huis. Het is thuis pas negen uur, dus Bill gaat waarschijnlijk net naar bed. Nadat hij twee keer is overgegaan, neemt hij op.

'Hallo?'

'Hoi,' zeg ik. 'Ik mis je.'

'Ik mis jou ook,' zegt hij. 'Hoe gaat het daar?'

Ik zucht. 'Het gaat prima. Laynie is net aangekomen en we hadden natuurlijk meteen ruzie. Ik weet niet wat het is met dit huis en met mam, maar we veranderen hier alle twee weer in zesjarigen. Ik weet zeker dat ik tegen het einde van het weekend roep dat ze moet ophouden me na te apen.' Bill grinnikt. 'Hoe is het met de meiden?' vraag ik. 'Heb je nog wat van ze gehoord?'

'Ja, Jessie belde me onder het eten om te zeggen dat Janie en zij het naar hun zin hebben. Ze voelt zich zo verantwoordelijk, erg lief.'

Ik glimlach. 'Heb je Janie ook aan de telefoon gehad?' vraag ik.

'Ja. Ze zei dat ze bietjes hadden gegeten en dat ze bijna over moest geven. Ze moest aan tafel kokhalzen en is toen naar de badkamer gerend omdat ze dacht dat ze moest overgeven, maar ze hoefde niet en toen is ze weer gaan zitten.'

'Mijn hemel,' zeg ik en ik leg mijn hand tegen mijn voorhoofd. 'Wat zullen die mensen wel niet van ons denken. Daar worden ze vast niet meer uitgenodigd.'

Bill en ik praten nog even voordat we elkaar welterusten wensen en nadat ik heb opgehangen, doe ik mijn koffer open om mijn pyjama en toiletspullen te pakken. Onderin liggen de films die ik nog steeds niet heb kunnen bekijken. Stommerd, denk ik bij mezelf. Stommerik. Ik had er van de week naar willen kijken, maar ik heb gewoon geen tijd gehad. Ik ben elke dag zo druk bezig geweest met het maken van de borden voor de bazaar en met Jessie die hulp nodig had voor een schoolproject. En 's avonds als de meiden sliepen, kon ik ook niet kijken want Bill was thuis en ik niet wist hoe ik moest uitleggen dat ik twee films had die nog niet eens uit zijn op dvd. Ik had ze vanmorgen tijdens de vlucht hierheen willen bekijken en ik heb de draagbare dvd-speler van de kinderen zelfs meegenomen, maar ik had de vlucht van zeven uur en ik was al voor dag en dauw op om om halfzes op het vliegveld te zijn en zodra het vliegtuig opsteeg, ben ik in slaap gevallen. Nou ja, dan moet ik er op de terugvlucht maar naar kijken. Maar ik weet echt niet hoe ik er tien per week moet gaan kijken. Aan de telefoon leek tien niet erg veel, maar nu begin ik te denken dat ik misschien te veel hooi op mijn vork heb genomen.

LAYNIE

Ik heb geen flauw idee waarom ik dit weekend eigenlijk hierheen ben gekomen. Ik had gewoon door de week een paar dagen vrij moeten nemen, als zij er niet was. Geweldig dat ze mam nu wel vertelt dat ik nooit een nieuwe jurk heb gekregen. Toen we nog op de middelbare school zaten, heeft ze er nooit wat van gezegd. Als ze ooit tegen mam had gezegd dat zij het niet eerlijk vond, had ik voor elk feest een nieuwe jurk gekregen. Maar dan had ik er misschien een gehad die mooier was dan die van haar en dat zou ze nooit hebben laten gebeuren. En dan dat gedoe met die pannenkoeken? Zo kinderachtig! Het is daar zo obscuur en niet eens goed. De oorspronkelijke eigenaren hebben het verkocht toen ik in de tweede zat en ze wilden hun geheime recept niet aan de nieuwe eigenaren prijsgeven dus ging niemand er meer heen omdat het er niet meer hetzelfde was. Dat weet ze. De enige reden dat ze erheen wil, is omdat ze wil dat ik ongelukkig ben. Mijn hemel, soms is ze echt godsonmogelijk.

Ik ga op mijn oude bed zitten en haal mijn Blackberry tevoorschijn. Het is pas tien uur in New Mexico, dus ik kan Jay nog wel mailen. Ik heb hem nauwelijks meer contact met hem gehad sinds ik hem over de scheiding heb verteld. Op mijn werk heb ik het erg druk gehad en Ethan is veel in de buurt geweest dus was het moeilijk om thuis even tijd voor mezelf te hebben. Ik zweer het je, hij is deze week geen tel buiten geweest. Ik denk dat hij zó zenuwachtig is over het uitkomen van de film dat hij last van straatvrees heeft. En hij is erg aanhankelijk. Als ik thuis ben, wil hij dat ik naast hem blijf zitten en films met hem kijk en hij wil niet dat ik opsta, de kamer uit ga of ergens anders heen ga. Zelfs nog geen minuut. Hij doet me denken aan Jessie toen ze nog een peuter was. Als Sarah weleens even uit het zicht was, werd ze hysterisch. Verlatingsangst, zei Sarah altijd. Ze is bang dat ik niet meer terugkom. Voor een meisje van één was het best schattig, maar voor een volwassen man? Niet zo schattig. En wat hij vorige week zei, toen we ruzie hadden, dat hij zich afvroeg of er iets is wat ik hem niet vertel... Ik denk dat hij begint te vermoeden dat mijn gevoelens voor hem – hoe zal ik het noemen? – verwarrend zijn.

Hoi. Ik ben heelhuids in NJ aangekomen. Ik heb gekeken of ik je bij de cactus zag staan, maar ik zag alleen een vent in een blauw shirt.

Terwijl ik wacht tot hij antwoordt, kijk ik om me heen. Het is hier nog precies zoals op de dag dat ik ging studeren. De lichtgele vloerbedekking, het paarsgele sprei met madeliefjes en de bijpassende gordijnen. Ik ga op bed liggen en als ik de zwarte Pink Floyd-poster met de driehoek en de regenboog op het plafond zie hangen, moet ik lachen om het cliché dat ik als zeventienjarige was. Mijn Blackberry vibreert op het bed.

Ik dacht al dat je door buitenaardse wezens was ontvoerd. O nee, dat gebeurt alleen waar ik woon. Fijn dat je veilig bent aangekomen. Hoe gaat het?

Ik heb nu al ruzie met mijn zus. Is het mogelijk om meer van een huis te houden dan van je familie?

Nee, dat denk ik niet. Als je familie er niet had gewoond, zou je het niet zo erg vinden.

Goed dan, maar is het mogelijk dat ik meer van jou hou dan van mijn verloofde?

Ik staar naar de cursor die me met elke knippering op het scherm uitdaagt om op verzenden te drukken. Er zijn echter zoveel problemen met deze zin en ik weet niet eens wat het grootste is. Ik staar er nog wat langer na en delete dan met backspace de hele zin, en typ in plaats daarvan:

Ben je getrouwd?

Ik moet het gewoon weten. Dit geflirt maar toch niet, doet me toch wat. Ik ben het zat om de hele tijd om de hete brij heen te draaien en net te doen alsof er niets aan de hand is. Ik druk op verzenden voor ik van gedachten kan veranderen.

Niet meer. En jij?

Nee.

Ik sta op het punt het berichtje te verzenden, maar als ik eerlijk wil zijn voor het geval er ooit iets tussen ons gebeurt en ik erop word aangesproken, licht ik het toe.

Nog niet.

8 SARAH

'Ik wil graag pannenkoeken,' zeg ik tegen de serveerster als ze met een notitieboekje in haar hand voor ons staat. 'En een glas jus d'orange.' Laynie staart bijtend op haar lip nog steeds naar het menu en probeert een keuze te maken.

'Ik alleen koffie,' zegt ze uiteindelijk. 'Zwart, graag.' Ik kijk haar vanaf de andere kant van de tafel boos aan en dat merkt ze. 'Wat?' vraagt ze. 'Het is in Los Angeles pas vier uur 's ochtends en ik heb nog geen trek.' Ik kijk mijn moeder aan met een blik van dat had ik toch gezegd en zij geeft me een 'laat gaan'-blik terug.

'Natuurlijk,' zeg ik. 'Dat begrijp ik.' Toen ik vanmorgen wakker werd, heb ik mezelf beloofd dat ik me niet meer zo door haar van mijn stuk laat brengen als gisteren. Ik moet goed in gedachten houden dat ik hier ben om mijn moeder te helpen met inpakken. 'Weet je,' zeg ik van onderwerp veranderend, 'mam en ik hebben gisteren een systeempje voor dit weekend bedacht.'

'Oké,' zegt Laynie. 'Roep maar.'

'We hebben het huis in drie verschillende zones verdeeld, voor spullen die moeten worden ingepakt, weggegooid en verscheept.' Ik pak drie zakjes suiker uit de houder op tafel en leg de gele Splenda links van mijn elleboog om het toe te lichten. 'De spullen die moeten worden ingepakt, moeten naar de huiskamer, dat zijn de dingen die mam houdt.' Ik leg het roze zakje Sweet & Lo net achter de Splenda. 'Weggooien gaat naar de tuin.' Het zakje bruine suiker leg ik vooraan naast Laynies vingertopjes.

'Verschepen gaat beneden in de keuken en dat is alles wat je mee wilt nemen. We zullen kijken hoeveel het is, maar ik denk dat we het meeste wel met het vliegtuig mee kunnen nemen. Ik heb bijna niets en ik heb gisteren even in jouw kast gekeken en daar leek ook niet veel te liggen wat je mee zou willen nemen. Er liggen een paar tassen met oude brieven, wat foto's, maar het meeste is oude troep. Ik denk nie...'

Ze onderbreekt me, haar voorhoofd gerimpeld van woede.

'Wacht eens even, heb jij in mijn kast gezeten?' Haar stem klinkt boos en haar gezicht wordt rood, net als altijd wanneer ze op het punt staat uit haar slof te schieten over iets wat ik haar zogenaamd heb aangedaan.

'Alleen maar om te kijken wat er lag,' zeg ik. 'Ik wilde weten hoeveel dozen we nodig zouden hebben.'

'Hoe durf je in mijn kast te zitten zonder het eerst te vragen,' zegt ze. Ik zet grote ogen op en kijk naar links en naar rechts om te kijken of iemand anders in de gaten heeft dat ik met een gestoorde praat.

'Ik heb er niets uitgehaald,' leg ik uit. 'Ik heb alleen maar even gekeken.'

Maar Laynie is ziedend. 'Dat doet er niet toe!' gilt ze. 'Echt jij weer. Jij moet altijd de baas spelen en altijd bepalen hoe alles gaat. God verhoede dat mijn privacy jouw plannen in de weg staat.' Ze slaat haar armen over elkaar en buigt zich kokend van woede achterover tegen de leuning van de bank.

'Waar heb je het over?' vraag ik. 'Wanneer heb ik jouw privacy niet gerespecteerd?'

Ze lacht spottend alsof ik net doe alsof ik onschuldig ben. 'Doe me een lol, zeg.' Ze steekt de wijsvinger van haar rechterhand in de lucht. 'Tweede klas basisschool, toen hebben jij en je vriendinnen op mijn kamer met mijn smurfen gespeeld toen ik naar pianoles was en toen ik thuiskwam waren er drie stuk.' Dan steekt ze haar middelvinger op alsof ze met een lijstje bezig is. 'In de vijfde heb je mijn favoriete sweater aan Karen Sanders uitgeleend zonder het te vragen en die heb ik nooit meer teruggezien.' De derde vinger gaat omhoog. 'En laten we mijn dagboek voor Engelse les in de negende klas niet vergeten.' O nee, niet weer dat dagboek. Ik kijk naar mam voor steun, maar zij roert in haar koffie en doet net alsof ze ons negeert.

'Ten eerste snap ik niet hoe je op serieuze toon over smurfen kunt praten. Ten tweede bied ik je nu al twintig jaar lang mijn verontschuldiging voor dat dagboek aan. Dus voor de laatste keer, het spijt me dat ik je dagboek heb gelezen zonder het eerst te vragen. Dat heb ik alleen maar gedaan omdat ik een feestje voor je wilde organiseren en ik dacht dat er in zou staan aan welke meiden je die week geen hekel had. Bedenk de volgende keer als je wilt bewijzen hoe verschrikkelijk ik ben dus iets recenters.'

'Ik noem toch iets recents,' gromt ze. 'Gisteravond heb je zonder toestemming in mijn kast gezeten. Is dat recent genoeg?'

Geïrriteerd kijk ik mijn moeder smekend aan. 'Laynie,' zegt mam. 'Ik begrijp wat je bedoelt, schat, maar ik was erbij toen ze op je kamer was. Ze heeft alleen de kast maar even opengedaan om erin te kijken. Het is echt niet gegaan zoals jij beweert.'

'Je hoeft haar niet te verdedigen, mam,' zegt Laynie. 'Het kan me niet schelen of ze een blinddoek omhad. Het punt is dat ze geen respect voor me heeft en als ik haar niet vertel hoe ik me voel als ze dat soort dingen doet, leert ze het nooit.'

Mam kijkt me aan en haalt haar schouders op, maar voordat ik kan reageren, komt er een blonde, uitgebluste vrouw in een spijkerbroek en een sweater op ons af lopen die met haar ene hand een buggy duwt en met haar andere hand een peuter op haar heupen houdt, en bij ons tafeltje blijft ze staan.

LAYNIE

Ik heb geen idee wie deze vrouw is, maar ik heb haar al duizenden keren gecast. Altijd voor een schoolreünie of een scène in een winkelcentrum. Typische moeder uit een buitenwijk, tussen de dertig en vijfendertig, doorsnee uiterlijk en een niet al te intelligente blik in haar ogen. Een type dat haar hele leven al in dezelfde plaats woont, met haar vriendje van school is getrouwd en haar baan als secretaresse bij een administratiekantoor heeft opgegeven om thuis voor de kinderen te zorgen. Bleke, vale huid verplicht, liefst iets te zwaar. Ze heeft wel iets bekends, maar als je in tien jaar tijd duizenden mensen op auditie hebt gehad, lijkt iedereen wel iets bekends te hebben. Ik moet haar echter wel ergens van kennen, want ze lijkt mij te kennen.

'O, lieve hemel!' roept ze. 'Zijn jullie echt de zusjes Carpenter?' Sarah en ik kijken elkaar aan, maar aan haar blik zie ik ook dat ze geen idee heeft wie dit is. We glimlachen alle twee nietszeggend en de vrouw beseft dat we haar niet herkennen.

'Marissa,' zegt ze terwijl ze naar zichzelf wijst. 'Marissa Dunn?' Dat meen je niet. Sarah en ik noemden haar altijd Marissa Dombo. Ze zat een klas hoger dan ik en twee klassen lager dan Sarah. We zijn nooit met haar bevriend geweest, maar ze heeft jaren bij ons in het carpoolgroepje gezeten. Ik vond het altijd verschrikkelijk als haar moeder aan de beurt was. Haar stationwagen rook altijd naar tonijn.

'Wauw,' zeg ik. 'Marissa Dunn. Dat is lang geleden.'

'Finarelli, heet ik tegenwoordig,' zegt ze. 'Ik ben met Chris Finarelli getrouwd, herinner je je die nog?' Ik glimlach in mezelf omdat ik het al had geraden. Marissa en Chris hebben onze hele middelbareschooltijd verkering gehad. Ze had de onderkant van zijn rode gaatjesshirt afgeknipt en dat heeft ze gedurende het footballseizoen elke vrijdagavond samen met een zwarte legging gedragen. Ik gebaar naar mijn moeder.

'Je herinnert je onze moeder nog?' Marissa knikt.

'Natuurlijk, mevrouw Carpenter. Leuk om u te zien.'

'Jij ook, Marissa,' zegt mijn moeder. 'Hoe gaat het met je?'

'Geweldig,' zegt ze. Ze wipt het jongetje op haar heup op en neer en hij drukt zijn gezichtje tegen haar schouder. 'Dit is Clay, hij wordt in augustus twee en in de buggy zit Jackje, hij is negen maanden.'

'Wauw,' zeg ik. 'Je hebt er geen gras over laten groeien, hè?'

Marissa's gezicht wordt knalrood. 'Nou, Jack was niet echt gepland,' legt ze uit en ze lacht kort. 'Wie had gedacht dat je zwanger kon worden als je nog borstvoeding geeft?' Ze schudt weemoedig haar hoofd. 'Chris wilde een condoom gebruiken en ik zei, nee dat is niet nodig en toen boem, zes weken later stond ik te spugen zoals op mijn zeventiende na het schoolfeest.' Ze kijkt naar de buggy en praat met een babystemmetje tegen Jackje. 'Maar dat geeft niet, hè, Jackie, we houden toch wel van je.' Ze draait zich weer om en grijnst. 'Hoe dan ook, hoe gaat het met jullie? Volgens mij heb ik gehoord dat jullie allebei in Los Angeles wonen, toch? Jemig dat moet echt te gek zijn. Zie je overal de hele tijd beroemdheden?'

Tuurlijk. Ze is natuurlijk weer typisch zo iemand die denkt dat het leven in Los Angeles net een pagina uit de *US Weekly* is. Ik durf te wedden dat ze naar soaps kijkt. Ik weet niet hoe ik het doe, maar ik herken een soapfan altijd van een kilometer afstand. Ik kijk naar Sarah en probeer haar met mijn ogen duidelijk te maken dat zij het van me over moet nemen. Na mijn blik glimlacht ze vriendelijk naar Marissa en schudt haar hoofd.

'Nee,' zegt ze, 'zo is het er helemaal niet. Ik bedoel, heel soms zie je misschien wel een bekend iemand, maar verder is het niet veel anders dan hier.'

Marissa knikt teleurgesteld. 'Behalve dat het er natuurlijk warmer is. En dat jullie meer verkeer en aardbevingen hebben. Daar zou ik echt helemaal gek van worden.' Ze draait met haar ogen en kijkt me doordringend aan. 'Volgens mij heb ik gehoord dat jij voor de tv werkt, als ik het me goed herinner. Is dat zo?'

O, nee. Ik heb echt geen zin in een gesprek met Marissa over soaps. 'Ja,' zeg ik ongeïnteresseerd. 'Niets spannends hoor. Ik doe alleen de casting maar.' Aan de andere kant van de tafel vang ik een geamuseerde glimlach van Sarah op en dan maakt ze er een hele vertoning van om me een 'niet zo bescheiden zijn'-blik toe te werpen. Ik kijk haar met een dodelijke blik aan, maar dit spoort haar alleen maar meer aan.

'Het is niet zomaar casting,' zegt ze hard. 'Laynie werkt voor CBC. Ze is hoofd casting voor *The Strong and the Stunning*.'

Marissa's mond valt open van verbazing en ze grijpt zich aan de tafel vast. 'Dat meen je niet,' zegt ze alsof ze iets heeft gehoord wat van te grote betekenis is om slechts toeval te zijn. 'Ongelofelijk. Dat is mijn favoriete serie. Het is een obsessie. Ik kijk er al naar sinds ik in de zesde zat. En jij werkt voor ze?' Ze slaat vol ongeloof op haar bovenbeen. 'Godsamme, wacht maar tot Chris dat hoort. Hij komt niet meer bij.' Ze is even stil, maar dan bedenkt ze zich plotseling iets.

'Hé, weet je soms ook al wat er gaat gebeuren voordat het wordt uitgezonden? Ik zou zo graag willen weten hoe het met Karen en Zane verdergaat. Gaan ze ooit nog trouwen? Oké, natuurlijk is dit mijn mening maar, maar ik denk dat de serie wel een grote bruiloft kan gebruiken. Kun je je het huwelijk van Luke en Laura uit *General Hospital* nog herinneren? Zoiets zou het moeten zijn.' Ik kijk Sarah nog eens vies aan en ik zie dat ze probeert om niet in de lach te schieten. Geweldig. Ik neem aan dat dit haar manier is om me terug te pakken, omdat ik boos was omdat ze in mijn kast had gezeten. Of misschien omdat ik geen ontbijt heb besteld. Hoe dan ook, de straf staat niet in verhouding tot het misdrijf.

'Ik zweer je,' hoor ik mezelf zeggen, 'dat ik de scripts niet van tevoren te zien krijg. Ze vertellen me alleen dat er een nieuwe rol bij komt en dan moet ik aan de slag om iemand te zoeken.' Marissa kijkt teleurgesteld, maar is al snel weer vrolijk.

'Voor welke rol ben je nu aan het casten?' vraagt ze hoopvol. 'Een leuke rol?'

Ik besef dat hier nooit een einde aan komt tenzij ik iets loslaat, dus gebaar ik haar dat ze dichterbij moet komen. Niet te geloven dat ik dit doe. Op mijn werk heb ik iets moeten tekenen om te beloven dat ik dit nooit zou doen. Maar het is Marissa Dunn maar. Ze zat al in de derde voordat ze haar naam kon spellen.

Fluisterend zeg ik: 'Nou goed dan, ik weet iets wat erg belangrijk is, maar het is nog niet in de openbaarheid gebracht, dus ik vertel het, maar je moet me beloven dat je het niet doorvertelt.' Marissa spert haar ogen wijd open en knikt.

'Ik beloof het,' zegt ze. 'Ik zweer het op het leven van kleine Jack.'

'Oké,' zeg ik en ik kijk om me heen om er zeker van te zijn dat we niet worden afgeluisterd. 'We zijn bezig een nieuw personage, Brady, te casten en hij wordt Karens nieuwe liefde.' Marissa doet een stap naar achteren. Ze lijkt geschokt.

'Haar nieuwe liefde?' vraagt ze en ze klinkt verward. 'Maar Zane dan?'

'Ssst!' zeg ik tegen haar. Ik buig me weer voorover, tuit mijn lippen en kijk haar aan alsof ik erg slecht nieuws heb. Ik kijk naar haar zoals ik zou willen dat een van die Brady-imitaties zou kijken als ze Karen vertellen dat Zane dood is, zodat ik hem kan casten en het achter de rug is.

'Marissa,' zeg ik theatraal. 'Zane gaat dood.' Marissa snakt naar adem.

'Echt?' vraagt ze. Ik knik somber. 'Maar ik ben dol op Zane,' betoogt ze. 'Zane is mijn favoriete personage uit de serie. Zane is het favoriete personage van iedereen.'

'Het spijt me,' zeg ik somber. Marissa lijkt overstuur, alsof ik haar zojuist heb verteld dat haar beste vriendin een auto-ongeluk heeft gehad, maar precies op het juiste moment begint kleine Jack te huilen. Ze lijkt van het lawaai te schrikken alsof het geluid haar met een klap weer in de werkelijkheid brengt en ze schakelt onmiddellijk over op haar moederrol, zet Clay op de grond en loopt om de buggy heen om bij de baby te kijken.

'Ik denk dat hij moe is,' zegt ze, maar ze lijkt afgeleid. 'Ik moet naar huis. Het was leuk jullie allemaal weer eens te zien. Hé, ik heb niet eens gevraagd waarom jullie hier zijn. Gewoon op bezoek?'

Mam opent haar mond om te antwoorden, maar Sarah is haar voor. 'Gewoon op bezoek,' zegt Sarah. 'Het was leuk je weer eens te zien. Tot ziens!' We zwaaien naar haar en kijken hoe ze de buggy de deur uit duwt. Zodra ze weg is, kijk ik Sarah aan.

'Bedankt,' zeg ik sarcastisch. 'Hartelijk bedankt.' Sarah lacht.

'Dat was omdat je geen ontbijt hebt besteld.'

'Ja, dat had ik al begrepen. Zo subtiel ben je nu ook weer niet.'

Zonder ons te waarschuwen, pakt mam haar tas en schuift van het bankje naast me af.

'Goed dan, laten we gaan,' zegt ze. 'We hebben veel te doen vandaag.'

Ik neem vlug nog een slok koffie en Sarah neemt nog een hap van haar pannenkoeken en zonder nog een woord te zeggen, schuiven we allebei uit de nis en lopen met mam naar de auto.

9 LAYNIE

Mijn kast is afschrikwekkend. Ik doe de deuren open en blijf er even voor staan om alles in me op te nemen. Ik wist dat er een hoop troep lag, maar ik wist niet dat het zoveel was. Het gaat een hele dag duren om dat uit te zoeken. Ik doe mijn slaapkamerdeur op slot – voor het geval Sarah naar binnen komt stormen zonder eerst te kloppen – en ga op de grond zitten zodat ik mijn spullen de vloerbedekking op kan trekken.

Ik wil eerst mijn brieven uitzoeken. In een oranje melkkrat staat een enorme plastic tas met enveloppen en ik stort de inhoud op de grond en verspreid alles om me heen. Ik pak een willekeurige brief – de poststempel dateert van 10 augustus 1984 – en door de lichtpaarse inkt weet ik meteen dat hij van Heather Maloney is. Arme Heather. Ze vond het verschrikkelijk dat ik elke zomer op kamp ging en dat zij hier vastzat waar niets te doen was. Ze kon alleen op haar kleine zusje passen en elke dag naar het gemeentezwembad. Ze schreef me drie keer per week, op maandag, woensdag en vrijdag. Je kon de klok erop gelijkzetten. Jemig, ik heb in geen jaren aan haar gedacht. Ik heb gehoord dat ze na school naar Chicago is verhuisd, maar ik heb geen idee wat ze daarna is gaan doen. Ik krijg een brok in mijn keel; ik wilde dat we nog vrienden waren. Ik zou het leuk vinden haar weer eens te spreken. Ze zou echt van streek zijn als ik haar zou vertellen dat mijn vader en moeder uit elkaar gaan. Ze zou er niets van snappen. Ik besluit haar te googelen zodra ik weer thuis ben en enthousiast open ik haar brief.

> Beste Laynie,
> Het is hier echt verschrikkelijk saai, zoals altijd. Ik ben vandaag wezen zwemmen en kwam Geoff Santos tegen, wat een kruk. Hij had commentaar op mijn badpak en zei dat hij bijna tegen me aan liep omdat ik zo plat ben dat ik net een muur lijk. Kruk! Ik hoop dat je veel plezier hebt op kamp. Heb je die jongen al gezoend? Hij is vast een kruk, net als E.C. Ha! Trouwens ik heb gehoord dat Suzie Kleber verkering heeft met mr. Sigaar. Ongelofelijk! Schrijf snel terug.
> Liefs van je beste vriendin,
> Heather
> PS. Nog maar een week, dan ben je weer thuis.
> Jippie!

Ik doe de brief weer in de envelop en doe mijn best om me te herinneren wat een 'kruk' is en wie E.C. en mr. Sigaar zouden kunnen zijn. Maar ik heb geen flauw idee en ik voel de tranen in mijn ogen prikken. Ik baal ervan dat ik me de dingen niet meer kan herinneren die zo belangrijk voor me waren. En ik baal ervan dat ik geen kind meer ben, dat ik geen vriendinnen als Heather meer heb, dat ik niet meer op kamp ga en dat dit straks mijn thuis niet meer is. Ik baal ervan dat alles wat ooit zo vertrouwd was, nu zo ver weg lijkt en heel even voel ik een steek van jaloezie bij de gedachte aan Marissa Dunn. Waarschijnlijk is ze de staat nog nooit uit geweest, maar haar verleden en heden zijn volledig met elkaar verstrengeld. Ze is getrouwd met haar vriendje van school en ze woont nog in dezelfde plaats als waar ze is opgegroeid. Haar kinderen gaan vast naar dezelfde scholen als waar wij op hebben gezeten en ze hebben ongetwijfeld nog een aantal dezelfde leraren. Hoewel ik dol ben op het leven dat ik nu leid, is er ook een deel van me dat dit wil. Er is een deel van me dat ernaar verlangt om degene te zijn die ik ooit was.

Een voor een open ik de andere brieven van Heather, in de hoop iets belangrijks, iets van betekenis, iets te vinden wat me weer terugbrengt naar mijn jeugd, maar ze zijn allemaal meer of min hetzelfde. Kruk dit en kruk dat.

Ik ga door de rest heen en vind er een paar van mijn moeder en een geweldige met een berichtje van mijn vader.

Lieve Laynie,
Ik hoop dat je het pakje hebt ontvangen dat ik heb opgestuurd. Ik heb geprobeerd de Pringles te verstoppen door ze tussen de pluchen beesten te leggen, dus hopelijk worden ze niet ingepikt door de postkamer. Hoe is het op kamp? Zo te horen heb je het naar je zin. Sarah schreef dat ze je de hele tijd ziet en dat je veel nieuwe vrienden hebt. Hier gaat alles goed, maar het is wel stil zonder jullie. Acht weken is erg lang! Ik heb oma gisteren gezien, het gaat beter met haar, maar ze heeft nog steeds moeite met bewegen sinds ze haar heup heeft gebroken. Ik moet je van iedereen hier de groeten doen. Pap mist je ook. Hier komt hij:

Lieve Laynie,
Mam zegt dat ik je meer moet schrijven.
MEER.
Liefs,
Pa
Je vader is zo grappig. Schrijf alsjeblieft snel terug. We vinden
het leuk om brieven van je te krijgen. Veel plezier!
Knuffels en kusjes,
Ma & pa

Huilend en lachend tegelijk, vouw ik hem op en stop hem in mijn tas. Ik
moet eraan denken dit straks aan mijn moeder te laten zien. Hoe kan ze
zeggen dat het nooit goed heeft gezeten? Hoe kunnen ze toch na al die tijd
gaan scheiden?

SARAH

Het zijn maar een paar dozen, net als ik had gedacht. De boeken en posters uit mijn kamer moet ik laten verzenden, maar de rest kan ik waarschijnlijk mee het vliegtuig in nemen. Het is niet veel; een paar videoban-
den van toen ik klein was, een paar fotoalbums, en ik heb een paar prachtige, antieke kristallen schalen op zolder gevonden die ik van mijn moeder mag houden. Ze denkt dat ze van haar oma zijn geweest en we denken alle twee dat ze erg leuk in mijn eetkamer zouden staan. Verder zijn
er nog wat oude spulletjes die de meiden denk ik wel leuk zullen vinden.
Zoals een beker die ik op de kleuterschool heb gekregen voor Beste
Samenwerkster van 1977 en een rood, wit, blauwe onderzetter die ik in
1980 op een dagkamp ter gelegenheid van 4 juli heb gemaakt. Ik zal hem
maandagavond als ik thuiskom neerleggen; Janie zal het echt hilarisch
vinden.

Ik loop met mijn dozen een paar keer de trap op en af en werp iedere
keer een steelse blik op Laynies deur voor een teken van leven. Maar hij
zit nog steeds dicht. Ze heeft haar neus de hele dag nog niet laten zien. Als

ik de laatste doos in de huiskamer zet en mijn naam er met een zwarte stift op schrijf, roept mijn moeder me vanuit de keuken.

'Sarah? Ben jij dat?'

'Ja,' roep ik terug. 'Ik ben in de huiskamer.' Ze komt de kamer in lopen met een fles water in haar hand en gaat in kleermakerszit op de grond tegen een stapel borden zitten die nog ingepakt moeten worden. Ze knikt richting mijn dozen.

'Is dat alles wat je hebt?' vraagt ze terwijl ik tape over de bovenkant van de dozen trek.

'Mmmm. Ik heb na de universiteit vast veel weggedaan. Er lag niet veel meer.'

'Wat doe je met alle trofeeën en gedenkplaatjes van je boekenplank? Gooi je die weg?'

Ik haal mijn schouders op. 'Wat moet ik ermee? Moet ik ze naar de andere kant van het land slepen om ze daar in een doos in de garage te zetten?'

Mam zucht. 'Je hebt vast gelijk.' Ze neemt een slok water en veegt haar mond met de rug van haar hand af. 'Ik ben het zo zat om over mezelf te praten,' zegt ze dan ineens. 'Elke keer dat ik je bel, praten we alleen maar over de scheiding, de verkoop van het huis en mijn plannen. Ik ben mezelf zo zat. Ik wil weten hoe het met jou is. Waar ben jij de laatste tijd mee bezig geweest?'

Ik focus mijn blik op het tape. 'Och, ik weet het niet, mam. Alles gaat zo zijn gangetje. Ik heb het druk gehad met de bazaar en het rondracen van de meiden. Je weet hoe het gaat met kleine kinderen.'

Ze knikt. 'Ik weet het, ik weet het. Hoe gaat het met Bill? En de zaak? Je zei een poos geleden dat het niet zo goed liep. Gaat het alweer wat beter?'

Ik voel dat mijn gezicht warm wordt, maar ik hoop dat ik niet rood word. Ik heb nog nooit iets bij mijn moeder weggehouden, maar dit kan ik haar niet vertellen. Ze zou het gedoe tussen Bill en Helene niet begrijpen en ook niet waarom ik geen werk kan zoeken. En ze heeft genoeg aan haar hoofd op dit moment. Ze begint helemaal opnieuw, in haar eentje. Ik wil niet dat ze zich zorgen maakt over mijn problemen.

Ik kijk op van de tape en zorg ervoor dat ik haar niet recht in de ogen kijk.

'Ja, het gaat veel beter,' lieg ik. 'Het gaat super.'

Ze kijkt me stralend aan. 'Dat is geweldig,' zegt ze. 'Ik ben zo trots op je, Sarah. Je hebt alles zo goed voor elkaar.'

Ik bijt op mijn lip en verander van onderwerp. 'Ik vraag me af wat Laynie aan het doen is,' zeg ik. 'Ik heb haar al uren niet gehoord.'

Mam staat op en strekt haar rug. 'Waarom ga je niet even bij haar kijken?' stelt ze voor. 'We moeten zo meteen maar wat eten bestellen.'

'Goed,' zeg ik. 'Ik ben zo terug.'

Ik loop de trap op, mijn gezicht nog altijd gloeiend van schaamte omdat ik heb gelogen en ik klop zachtjes op Laynies slaapkamerdeur.

'Laynie?' roep ik. 'Laynie?' Ik klop opnieuw, maar nu wat harder. 'Ik klop,' roep ik. 'Ik respecteer je privacy door te kloppen en niet naar binnen te komen.' Ik wacht nog even en dan zwaait de deur open.

'Bedankt,' zegt ze. 'Maar hij zat toch op slot voor het geval je het zou proberen.' Ze glimlacht, maar ik kan zien dat ze heeft gehuild. Haar ogen zijn rood en opgezwollen en er zitten sporen van tranen op haar wangen. Ik kijk om me heen. De kamer is een zootje. De hele inhoud van haar kast ligt verspreid over de gele vloerbedekking en overal liggen enveloppen, papieren en fotoalbums.

'Wat ben je aan het doen?' vraag ik ongelovig. 'Wat is dit allemaal?' Laynie zucht.

'Ik heb zitten lezen,' zegt ze wijzend naar de vloer. 'Dat zijn alle brieven die ik in de zes jaar op kamp heb ontvangen en elk briefje dat ik op school ooit toegeschoven heb gekregen.' Ze haalt haar schouders op. 'Ik weet van de helft niet eens meer waar het over gaat. Het zijn allemaal grapjes en uitdrukkingen die ik me niet meer herinner. Zei ik vaak "kruk"?'

'Wat?' vraag ik. 'Wat is een kruk?'

Ze schudt haar hoofd. 'Geen idee, maar in elke brief van Heather Maloney staat "kruk" aan het einde van elke zin. Zij vond het in elk geval grappig.'

'Houd je dit allemaal?' vraag ik. Ik wist niet dat ze zo'n verzamelaarster was. In mijn kast lagen alleen wat oude kleren en schoenen en die heb ik allemaal op een stapel gelegd voor het goede doel. Ik was in twintig minuten klaar.

'Ik weet het niet,' zegt Laynie en ik kan zien dat ze weer op het punt staat in huilen uit te barsten. 'Dit is mijn jeugd. En ik heb het gevoel dat als ik het weggooi, ik dat hoofdstuk van mijn leven afsluit.'

'Wat belachelijk,' antwoord ik. Ik gebaar naar de rommel op de grond. 'Dat is je jeugd niet. Dat zijn dingen uit je jeugd. En ik vind het vervelend je het nieuws te moeten brengen, maar dat hoofdstuk van je leven is al afgesloten. Je moet er niet zo emotioneel over doen. Je kunt het ook zo bekijken: als een antropoloog deze dingen over vijftig jaar zou vinden en zou lezen, zou hij er dan wat van leren?' Laynie schudt haar hoofd.

'Hij zou erachter komen dat Heather Maloney erg slecht kon spellen.'

'Precies,' zeg ik. 'Dus stop je alles gewoon in een zak en gooi je het weg. Je hebt het niet nodig.'

Laynie kijkt me recht aan. 'Jij bent hier helemaal niet verdrietig over, hè?' vraagt ze bijna beschuldigend. Ik zweer het, soms denk ik echt dat ze gelooft dat ik geen gevoel heb.

'Natuurlijk ben ik verdrietig,' zeg ik. 'Mam en pap gaan scheiden. Ons gezin verandert. Het is verdrietig. Dat ik geen briefjes uit de zevende klas bewaar, wil nog niet zeggen dat het me niets kan schelen.' Laynie staart even naar me en haar ogen zijn zo gefocust dat ik het gevoel heb dat ze in mijn ziel kan kijken. 'Wat nou?' vraag ik als ze nog steeds niets heeft gezegd.

'Hoelang weet je het al?'

'Weet ik wat al?' Ze gaat op haar bed zitten in kleermakerszit.

'Dat mam weg zou gaan. Hoelang weet je het al?'

Verdorie. Ik had moeten weten dat ze het door zou hebben. Ze is niet achterlijk. Had ik echt gedacht dat ze zou denken dat mam een van de moeilijkste beslissingen uit haar leven niet eerst met mij zou bespreken? Ik slaak een diepe zucht en ga op de oude lavendelkleurige bureaustoel zitten, recht tegenover haar.

'Ongeveer een halfjaar,' antwoord ik.

LAYNIE

Ik probeer de schok die ik voel te verhullen. Een halfjaar! Godsamme. Ik dacht dat ze een paar weken zou zeggen, een maand misschien, meer niet. Maar ze weet al een halfjaar dat onze ouders gaan scheiden. Een halfjaar. Dat betekent dat ze het al sinds Thanksgiving weet en daarna heb ik haar zeker een keer of tien gesproken. Ik weet niet wat ik zeggen moet.

'Ik weet niet wat ik zeggen moet,' zeg ik tegen haar. 'Ik kan niet geloven dat je iets dergelijks zo lang bij me vandaan houdt.'

'Mam wist het nog niet zeker,' zegt ze verdedigend. 'Ze heeft nog maar pasgeleden besloten om het door te zetten. We praten er al zes maanden over, maar ze heeft pas sinds kort een beslissing genomen. En ze wilde het aan niemand vertellen voordat pa het wist.'

'Ze heeft het jou verteld,' zeg ik mat.

'Ze heeft het met mij besproken,' corrigeert Sarah me. 'Ik was haar klankbord, meer niet.'

Ik knik. Ik probeer niet te huilen. Ik wil niet dat ze weet hoe erg ik het vind dat mijn moeder, hoewel ik al drieëndertig ben, me nog steeds als klein kind beschouwt. Al was ik zevenendertig geweest, dan zou mijn moeder er nog steeds niet op vertrouwen dat ik volwassen gesprekken aankan. Net zoals ik in de laatste klas van de middelbare school niet naar films voor boven de zestien mocht terwijl Sarah er al heen mocht toen ze vijftien was. Jij en Sarah zijn twee verschillende mensen, heeft ze ooit eens gezegd. Zij begrijpt sommige dingen al sinds haar geboorte. Jij niet.

'Hoe begon het?' vraag ik. 'Ik wil gewoon weten hoe het ter sprake is gekomen. Ik bedoel, zei ze gewoon dat ze bij pa weg wilde?'

Sarah haalt haar schouders op en wiebelt ongemakkelijk op haar stoel heen en weer. Er is absoluut iets waarvan ze niet wil dat ik erachter kom. Dat zie ik gewoon.

'Ik weet het niet meer,' zegt Sarah. 'Maar het was niet iets bepaalds. Laynie, het is allemaal heel geleidelijk gegaan. Volgens mij is het begonnen omdat ze zei dat ze een cruise wilde maken.'

Ik kijk haar met samengeknepen ogen aan.

'Ik dacht dat het *Oprah* was,' zegt ze. 'Ze heeft gezegd dat ze een aflevering van *Oprah* heeft gezien over oudere vrouwen die bij hun man weg zijn gegaan. Ze zei tegen me dat ze haar beste leven wilde leiden.'

Sarah lacht. 'Zei ze dat?'

Ik knik en de werkelijkheid overvalt me als een plons koud water. 'Dat heeft ze voor mij bedacht, hè?'

'Ik heb geen flauw idee,' zegt Sarah. 'Naar mijn weten heeft mam nog nooit een aflevering van *Oprah* gezien.'

'Geweldig. Het is dus niet genoeg dat ze me niets vertelt, maar ze liegt ook nog tegen me. Geruststellende gedachte. Heus.'

'Wees nou niet boos op mij,' zegt Sarah. 'Ik heb niets gedaan, maar misschien moet je tegen mam zeggen hoe je je voelt.'

O, dat is een geweldig idee. Alsof ik dat nog nooit eerder heb gedaan.

'Het kan haar niet schelen hoe ik me voel.' Mijn stem breekt als ik het zeg en ik draai mijn hoofd weg zodat ze niet kan zien dat ik huil. Sarah staat op, komt naast me op bed zitten en slaat een arm om mijn schouder. Ik staar haar aan.

'Wat doe je?' vraag ik.

'Niets,' zegt ze en ze trekt haar arm terug. 'Jij bent verdrietig, dus wil ik je troosten.'

'Alsjeblieft, Sarah. Ik heb wat problemen met ma, maar dat betekent nog niet dat ik wil dat jij haar vervangt.'

Sarah gooit haar armen in de lucht. 'Ik wil haar ook niet vervangen. Ik wil je moeder niet zijn. Ik wil je zus zijn. Dit is misschien nieuw voor jou, maar zussen helpen en troosten elkaar ook.'

Mijn Blackberry vibreert en danst rond op het sprei en ik pak hem vlug om ernaar te kijken.

Het is van cactusjuicejacy. In de onderwerpregel staat:

Alles goed?

Nee, wil ik hem laten weten. Nee, het gaat absoluut niet goed en ik moet hier echt als de donder weg voordat ik iemand vermoord. Ik kan de rest echter niet lezen terwijl Sarah hier zit. Ik wil niet dat ze ook maar iets over hem opvangt. Ik wil dat ze weggaat. Nu meteen.

'Laat maar,' zeg ik tegen haar. 'Alsjeblieft. Ik heb geen zin om ruzie te maken.'

Maar Sarah slaat haar armen over elkaar en kijkt me boos aan. 'Jij bent hiermee begonnen!' gilt ze. 'Ik wilde gewoon aardig zijn!'

'Nou, doe alsjeblieft niet aardig. Laat me eigenlijk maar gewoon met rust, ik moet nog veel doen.'

Sarah staat op en beent met grote passen naar de deur. 'Goed! Als je alleen wilt zijn, wees dan maar alleen,' zegt ze. 'Wees de rest van je leven lekker alleen.' Ze loopt de kamer uit en gooit de deur achter zich dicht.

10 SARAH

Ik heb geen flauw idee wat er net is gebeurd. Ja natuurlijk, technisch gezien heb ik tegen haar gelogen over hoe alles bij ma is begonnen, maar dat weet zij niet en zelfs als ze vermoedt dat ik het zaadje in ma's hoofd heb geplant, slaat het nergens op dat ze boos werd omdat ik aardig tegen haar deed. Wie wordt er nou boos omdat iemand aardig doet? Ik snap er niks van.

Ik loop naar beneden en tref mijn moeder aan waar ik haar heb achtergelaten, in de huiskamer terwijl ze het servies in kranten verpakt. Ze kijkt op en als ze ziet dat ik het ben, gebaart ze dat ik dichterbij moet komen.

'Sarah, wil je me even helpen? Het duurt uren als ik dit allemaal alleen moet doen.' Ik pak een schaal en loop naar de stapel kranten om er een te pakken. 'Ik weet niet waarom ik ooit naar mijn moeder heb geluisterd,' mompelt ze. 'Achttienpersoons? Wie heeft er nou een servies nodig voor achttien personen? Ik heb gezegd dat ik er maar acht nodig had, maar zij stond erop dat ik voor achttien registreerde. Je zult dingen breken, zei ze tegen me. Je zult altijd willen dat je meer had gehad. Intussen heb ik het in bijna veertig jaar zes keer gebruikt. Ik had je vader de helft mee moeten geven naar de kust.' Ze legt een verpakte schaal in de doos en kijkt naar mij. 'Heb je Laynie gesproken?' vraagt ze. 'Ik dacht dat ik een deur dicht hoorde slaan.'

'Blijkbaar is aardig zijn niet langer gewenst gedrag,' zeg ik tegen haar. Mijn moeder trekt een wenkbrauw op alsof ze vraagt waarover ik het heb. 'Precies,' zeg ik tegen haar en ik schud mijn hoofd. Ik wil haar niet vertellen dat Laynie boos op haar is. Ik ga echt niet midden in een mijnveld staan. 'Het is niet belangrijk,' zeg ik en vervolgens wat zachter: 'Mam, waarom heb je in vredesnaam gezegd dat je bij pa weg bent gegaan vanwege *Oprah*?'

Mam glimlacht vals. 'Ik vond het wel grappig,' zegt ze. 'Bovendien mocht ik haar niet vertellen dat het jouw idee was, dus ik moest iemand de schuld geven.'

'Waarom heb je niet gewoon gezegd dat het jouw idee was?'

Mam aarzelt even alsof ik haar overrompel. 'Hè,' zegt ze. 'Dat is helemaal niet bij me opgekomen. Waarom heb je dat niet eerder gezegd?'

Voordat ik echter kan reageren, gaat de deurbel en ik zet de schaal neer. 'Ik ga wel,' zeg ik.

Ik loop naar de deur en kijk door het kijkgaatje waardoor Marissa Dunn wordt vervormd tot een lachspiegelversie van zichzelf. Ik vraag me af wat ze wil. Misschien wil ze nog wat tegen Laynie zeggen over de soap. O, dat zou fantastisch zijn. Dat zou echt geweldig zijn.

Ik zwaai de deur open.

'Marissa,' zeg ik en ik doe geen moeite te verbergen dat het me verbaast dat zij voor de deur staat. 'Wat is er aan de hand?' Marissa staart me bezorgd aan.

'Ik heb net het nieuws gezien,' zegt ze. 'Ik wilde zeker weten dat alles in orde is. Ik heb het gevoel dat het mijn schuld is door wat ik vanmorgen over Los Angeles heb gezegd. Ik heb het gevoel alsof ik een vloek heb uitgesproken of iets heb gemanipuleerd.'

Ik kijk haar uitdrukkingsloos aan. 'Ik heb geen flauw idee waarover je het hebt,' zeg ik. 'Wat was er op het nieuws? Wat is jouw schuld?'

Marissa slaat een hand voor haar mond. 'O, god. Je weet het nog niet eens. Ik had gedacht dat iemand jullie wel had gebeld.'

'Marissa,' zeg ik ongeduldig terwijl mijn hart sneller begint te kloppen. 'Wat is er gebeurd? Waar heb je het over?' Maar voordat Marissa kan antwoorden, komt Laynie uit haar kamer stormen.

'Sarah,' roept ze van boven aan de trap. 'Sarah!' Ze buigt zich over de leuning heen en ziet me bij de voordeur staan, maar ze merkt niet eens dat Marissa naast me staat. 'Er is een aardbeving geweest,' gilt Laynie verwoed. 'Een grote. Het epicentrum was in de buurt van het vliegveld. Ik heb net een mailtje gekregen. Ik kan Ethan niet bereiken, maar je moet de meiden bellen. Je moet uitzoeken of alles in orde is.'

'Jezus,' gilt ze tegen niemand in het bijzonder. 'Daarom moet je dus tv hebben.'

Ik heb het gevoel alsof iemand zojuist een pak watten in mijn hoofd heeft gespoten. Ik kijk weer naar Marissa die driftig staat te knikken.

'Oké,' zeg ik. Ik weet niet wat ik moet doen, dus herhaal ik mezelf. 'Oké.' Ik wacht tot mijn hersenen het overnemen en overgaan in wat Bill de Sarah-stand noemt; de situatie kalm beoordelen, instructies geven, delegeren en de dingen doen die gedaan moeten worden, maar blijkbaar worden mijn hersenen door de watten verstikt. Het lijkt wel alsof mijn oogballen in brand staan en mijn borstkas voelt zo gespannen aan alsof iemand me in een korset heeft gehesen toen ik even niet keek. Verman jezelf! schreeuwen ze tegen de rest van mijn hersenen. Dit is niet het moment om door te draaien! Op de kracht van die cellen, lukt het me om de ene voet voor de andere te zetten en de keuken in te lopen terwijl ik Marissa bij de voordeur laat staan. Ik heb het gevoel dat ik ga vallen en leun voor steun tegen het aanrecht. 'Mam,' roep ik.

'Wie is er?' roept ze vanuit de eetkamer.

'Ik heb je nodig,' zeg ik. 'Ik ben in de keuken.'

Mijn moeder loopt de keuken in en als ze me ziet krijgt ze een gealarmeerde blik in haar ogen. 'Wat is er gebeurd?' vraagt ze.

Maar ik kan niets uitbrengen. De laatste paar hersencellen hebben zich overgegeven en nu kan ik alleen nog maar denken dat mijn huis in een berg puin is veranderd met Bill en de meiden eronder terwijl ze snakken naar hun laatste happen zuurstof.

Het spijt me zo, denk ik. Het spijt me zo dat ik heb gezegd dat ik het geen leuk huis vind. Ik meende het niet echt. Het is een heel leuk huis en ik weet dat ik blij moet zijn dat ik het heb. Maar doe alsjeblieft mijn familie geen pijn.

Dan komen de afvallige hersencellen echter weer naar de oppervlakte en ik hoor ze tegen me schreeuwen, me een uitbrander geven zoals een sergeant op de eerste dag van de training tegen zijn nieuwe rekruten schreeuwt.

Jij verontschuldigt je? schreeuwen ze. Echt waar? Je hele familie kan wel dood zijn en alles wat je te zeggen hebt is: 'Het spijt me?' Schiet op! Verman jezelf!

'Er is een aardbeving geweest,' hoor ik Laynie uitleggen en als ik opkijk, zie ik dat zij en Marissa ook in de keuken staan, op nog geen paar meter afstand.

'Wat?' gilt mijn moeder. Ze legt haar handen op mijn schouders en kijkt me strak aan. 'Heb je Bill al gebeld?' wil ze weten. Ik wil haar wel antwoorden, maar al mijn functies lijken uitgeschakeld te zijn, dus antwoordt Laynie.

'Nee,' zegt ze. 'We hebben het net gehoord.'

Mijn moeder pakt de telefoon van de muur, draait het nummer en hangt op. 'Bezet,' kondigt ze aan. Ze draait opnieuw en opnieuw en dan hangt ze de hoorn weer aan de muur. Ze kijkt naar Laynie. 'Heb je Ethan al te pakken kunnen krijgen?' vraagt ze.

Laynie schudt haar hoofd. 'De lijn was bezet,' zegt ze. 'Waarschijnlijk is het netwerk overbelast omdat iedereen tegelijkertijd belt. De mobiele telefoons zijn ook uit de lucht. Ze zeggen altijd dat het in noodgevallen wel mogelijk is de staat uit te bellen. Misschien bellen ze ons wel.' Mijn moeder komt naar me toe en omhelst me en de manier waarop ik me aan haar nek vastklem, doet me denken aan een jong koalabeertje dat ik eens in de dierentuin heb gezien en dat zich aan een tak vastklampte alsof zijn leven ervan afhing.

'Ik weet zeker dat alles in orde is,' fluistert ze tegen me. 'Maak je geen zorgen. Alles komt goed.' Over mijn schouder merkt ze Marissa voor het eerst op. 'Waarom is zij hier?' vraagt ze laatdunkend. Marissa stottert tegen haar.

'O, ik ben degene die – ik kwam langs om te zien of alles – ik heb net gebeld.' Marissa houdt haar mond en kijkt om zich heen. 'Zijn jullie aan het verhuizen of zo?'

Ik kijk Laynie aan en knik haar heel subtiel toe – het is nauwelijks waarneembaar – maar ik weet dat ze het heeft gezien en dat ze precies begrijpt wat ik bedoel. Stuur haar weg, zeg ik. Stuur haar weg want ik wil Marissa Dunn hier niet hebben want dan komt ze erachter dat er iets vreselijks met mijn familie is gebeurd.

'Ik denk niet dat dit het juiste moment voor allerlei vragen is,' zegt Laynie tegen Marissa. 'Volgens mij kun je beter gaan.'

Marissa lijkt gekwetst. 'Sorry,' zegt ze. 'Het was maar een vraag. Ik bedoel, er staan geen meubels meer en er staan overal dozen, en...'

'Marissa,' onderbreekt Laynie haar bot. 'Ga nou maar.'

'Goed,' zegt ze hooghartig. 'Ik wilde alleen maar helpen.' Ze loopt door de keuken naar de voordeur en naar buiten en net als de hordeur met een klap dichtvalt, gaat de telefoon.

'O, gelukkig,' zegt mijn moeder terwijl ze hem snel pakt.

'Bill?' vraagt ze. Mijn moeder knikt naar me en op dat moment gaat het korset los en lossen de watten op en zijn mijn hersenen weer bereikbaar. Ik heb het gevoel dat ik voor het eerst sinds minuten weer ademhaal. 'Oké. Gelukkig. Ja. Ja, ze staat naast me.' Mam glimlacht en geeft me de telefoon. 'Ze zijn ongedeerd,' zegt ze. 'Alles is in orde.'

LAYNIE

Ik blijf maar trillen. Het is begonnen net nadat ik de e-mail van Jay heb gekregen en ik kan niet meer ophouden.

> Ik heb net gehoord dat er een aardbeving in Los Angeles is geweest. Ik weet dat je in NJ bent, maar ik wilde weten of alles in orde is met je familie en je huis. Laat me weten of ik iets kan doen.

Ik schreef terug:

> Welke aardbeving?

Hij antwoordde niet eens, maar stuurde me een link naar CNN. Het was er een van 6,2 op de schaal van Richter. Er waren nog geen meldingen van gewonden, maar er waren wel al een aantal berichten over schade die was aangericht in de buurt van het epicentrum en dat er iets was met een van de landingsbanen op LAX.

Mijn eerste gedachte ging naar Janie en Jessie, ik moest het eerst Sarah vertellen zodat zij kon checken of ze in orde waren. Mijn tweede gedachte was niet zozeer een gedachte maar meer een dankbaar gevoel voor Jay, want zonder zijn e-mail hadden we het niet eens geweten. Dan zouden we hier nog steeds aan het inpakken zijn en stomme oude brieven bekijken zonder te weten dat ons hele leven misschien net is verwoest. Mijn derde gedachte was voor mijn appartement; ik hoopte dat er geen schade was want dan zou de aanslag voor huiseigenaar echt gigantisch zijn. En toen ik aan het appartement dacht, bedacht ik me dat Ethan binnen tv zat te kijken en mijn vierde gedachte was of Ethan oké was. Op dat moment begon ik te trillen, toen ik besefte dat mijn verloofde te midden van een natuurramp niet eens bij de top drie behoorde van dingen waarover ik me zorgen maakte.

Ik bel hem thuis en mobiel, maar er wordt nog steeds niet opgenomen en ik weet niet zeker of hij het telefoonnummer van hier heeft of dat hij weet waar hij het kan vinden. Ik weet niet eens zeker of hij de naam van de stad wel zou weten als hij inlichtingen wilde bellen. Hij is hier nog nooit geweest en als er één ding is waar Ethan bekend om staat naast zijn werk als scenarioschrijver is het zijn onvermogen om informatie te onthouden die hij niet van belang acht.

Het helpt ook niet dat Sarah en ik net in *Freaky Friday* terecht waren gekomen. Onze hersenen moeten in elkaars lichaam zijn gesprongen toen ik boven aan de trap stond en haar over de aardbeving vertelde, omdat ik daarna kalm was en de leiding nam en Sarah helemaal catatonisch werd. Zij is altijd degene die nuchter blijft. Toen ik twaalf was en de gordijnen in de huiskamer per ongeluk in brand stak, rende ik gillend het huis uit. Sarah had echter de tegenwoordigheid van geest om de brandweer te bellen en de hond onder het bed van pap en mam vandaan te lokken. Dus om haar zo te zien – haar zoals mij te zien – dat was heel eng.

Nu lijkt ze echter weer de oude. Ik kijk naar haar terwijl ze de hoorn tegen haar oor houdt en met Bill praat. Ze ziet er nog best goed uit voor iemand van zevenendertig met twee kinderen. Haar lachrimpeltjes zijn wat duidelijker zichtbaar dan voorheen, maar net zoals de meeste dingen, staan ze haar goed. Natuurlijk is het niet vreemd dat Sarah mooi oud wordt. Bij Sarah gaat alles altijd goed, of ze het nu van plan is of niet.

Ze zegt voor de zoveelste keer tegen Bill dat ze van hem houdt en ik voel een steek – van wat? Schuldgevoel? Spijt? Jaloezie? Dit allemaal? – omdat ik niet in staat ben een dergelijke genegenheid voor Ethan op te brengen, zelfs niet als hij misschien wel dood is.

'Wat zei hij?' vraag ik als ze eindelijk heeft opgehangen.

'Hij zei dat het wel meeviel. Er zijn een paar borden gebroken, wat spullen van de boekenplanken af gevallen, maar niets ernstigs. De meiden waren net tien minuten thuis. Kun je je voorstellen dat ik ze niet had kunnen bereiken? Dat was vast mijn dood geworden. Heb je Ethan al gesproken?' Ik schud mijn hoofd.

'Ik zou me geen zorgen maken,' zegt ze. 'Bill denkt niet dat er in het westen veel schade was, hij heeft naar de radio geluisterd en er waren nog geen meldingen van doden of zo. Er zijn een paar mensen gewond geraakt in de buurt van het epicentrum, maar vooral omdat er iets op ze was gevallen. Jouw woning is toch aardbevingsbestendig?'

Ik knik. Dat is ook zo. Ik ben echt paranoïde als het om dat soort dingen gaat. Ik heb al mijn meubels aan de muur laten bevestigen toen ik erin trok en ik heb alle breekbare spullen op de planken vastgekleefd met speciaal spul dat ook in musea wordt gebruikt.

'Ik wilde dat we hier tv hadden,' klaag ik. 'Het zou fijn zijn om rechtstreeks op de hoogte te blijven.' Ik kijk mam verwijtend aan, maar ze kijkt gewoon terug.

'Het nieuws van New Jersey meldt niet of Ethan in orde is,' zegt mijn moeder. 'Gewoon blijven bellen, uiteindelijk kom je er wel doorheen.'

Ik toets het nummer van mijn appartement opnieuw in en net als ik hoor dat de lijn weer bezet is, gaat mijn mobiel. Ik kijk naar het nummer, het is Ethan. 'Hoi,' zeg ik nadat ik vlug heb opgenomen. 'Ik heb je wel tig keer gebeld. Gaat het?'

Zijn stem trilt, hij klinkt zenuwachtig en doodsbang. 'Nee, het gaat verdomme niet,' antwoordt hij. 'Ik ben alleen, in Los Angeles, en er is net een monsterlijke aardbeving geweest die me werkelijk de stuipen op het lijf heeft gejaagd en jij zit in New Jersey om die oude rotkamer van je uit te ruimen. Dus nee, het gaat niet. Jezus, Laynie, van alle keren dat je een weekend weg zou kunnen gaan.' Sarah en mijn moeder staren me aan en wachten tot ze horen dat hij in orde is, dus knik en glimlach ik naar ze.

'Ik weet het,' zeg ik liefjes en dat is echt alleen maar voor hen. 'Maar je bent tenminste niet gewond. Is het appartement beschadigd?'

'Hoe moet ik dat verdorie nou weten?' vraagt Ethan. 'Ben ik soms een opzichter? Het is niet ingestort als je dat bedoelt, maar er kunnen net zo goed scheuren in de fundering zitten waardoor alles elk moment naar beneden kan komen.' Ik glimlach naar mam en Sarah en steek mijn duim in de lucht.

'Ik zat op de wc,' zegt hij verwijtend. 'Ik zat letterlijk op de wc een recensie van mijn film te lezen en plots begonnen de muren te schudden en de lamp te slingeren. Ik ben op de grond gesprongen met mijn broek naar beneden en heb de toiletbril vastgegrepen alsof het verdorie een red-dingsboei was en ik bleef maar denken: ik ga dood en als de film uitkomt, komt er een groots verhaal in de krant dat de schrijver onder het puin van het appartement van zijn vriendin is aangetroffen met zijn broek op zijn enkels en een niet zo denderende recensie van zijn nieuwste film in zijn handen, en zo zal ik in Hollywood worden herinnerd. Ik ben die vent die schijtend tijdens een aardbeving is gestorven.' Terwijl hij verder praat, doe ik de keukendeur open en loop het achterterras op zodat mijn moeder en Sarah me niet kunnen horen.

'Maar er is niets aan de hand,' breng ik hem in herinnering. 'Je bent niet gestorven en niemand zal weten dat je in de badkamer een recensie zat te lezen toen het gebeurde. En over zes dagen als de film uitkomt, zal iedereen zeggen wat een geweldige schrijver je bent en ik garandeer je dat niemand zal vragen waar je tijdens de aardbeving was die niet zoveel schade heeft aan-gericht. Trouwens, het is niet eerlijk van je om boos op mij te zijn. Je doet net of iemand me heeft verteld dat er een grote aardbeving op komst was en dat ik toen heb besloten om zonder jou naar New Jersey te gaan.'

'Ik weet het,' zegt hij, inmiddels wat rustiger. 'Ik ben ook niet boos op jou. Ik ben gewoon boos. Ik ben boos dat jij er niet was toen het gebeurde. Natuurlijk geef ik jou de schuld niet.'

'Wil je dan alsjeblieft niet tegen me schreeuwen? Ik was ongerust.' Het is niet nodig hem te vertellen waar hij op mijn prioriteitenlijstje stond.

'Het spijt me,' zegt hij. 'Ik wil alleen maar graag dat je naar huis komt. Ik wil niet alleen zijn.'

Ik zucht. 'Ik kom morgen weer terug,' zeg ik tegen hem. 'Ik weet zeker dat je het nog wel één dag overleeft.'

Ik hang op en haal mijn Blackberry uit mijn zak. Ik moet Jay laten weten dat alles in orde is. Over ongerust gesproken.

> Alles in orde. Familie en huis oké. Dank voor je bezorgdheid. Ik wil graag verder met gesprek van gisteren, maar het is hier nu erg hectisch. Als ik morgen terugvlieg, wil je dan echt naar me zwaaien?

Ik druk op verzenden en hij reageert vrijwel meteen.

> Zó blij dat alles goed is. Ik zal zwaaien tot mijn armen eraf vallen.

Ik loop weer naar binnen en onderdruk mijn tranen als ik de keukendeur achter me dichttrek.

Sarah, die volledig lijkt te zijn hersteld zonder een steek te laten vallen, haalt het bestek uit de keukenladen en geeft het aan mam die het in plastic tassen stopt.

'Is alles in orde?' vraagt mijn moeder me. Ik zou zo graag willen dat ze haar armen om me heen zou slaan en me een knuffel zou geven zoals ze net bij Sarah heeft gedaan, maar ze komt niet naar me toe en ik kan mezelf er niet toe zetten zelf het initiatief te nemen.

'Ja,' zeg ik. 'Alles is in orde. Ethan is een beetje van slag, maar meer niet.'

Sarah knikt. 'Bill ook,' zegt ze. 'Hij is doodsbang voor aardbevingen.' Ze draait zich naar mam. 'Ik kan niet geloven dat ik zo verstijfde,' zegt ze. 'Volgens mij ben ik nog nooit eerder zo verlamd geweest.'

Mijn moeder knikt. 'Ik zou me eerder zorgen maken als je niet zo had gereageerd.' Ze kijkt Sarah doordringend aan. 'Er is geen moeder die rustig kan blijven als ze denkt dat er iets met haar kinderen is gebeurd. Zelfs jij niet. Ik weet nog goed dat Laynie longontsteking had – je moet een maand of zes, zeven zijn geweest, je liep nog niet eens – en je moest bijna een week in het ziekenhuis liggen. Ik denk niet dat ik in mijn leven ooit zo heb gehuild. Nou, alleen misschien toen je dat auto-ongeluk hebt gehad toen je zeventien was. Weet je dat nog? Pa en ik waren een weekend naar zee en jij mocht alleen thuisblijven en toen belde je me 's ochtends op om te zeggen dat je tegen een boom was gereden. Lieve god, ik stortte helemaal in.'

'Echt?' vraag ik haar.

'Hoe bedoel je "echt"?' vraagt mam. 'Weet je dat dan niet meer?'

'Nee,' zeg ik tegen haar. 'Ik kan me alleen nog herinneren dat je zei dat het stom was geweest om mij alleen thuis te laten. Je zei dat je wist dat er iets ergs zou gebeuren als je me alleen thuis zou laten en dat was ook gebeurd.'

Mijn moeder kijkt verwonderd. 'Ja, en toen hing ik op en heb ik gehuild tot we de volgende ochtend thuiskwamen en ik met mijn eigen ogen kon zien dat je nog heel was.'

'Hoe kan ik me dat nou herinneren als ik niet weet dat het is gebeurd? Ik wist niet dat je had gehuild. Toen je thuiskwam, heb je tegen me geschreeuwd omdat ik zo laat thuis was en een ongeluk had gehad. Daarna kreeg ik straf en ik moest voortaan eerder thuiskomen.'

'Ik gilde niet tegen jou,' zegt mam. 'Ik gilde omdat ik bang en boos was. Vraag je vader maar, ik was bijna twaalf uur lang hysterisch. Ik dacht steeds wat er had kunnen gebeuren en dat ik er niet was toen je me nodig had.'

Ik bekijk haar nauwkeurig terwijl ze dit tegen me zegt en uit het niets komt mijn onderbewustzijn als een onderzeeër naar de oppervlakte drijven. Ik kan niet geloven dat me dit nooit eerder is opgevallen. Ethan en mijn moeder hebben precies dezelfde persoonlijkheid. Ze zijn alle twee reactief, theatraal, onvriendelijk en verwarrend. Jezus. Ik ben zo wanhopig op zoek naar haar goedkeuring dat ik met haar ga trouwen. Wat ongelofelijk onorigineel van me.

De telefoon gaat opnieuw en alle drie schrikken we op van het geluid. Het is geen gewoon gerinkel. Het is het soort gerinkel waardoor je even wacht voor je opneemt, het soort gerinkel dat een bepaalde lading heeft waardoor je weet dat degene die belt slecht nieuws heeft. Mijn moeder steekt haar arm uit om de hoorn te pakken en Sarah kijkt haar angstig aan. Ze voelde het ook, zie ik.

'Hallo?' zegt mijn moeder en ze kijkt dan naar Sarah. 'O, hallo, Bill. Is alles in orde?'

11 SARAH

Dit kan niet waar zijn. Het kan gewoon niet. Ik moet de meiden naar school brengen. Ik moet dingen voor de bazaar regelen. Ik moet stukjes over de films schrijven die ik nog niet heb gezien. Ik moet maandagochtend naar kantoor om de nieuwe dvd's voor volgende week op te halen. En hoe moet ik dit betalen? We kunnen ons dit niet veroorloven. O god, dit is een ramp. Een regelrechte ramp.

LAYNIE

Nee, nee, nee, nee, nee. Dit kan niet waar zijn. Ik moet maandag werken. Er komen maandag zeven Brady's auditie doen. En ik heb kaartjes voor het theater op dinsdagavond. Mijn vriendin en ik gaan naar Annette Bening en dat is volledig uitverkocht. Ik heb die kaartjes meer dan een jaar geleden gekocht. O, en dat vergeet ik bijna, Ethans filmpremière is dit weekend. Nee, nee, nee. Er moet nog een andere mogelijkheid zijn. Het moet gewoon.

12 SARAH

'Er is geen andere mogelijkheid, Laynie. We hebben alles geprobeerd. Het vliegveld is gesloten en het kan nog dagen duren eer hij weer opengaat. Er is niets aan te doen.'

Laynie zet haar handen in haar zij en staart me indringend aan.

'Nee. Ik wacht nog steeds op een reactie van de reisagent van mijn werk. Misschien kan zij een vlucht naar Burbank of John Wayne voor me regelen. Of anders naar Arizona. Vanaf Arizona rijd ik in een paar uur naar huis.'

Ik sla mijn ogen ten hemel. 'Ten eerste is het zaterdagavond. Ik weet zeker dat de reisagent van CBC haar voicemail niet afluistert voor maandagochtend als ze weer aan het werk gaat. Ten tweede heb je gehoord wat de reisagent van American Express heeft gezegd. De telefoons staan roodgloeiend want iedereen probeert zijn vlucht te veranderen naar vliegvelden in de buurt van Los Angeles. Elke vlucht naar die vliegvelden zit de komende tien dagen vol. Ik weet niet waarom je denkt dat jouw reisagent iets anders zal zeggen. Wees nou reëel, we zullen gewoon met de auto moeten.'

Laynie ziet eruit alsof ze elk moment in huilen kan uitbarsten. 'Geloof mij, ik ben er ook niet blij mee,' zeg ik tegen haar. 'Er zijn ook dingen waarvoor ik terug moet.'

'Wat dan,' zegt ze. 'Is maandag jouw dag om koekjes op Caldwell te bakken? Moet je Bill zijn kleren van de stomerij halen?'

Ik haal diep adem. Hier ga ik niet verder op in. Niet nu. 'Laat maar,' zeg ik en ik haal mijn schouders op. 'Ik rijd wel alleen. Als jij op de volgende vlucht wilt wachten, moet je het zelf maar weten. Bel me over twee weken maar als je weer in Los Angeles bent.' Ik pak de autosleutels en graai mijn trui van de keukenstoel.

'Wat, ga je nú weg?' vraagt ze. 'Je pakt gewoon mams auto en neemt niet eens je spullen mee?'

'Nee, achterlijke, ik ga naar Triple A voor een TripTik en dan ga ik naar Hertz om een auto te huren.'

'Wat is een TripTik?' vraagt ze. Ik sla mijn ogen ten hemel. Ik zal nooit begrijpen hoe ze in haar leven zo ver is gekomen. Dat zij niet dakloos is en eten uit de vuilnisbakken opduikelt is mij een raadsel.

'Het is een reisplanner,' leg ik ongeduldig uit. 'Het is een soort routeplanner, maar dan met allerlei informatie voor onderweg, zoals hotels en restaurants.'

'Je moet naar Los Angeles,' zegt ze alsof ík de gek ben. 'Je gaat de snelweg op en volgt de borden richting het westen. En als je wilt eten of slapen, kijk je naar borden met restaurants of plekken waar je kunt overnachten.'

'Echt niet,' zeg ik met klem. 'Ik ga geen vijfduizend kilometer rijden zonder plan. Ga je nou mee of niet?'

Ze zucht alsof ze zich eindelijk overgeeft. 'Ik kom,' zegt ze. 'Maar ik stop onderweg niet om naar enorme bollen twijngaren of iets dergelijks te kijken. Ik wil gewoon naar huis.'

'Tuurlijk. Want ik ben natuurlijk dol op enorme bollen twijngaren. Hup, de auto in.'

Mike, de AAA-jongen, is onverwacht jong, waarschijnlijk halverwege de twintig. Hij is ook onverwacht knap en ondanks mijn trouwring en de enorme steen die Laynie om heeft, flirt hij vol overgave met ons.

'Zo,' zegt hij nadat ik heb uitgelegd dat we naar Los Angeles moeten en hij heeft gevraagd of we niet liever met zijn drieën gaan: 'Hoe willen jullie erheen?'

'Zo snel mogelijk,' antwoordt Laynie. 'Wat is de snelst mogelijke manier?'

'Het snelst is vliegen, maar er is natuurlijk net een aardbeving geweest en ik heb op het nieuws gezien dat het vliegveld een paar dagen dicht is. Iets met scheuren in de landingsbaan, de FAA moet alles inspecteren voor hij weer in gebruik kan worden genomen. Dus tenzij je daarop wilt wachten, is vliegen waarschijnlijk niet aan de orde. Jullie kunnen natuurlijk ook met de trein of met de bus gaan.' Laynie en ik staren hem allebei aan.

'Ja,' zegt Laynie. 'We gaan met de auto. We hoeven alleen maar wat route-informatie.'

'Goed,' zegt Mike, die het eindelijk snapt. 'Daarom staan jullie hier en niet op het trein- of het busstation. Jullie zijn lekkere meiden, leuk. Heeft iemand jullie ooit weleens gezegd dat jullie zussen zouden kunnen zijn? Jullie hebben best wat van elkaar weg. Zelfde gezichtsvorm.' Hij doet zijn ogen dicht en inhaleert diep. 'En jullie ruiken erg lekker.'

Laten we eerlijk zijn, op die enge vader na die ik altijd in het park tegenkom is het best een poos geleden sinds iemand met mij heeft geflirt en ik geniet ervan. Ik kijk vluchtig naar Laynie, maar die heeft haar armen over elkaar geslagen en een geïrriteerde blik in haar ogen. Zij waardeert Mikes charmes duidelijk niet zozeer als ik. Wacht maar, denk ik. Op een dag heb jij een buikje en kraaienpootjes en zal je ook naar zulke momenten verlangen.

Eindelijk opent Mike zijn ogen weer en kijkt om zich heen, verward, alsof hij is vergeten waar hij is. Maar dan lijkt hij het zich weer te herinneren en pakt onder de toonbank een wegenkaart van de Verenigde Staten vandaan die hij voor ons uitspreidt.

'Oké,' zegt hij terwijl hij zijn vinger op New Jersey legt en de blauwe aderachtige snelweglijnen volgt. 'De snelste manier is om de I-76 naar de I-70 te nemen, vervolgens de I-44 in Missouri, dan naar Texas waar je de I-40 richting het zuiden op gaat, door New Mexico en dan de I-15 even buiten Los Angeles op. Zou ongeveer een uur of veertig rijden moeten zijn.'

Laynie die in de hoek was gaan zitten en zo te zien zo in slaap kon vallen, leeft weer helemaal op. 'Zei je New Mexico?' vraagt ze Mike.

'Ja,' antwoordt hij.

Ze staat op en komt naar de toonbank om de kaart te bestuderen. 'Waar in New Mexico?'

Ik werp een blik op haar en vraag me af waar haar fascinatie voor New Mexico zo plots vandaan komt. Mike kijkt naar de kaart, gaat met zijn vinger terug over de route en stopt op ongeveer driekwart van de reis.

'Zo te zien kom je door Albuquerque en dan door Gallup voor je over de staatsgrens van Arizona gaat.' De glans die ik net in haar ogen zag, verdwijnt.

'Maar niet door Santa Fe.' Het lijkt op een mededeling, eerder tegen zichzelf als tegen iemand anders, maar dat heeft Mike niet door en hij geeft antwoord alsof ze haar vinger heeft opgestoken in een les over kaartlezen.

'Nee, nee, Santa Fe ligt hier, ten noorden van de I-40.' Hij haalt de dop van een pen die op de toonbank ligt en tekent een cirkel om Santa Fe. 'Als je daarheen wilt, moet je de I-25 in de buurt van Albuquerque nemen en een kleine omweg maken.'

Ik kan de radertjes in haar hersenen zien draaien en ik zie dat ze een manier probeert te bedenken om mij ervan te overtuigen om te rijden. Ze is iets van plan. Dat voel ik. Maar ze wil niet dat ik erachter kom.

'Hoe ver is het?' vraagt ze. 'Ik bedoel, als we die omweg zouden willen maken, hoelang zou dat dan duren?'

Mike kijkt even naar de kaart en knipoogt dan met zijn linkeroog. 'Als jullie meiden zo snel rijden als jullie eruitzien, zou het een uur zijn. Maar als jullie het leuk vinden om om te rijden, zou ik jullie aan willen raden Route 66 te nemen. Dat is iets wat iedere Amerikaan moet hebben gedaan.'

'Bedankt, Mike,' zeg ik. 'Geweldige informatie. En zeer patriottistisch.' Ik kijk naar Laynie en trek mijn wenkbrauwen op. 'Wat is er in Santa Fe?' vraag ik.

Ze knijpt haar ogen tot kleine spleetjes. 'Niets.'

Ik kijk haar aan met een blik van ik geloof je niet en krijg dan een idee. Een subliem idee. 'Ik weet wat,' bied ik aan. 'Ik ga akkoord met deze omweg, zonder vragen te stellen.'

Ze slaat haar armen over elkaar en kijkt me sceptisch aan. 'Maar?'

'Maar dan moet jij die houding van je laten varen en niet overal ruzie over maken.'

Ze is even stil terwijl ze het voorstel overweegt. 'Zonder vragen te stellen?' herhaalt ze.

'Precies.'

Ze steekt haar rechterhand uit. 'Afgesproken.'

Ik schud haar hand en glimlach en Mike fluit goedkeurend.

'Verdorie, dat was nog eens sexy,' zegt hij. 'Heeft een van jullie toevallig een pistool bij zich? Ik heb altijd al gefantaseerd over vrouwtjes met pistolen.'

'Geef ons nou maar gewoon een TripTik, Mike,' instrueer ik.

'Oké,' zegt hij en hij brengt me een saluut. Terwijl Mike onze route in de computer zet, haalt Laynie haar Blackberry uit haar tas en begint te typen. Ze is vast Ethan over onze plannen aan het sms'en. Ik vraag me af of dat in Santa Fe voor hem is.

'Is dat aan Ethan?' vraag ik. 'Laat je hem weten over Santa Fe?'

Laynie houdt op met typen en kijkt me aan. 'Wat was dat ook alweer over geen vragen?' vraagt ze en ze klinkt geïrriteerd. Goed dan.

'Sorry,' zeg ik. 'Macht der gewoonte. Ik zal het niet meer doen.' Ze negeert me terwijl ze op de toetsen drukt. Ja. Er is absoluut iets aan de hand. Iets groots.

LAYNIE

Niet te geloven dat ik echt naar New Mexico ga. Ik viel bijna steil achterover toen dat Mike-jong het zei. 'Richting het zuiden door New Mexico,' zei hij en ik had het gevoel dat ik op school net was betrapt omdat ik een briefje door had gegeven. Ik weet zeker dat ik knalrood werd – ik kon voelen hoe warm mijn huid werd – maar Sarah leek het niet te merken. Ze was te druk aan het flirten.

Ik wist onmiddellijk dat ik een manier moest zien te vinden om naar Santa Fe te gaan. Ik bedoel, het leek de bedoeling te zijn. Een aardbeving sluit het vliegveld in Los Angeles en ik ben gedwongen om te rijden door – wat – tien van de vijftig staten waarvan er een New Mexico blijkt te zijn? Pardon. De enige manier dat dit nog duidelijker zou kunnen worden gemaakt, zou zijn als God zelf een paar vleugels op mijn rug zou plakken en me zou bevelen naar het huis van de beste man te vliegen. Ik wist wel dat ik hem in die chatroom om een reden had ontmoet. Ik wist wel dat onze relatie een groter doel diende. Ik wilde alleen dat ik wist wat dat doel was. Zoals ik het zie, kunnen het maar twee dingen zijn: of ik moet hem ontmoeten omdat hij en ik bij elkaar horen, óf ik moet hem ontmoeten omdat we niet bij elkaar horen, zodat ik verder kan met mijn leven en met Ethan kan trouwen.

Het zal alleen niet makkelijk zijn om er te komen. Geen ruziemaken met Sarah als we bijna een week op elkaars lip zitten? Over een uitdaging gesproken. Ik zou het makkelijker vinden om mee te doen aan *Survivor*. Nou ja. Karen uit *S&S* zei ooit dat je voor liefde bereid moet zijn om door het vuur te gaan. Ze zei het tegen haar voormalige beste vriendin die was ontvoerd toen ze vijftien was en van wie niemand ooit meer iets had gehoord tot ze op een dag uit het niets opdook op zoek naar iedereen uit haar oude leventje onder wie de jongen met wie ze verkering had op het moment dat ze verdween. Ik kan me die tekst nog zo goed herinneren omdat we audities voor die vriendin moesten houden en dat de scène was die we gebruikten. Soms moet je voor de liefde bereid zijn om door het vuur te gaan. Ik moet het wel honderd keer hebben gezegd. Op dit moment lijkt het erg relevant.

Ik laat Sarah achter om met Mike, de AAA-jongen, alles af te handelen en ik ga naar buiten om Ethan te bellen. Hij zal woest zijn als hij hoort dat ik pas over een week thuiskom.

'Hoi,' zeg ik als Ethan opneemt. 'Heb je het nieuws al gezien?'

'Nee,' antwoordt hij. 'Ik moest het huis uit. Er zit een enorme scheur in de muur van de slaapkamer en ik kreeg het op mijn zenuwen. Ik zit in Café Urth. Heb je hier weleens een sandwich gegeten? Het brood is onwijs lekker.'

'Die scheur heeft er altijd al gezeten,' vertel ik hem. 'Die zat er al in toen ik het appartement kocht. Is het je nog nooit eerder opgevallen?' Ik hoor dat hij een hap van zijn sandwich neemt en hij reageert met zijn mond vol.

'Nee, maar bedankt. Nu voel ik me een stuk beter.' Ik moet dit niet uitstellen. Ik kan het hem maar beter gewoon vertellen en het achter de rug hebben. Ik haal diep adem en doe mijn ogen dicht.

'Ethan, ik heb slecht nieuws. LAX is gesloten vanwege de aardbeving en het is nog niet bekend wanneer het weer opengaat. Sarah en ik hebben de hele middag met reisagenten en luchtvaartmaatschappijen aan de telefoon gezeten om iets te regelen, maar elke vlucht die ook maar in de buurt van Los Angeles komt zit vol. Dus nu huren we een auto om naar huis te rijden. Het duurt ongeveer een dag of zes.' Ik wacht tot hij antwoordt, maar hij reageert niet.

'Ethan?' zeg ik. 'Ben je er nog?'

'Wat een gelul, Laynie,' zegt hij uiteindelijk. 'Echt volkomen gelul.'

'Dat weet ik,' zeg ik. 'Maar ik heb geen keuze. We vertrekken morgenvroeg meteen en ik beloof je dat ik op tijd voor de première ben. Geloof mij,

Eth, ik ben hier ook niet blij mee. Op het werk zullen ze me vermoorden.'

'Weet je wat?' vraagt hij. Ik hoor een vleugje opwinding in zijn stem alsof hij net een enorme ingeving heeft gehad. 'Ik kan vast een privéjet voor je regelen.'

'Wat?' zeg ik. 'Waar heb je het over?'

'Ik kan het de filmstudio vragen,' zegt hij. Het vleugje opwinding is nu gestegen tot een symfonie. 'Ik heb gehoord dat sommigen het na 11 september mochten gebruiken om New York uit te komen. Je zou naar Santa Monica kunnen vliegen en morgenavond weer thuis zijn. Ik weet zeker dat het mag.'

O, god, dit kan niet waar zijn. Ik was ervan overtuigd dat Ethan geen behulpzame suggesties zou doen. Ethan is nooit behulpzaam. De radertjes in mijn hoofd draaien overuren terwijl ik een manier probeer te bedenken om hier onderuit te komen. Ik kan hem dit niet laten verpesten. Ik móét naar New Mexico.

'Nee, nee,' zeg ik. 'Doe maar niet. Het is toch geen noodgeval? Bovendien is het niet handig om meteen aan het begin van je carrière al schulden te maken. Je wilt niet meteen al bij ze in het krijt staan.'

'O, kom nou toch,' zegt Ethan. 'Ze hebben dat scenario van me gestolen. Voor dat wat zij hebben betaald, zouden ze een jet voor me moeten kopen. Laynie, ik wil dit gewoon graag. Ik wil zien wat ze bereid zijn voor me te doen. Weet je, als de film goed loopt en ze willen me voor een volgende film contracteren, dan is het prettig om van tevoren te weten wat ik in hun ogen waard ben. Ik ga mijn agent meteen bellen om dit te regelen. Ik bel je zo terug.'

'Ethan, wacht!' gil ik. 'Niet ophangen.'

'Wat?' vraagt hij. 'Wat is er?'

'I-ik wil niet met een privéjet,' zeg ik. 'Het is lief van je om het aan te bieden, echt, maar ik wil met de auto.'

'Waarom zou je met de auto willen?' vraagt hij smalend. 'Acht uur per dag in een huurauto tussen niets dan maïsvelden. O, en je moet naar radiozenders uit het middenwesten luisteren, in truckerstenten eten en in waardeloze motels slapen. Klinkt dat echt zo aanlokkelijk?'

'Nee,' zeg ik. 'Maar het heeft ook niets met plezier te maken.'

'Waarmee dan?' vraagt Ethan en hij klinkt geïrriteerd. 'Waar gaat dit over?'

Ik heb een idee, maar ik weet niet of hij erin trapt en ik aarzel als ik bedenk hoe ik het zo overtuigend mogelijk kan brengen. Soap, denk ik uiteindelijk. Een soap is precies de manier om dit te brengen. Veel drama. En emotioneel. Ik haal diep adem en probeer me in mijn rol in te leven. Ik ben een blanke vrouw, eind twintig/begin dertig, doorsneetype maar met een verleidelijke kant. Niemand weet dat ik een pathologische leugenaar ben. Iedereen denkt dat ik een graad in de psychologie heb, maar in het echt heb ik mijn middelbare school niet eens afgemaakt. Ja, dat is perfect. Ik ben er klaar voor.

'Dit gaat over – lange, dramatische stilte – mijn zus.'

'Hoe bedoel je?'

Ik sluit mijn ogen en stel me voor dat ik stiletto's, een kort rokje en een strak jasje draag en dat mijn haar enorm volumineus is door de krulspelden die er net bij haar en make-up zijn uitgehaald. 'Ik denk dat Sarah en ik deze tijd samen nodig hebben. Het is de enige manier om weer tot elkaar te komen. Als ik het nu niet doe, weet ik niet wanneer we ooit weer in de gelegenheid zullen zijn.' Ik doe mijn ogen weer open, kijk om me heen en wacht tot ik dodelijk door de bliksem word getroffen of een troep zwarte, in schaduw gehulde figuren me afvoert naar de hel.

'Dit meen je niet,' zegt Ethan. 'Sinds wanneer kan het jou wat schelen of je de dingen met je zus oplost? Je zus is de reden dat je in deze puinhoop bent beland.'

Ach, vergeet het maar. Dit werkt niet. Het is makkelijker om als mezelf te liegen. 'Ik weet het, ik weet het,' zeg ik en ik laat de soapstem achterwege. 'Echt, ik ben net zo verbaasd als jij. Maar ik ben nogal van slag door de scheiding en de verkoop van het huis en, ik weet het niet, ik wil gewoon graag dat we weer vrienden zijn. Hoewel ze me soms verschrikkelijk irriteert, ze blijft wel mijn zus.'

'Praat dan met haar als je weer terug bent. Ga samen lunchen, of ga een zondagmiddag naar haar huis.'

'Kom op, Ethan. We kunnen toch niet met elkaar praten als ze thuis is? Je hebt met je eigen ogen gezien hoe afgeleid ze is als de meiden in de buurt zijn; ze kan nog geen zin afmaken zonder dat ze wordt onderbroken of iets voor ze moet doen. Bovendien is er meer tijd voor nodig dan een lunch om onze relatie weer recht te breien. Hoor eens, ik weet dat je het niet begrijpt, maar dit is de enige manier. Kun je het alsjeblieft van mijn kant bekijken?'

'Goed,' zegt hij, maar hij klinkt gekwetst. 'Als jij een hele week met je krankzinnige zus in een auto opgesloten wilt zitten, moet je het zelf maar weten.' Hij is absoluut ontdaan. Maar ik vraag me af of dat komt omdat ik nog een week wegblijf of omdat hij bij de filmstudio niet op zijn strepen kan staan.

'Bedankt,' zeg ik. 'Fijn dat je het begrijpt. Ik bel je morgen als we ergens stoppen.'

'Geweldig,' zegt hij koeltjes. 'Goede reis.'

Het gaat dus gebeuren. Ik ga naar New Mexico. Mijn hart gaat tekeer als ik het scherm van mijn telefoon naar de e-mail schakel.

Hoi. Je hebt het vast al gehoord, maar LAX is voor onbepaalde tijd gesloten. Mijn zus en ik gaan met de auto terug en de AAA-jongen zei dat de snelste route door NM loopt. Ik weet dat veel mensen zeggen dat het beter is elkaar niet in het echt te ontmoeten, maar het lijkt mij een soort teken. Wat vind jij?

Als hij zegt dat hij me niet wil ontmoeten, zal ik enorm balen dat ik een privéjet heb afgewezen.

13 SARAH

Het is zo waardeloos om niet in de buurt van je ouders te wonen en geen geld voor een babysitter te hebben wanneer je in New Jersey zit, het vliegveld van Los Angeles na een aardbeving is gesloten en je zes dagen langer wegblijft, want dan is het best moeilijk om iemand te vinden om voor je kinderen te zorgen. Bill doet zijn best: hij zei dat hij een aantal van zijn vergaderingen in de ochtend zou verzetten zodat hij de carpool op mijn dagen kan doen en hij zou voor de lunch van de meiden zorgen. Maar 's middags kan hij niet. Hij kan gewoon niet elke dag om één uur voor Janie naar huis komen en zelfs als ik het kan regelen dat ze op school blijft tot Jessie uit is, lukt het hem niet om deze week elke dag om vier uur thuis te zijn. Hij stelde voor om een paar moeders van Caldwell te bellen om te vragen of de meiden een paar middagen met hen mee kunnen, maar ik heb gezegd dat dat niet gaat. Stephanie heeft me al een enorme gunst verleend omdat de meiden er dit weekend hebben geslapen en er zijn gewoon geen andere moeders op Caldwell bij wie ik me genoeg op mijn gemak voel om het te vragen.

Dus toen stelde Bill voor om zijn moeder te bellen, maar ik heb gezegd dat ik nog liever een vreemdeling van de straat pluk. Volgens mij was hij een beetje beledigd. Ik moet onthouden dat ik dergelijke dingen niet hardop zeg. Althans, niet tegen hem.

Maar Helene is echt onmogelijk. Gunsten van haar zijn nooit onvoorwaardelijk. Een paar jaar geleden had ik een keer zwaar de griep en toen heeft ze Janie naar ballet gebracht. Het was vijf minuten bij haar vandaan, een lesuur, niets bijzonders. Maar toen gingen Bill en ik twee maanden later een lang weekend naar Mexico terwijl mijn moeder op de meiden paste en toen belde Helene toevallig de dag voor we vertrokken op om te vragen of we bij het verkoopkantoor langs wilden gaan van een projectontwikkelaar waarover ze had gelezen. Ik dacht: hallo, Helene, we gaan maar drie dagen en Puerto Vallarta is meer dan een uur rijden. Ik probeerde haar uit te leggen dat haar kleine boodschap me een hele middag van mijn vakantie zou kosten en zij zei: nou, Sarah, dat zal ik onthouden als je de volgende keer ziek bent en vraagt of ik Janie ergens heen wil brengen. Dus je kunt wel nagaan wat ze verwacht als ik haar vraag om een hele week elke dag op de meiden te passen.

Ik had Bill moeten vragen haar te bellen. Het is zijn moeder. Maar nu is hij boos op me dus ik kan hem niet terugbellen om te vragen of hij het wil doen. En over ongemakkelijke telefoongesprekken gesproken. Ik moet Deb ook nog bellen om te vertellen dat ik maandag niet langs kan komen. Maar met haar hoef ik tenminste niet te praten. Zij is er op zondag niet, dus ik hoef alleen maar een berichtje achter te laten en te hopen dat ze het begrijpt. Ik bel Deb eerst. Hoe langer ik het gesprek met Helene kan uitstellen, hoe beter.

Ik ga op mijn bed zitten en vis Debs visitekaartje uit mijn portefeuille, daarna pak ik de witte, lompe hoorn en draai het nummer. Terwijl hij overgaat, rol ik afwezig de gedraaide telefoondraad om mijn vinger, net zoals ik vroeger als tiener deed. Ik vraag me af of zulke telefoons nog worden gemaakt.

'Hallo?' zegt Debs stem. Ik spring op. Ik had niet verwacht dat ze op zou nemen.

'O, Deb, hoi. Met Sarah. Felton. Sorry, ik had niet verwacht dat je er zou zijn.'

'Ik ben hier altijd,' zegt ze en haar stem klinkt extra hees alsof ze net vijf uur lang heeft geschreeuwd. Of achter elkaar sigaretten heeft gerookt. Of beide. 'Wat is er aan de hand? Hé, heb je de aardbeving bij jullie ook gevoeld? Over flashbacks gesproken. Ik dacht dat het weer 1993 was. Toen moest mijn hele huis opnieuw worden gebouwd.'

'Wauw. Wat erg,' zeg ik. 'Ik zit nog steeds in New Jersey, dus ik heb alles gemist, maar mijn man zei dat alles goed was.'

'Ja, alles behalve het vliegveld,' zegt ze grinnikend. 'Wij waren net op tijd terug uit Vegas.'

'Je hebt geluk gehad,' zeg ik. 'Daarvoor bel ik trouwens ook. Ik heb geen geluk gehad. Ik zit hier vast, dus ik kan maandag niet naar kantoor komen zoals we hadden afgesproken.'

'O, wat balen,' roept ze. 'Vast in New Jersey. Goede filmtitel. Nou, dan moeten we iets zien te regelen. Ik wil niet te veel achteropraken. Heb je enig idee wanneer je weer terug bent?'

'Nou, mijn zus en ik gaan met de auto terug en ik denk dat we er een dag of zes over zullen doen. Waarschijnlijk zijn we vrijdag weer thuis.'

'Vrijdag, vrijdag,' herhaalt ze. Ze ademt luidruchtig en ik kan de sigarettenrook bijna ruiken. 'Oké. Laten we het zo doen. Ik neem aan dat je de twee die ik je heb gegeven, hebt bekeken?'

Verdorie. Ik wil deze baan niet kwijtraken. 'Ja,' lieg ik zo overtuigend mogelijk. 'Natuurlijk.'

Deb aarzelt. 'Ging het?' vraagt ze.

'O, ja,' zeg ik enthousiast. 'Ze waren super. Ik bedoel, ze komen niet in mijn top tien of zo, maar ze waren erg goed. Goede materie.' Ze is weer stil en ik vraag me af of ik misschien heb overdreven. Misschien had ik dat over mijn top tien beter niet kunnen zeggen.

'Oké,' zegt ze eindelijk. 'Cool. Heb je de stukjes al geschreven?'

'Nou,' zeg ik. 'Ik was van plan om ze morgen thuis te schrijven. Ik had niet veel tijd voor ik vertrok en ik heb hier geen computer.'

'Dat geeft niet,' zegt ze. 'Waarom doen we het niet zo; je vertrekt morgen?'

'Ja,' antwoord ik. 'Morgenochtend vroeg.' Ik wikkel het draad van mijn vinger af en draai het er weer omheen.

'Prima. Denk je dat je ze met de hand uit kunt schrijven?'

'Tuurlijk,' zeg ik. 'Ik heb niet het beste handschrift, maar ik zal zorgen dat het leesbaar is.'

'Geweldig. Ga gewoon naar een Kinko en als je het dan voor maandagavond hierheen faxt, zal ik zorgen dat iemand het uittypt. Weet je al waar je woensdagnacht slaapt?' vraagt ze.

'Ja,' zeg ik hoewel ik geen flauw idee heb waar ze heen wil. Ik haal de TripTik tevoorschijn en bekijk het schema. 'We zitten in een Days Inn, ergens in Missouri.'

'Oké, geef me het adres maar en dan zal ik de volgende partij films daarheen sturen. De meeste hotels hebben tegenwoordig dvd-spelers.'

'O, ik heb een draagbare dvd-speler bij me,' zeg ik geestdriftig.

'Perfect. Kijk er maar zoveel mogelijk onderweg, gebruik het weekend om de stukjes te schrijven en dan kom je volgende week maandagochtend hierheen. Lukt dat?'

Nou, zaterdag is de bazaar en ik moet nog duizenden andere dingen doen als ik thuiskom, maar ik bedenk wel wat. Na deze reis heb ik die tweeduizend dollar harder nodig dan ooit. 'Ja,' zeg ik, opgelucht. 'Dat klinkt perfect. Fijn dat je het zo goed opvat.'

'Hé,' zegt ze. 'Het is niet jouw schuld dat de stadsplanners van Los Angeles idioten waren. Wie bouwt er nou een vliegveld in de buurt van een breuklijn?' Ze lacht zo hard dat ze begint te hoesten. 'Sorry,' piept ze.

'Die is goed,' zeg ik tegen haar. 'Je kunt beter een glaasje water gaan halen. Ik fax je maandag de stukjes en de hotelinformatie.'

Ik hang op en het lijkt alsof een klein deel van de last is verdwenen. Terwijl ik overweeg om Helene te bellen, komt de last echter in volle vaart weer terug, twee keer zo erg als voorheen. Een redelijke, volwassen klinkende innerlijke stem probeert me ervan te overtuigen het gewoon te doen, haar te bellen en het achter de rug te hebben. Dan zegt een andere innerlijke stem oké tegen de eerste stem op een toon die niet veel anders klinkt dan die van Jessie als ik haar achter haar vodden zit om haar kamer op te ruimen. Oké, oké, goed dan.

Ik slaak een diepe zucht en toets het nummer in. Hij gaat twee keer over en ik stel me voor hoe het in Helenes huis klinkt; het hoge, harde getril dat op de witte, marmeren vloeren weerkaatst. Als hij voor de derde keer overgaat, neemt Sonya de huishoudster op.

'Hallo?' vraagt ze met haar zware Hondurese accent.

'Hallo, Sonya,' zeg ik. 'Met Sarah.'

'Ah, mevrouw Sarah. Hebt u de aardbeving gevoeld, hè?'

'Ja,' zeg ik. 'Erg heftig.' Het is makkelijker om gewoon mee te spelen dan Sonya uit te leggen dat ik in New Jersey zit. Ze is een enorme kletskous en ik heb geen zin om met haar te bespreken waarom ik hier ben. 'Is mevrouw Felton toevallig in de buurt?'

'Ze ies net terug. Ik haar vertellen jij bent.'

'Bedankt,' zeg ik. Ik kan haar hakken horen klikken als ze de telefoon naar Helene brengt.

Dan zegt Helene: 'Sár-ah,' in mijn oor. 'Hoe gáát het?' Helene heeft de gewoonte om de verkeerde lettergreep te benadrukken. Volgens mij denkt ze dat het duur klinkt, een soort verbale equivalent van luchtkusjes.

'Met mij is alles goed, Helene. En met jou?' Ze slaakt een trieste zucht.

'Nóú, ik bén een van mijn Fábergés kwijtgeraakt tijdens de áárdbeving. Hérinner je je die páárse nog, met die kléíne gouden dríéhoekjes?' Eh, nee.

'Ja,' zeg ik en ik doe mijn best bezorgd over te komen. 'Volgens mij weet ik nog wel welke dat was. Wat zonde.'

'Ja, het ís een groot vérlies. Maar het is nú water naar de zee dragen. Hij kan natuurlijk niet meer worden gelíjmd! Hoe dán ook, wat ís er aan de hand? Er moet íéts zijn gébeurd, je belt me nooit zomaar.'

Ik sla mijn ogen ten hemel. Wat een portret is dit mens toch. Het is echt verbazingwekkend dat ze iemand op de wereld heeft kunnen zetten die zo normaal is als Bill. Hoewel Bill zweert dat ze niet altijd zo is geweest. Hij beweert dat ze een gewone moeder was toen hij nog klein was, maar dat kan ik me niet voorstellen.

'Nou, Helene, ik weet niet of Bill het je heeft verteld, maar ik zit in New Jersey, bij mijn moeder. Ik had eigenlijk morgenmiddag naar huis zullen komen, maar omdat het vliegveld dicht is vanwege de aardbeving moet ik met de auto terug. Hoe dan ook, ik weet dat het kort dag is, maar ik wilde je vragen of je in de gelegenheid bent me met de meiden te helpen?'

'New Jérsey!' roept ze luidkeels. 'Je zit vást in New Jérsey?'

Ze zegt 'New Jersey' alsof ze het over een gevangenis of een leprakolonie heeft. 'Voor hoeláng?'

'Als het goed is, ben ik vrijdag weer terug,' zeg ik, maar daar reageert ze niet op. Ik had kunnen weten dat ik niet op haar kon rekenen. Een gewone moeder. Doe me een lol zeg. Er is niets gewoons aan Helene, laat staan iets moederachtigs.

'Nou,' zegt ze met een lange, ellendige zucht. 'Wat wil je dat ik doe?'

O, weet ik veel, Helene, misschien wat tijd met je kleindochters doorbrengen? Voor de verandering misschien eens een echte oma zijn en niet alleen met kerst en verjaardagen binnen komen wandelen met armen vol cadeautjes en een mond vol kritiek?

'Nou, zou je de middagen op de meiden kunnen passen tot Bill thuiskomt? Ik kan regelen dat ze tot vier uur naar de naschoolse opvang kunnen, maar dan moet je ze ophalen, ze te eten geven, Janie met haar huiswerk helpen en, nou ja, gewoon bij ze zijn.' Terwijl ik dit zeg, besef ik hoe volkomen belachelijk het klinkt. Ze zal er nooit mee instemmen om dit te doen. Ik weet niet eens of ze wel in staat is om het te doen.

'Nou, já, het is wel érg kort dag,' zegt ze uiteindelijk na een lange stilte. 'Dan móét ik mijn héle agenda voor de wéék omgooien. Op donderdagmiddag laat ik mijn háár altijd doen en dinsdag om viér uur áltijd mijn nágels. Ik wéét niet eens of ze 's óchtends wel kán.'

Goed. Natuurlijk. God verhoede dat ze haar manicure een week overslaat. Dat zou veel erger zijn dan dat er niemand op haar enige kleinkinderen kan passen. 'Laat maar, Helene,' zeg ik vlug. 'Ik regel wel iets anders. Toch bedankt.'

'Ik was nog niet úítgesproken, Sárah,' onderbreekt ze me. 'Ik wílde zeggen dat ik aanneem dat de mánicuurster ook naar júllie huis kan komen en dan kunnen de méíden en ik samen onze nágels laten doen. Dát is gezellig. Tróúwens, het zal goed zijn om eens wat tijd samen door te brengen. Dan krijg ik eens de kans om te zien wat er écht in hun leven speelt en dan kan ik mísschien wat wíjsheden op ze overbrengen. Is dat niet wat óma's horen te dóén? En ik kan Sónya meenemen. Dan kan zij kóken.'

Ik ben zo geschokt dat ik geen woord meer uit kan brengen.

'Sárah?' vraagt ze. 'Bén je er nog?'

'Ja,' zeg ik en ik doe net alsof ik moet hoesten. 'Sorry, er zat iets in mijn keel.' Ik doe alsof ik mijn keel schraap. 'Ik weet niet wat ik moet zeggen, Helene. Ik waardeer dit enorm.'

'O, héús, Sarah,' zegt ze. 'Je zou mínstens kunnen próberen om niet zo verbaasd te klínken.'

Nadat ik heb opgehangen, blijf ik even op mijn bed zitten om te kunnen bevatten wat er zojuist is gebeurd. O, Sarah, zeg ik tegen mezelf, dit komt je duur te staan. Dit komt je erg duur te staan.

LAYNIE

'Hoi, Gina, met mij,' zeg ik.

'Laynie!' antwoordt Gina. 'Is alles goed? Heb je de aardbeving gevoeld? Jemig, bel je om te vragen hoe het met mij is? Op zaterdag? Wat lief. Je bent zo'n geweldige baas.' Oké, nu voel ik me klote.

'Nou, eh, ja natuurlijk belde ik om te vragen hoe het met je is, want ik wilde er zeker van zijn dat alles in orde is, maar ik wilde je ook laten weten dat ik maandag niet kom. En de rest van de week ook niet.'

Gina lacht. 'Ik maakte maar een grapje,' zegt ze. 'Ik wist wel dat je niet belde om te checken hoe het met me was. Alsjeblieft zeg, dit is Los Angeles, mensen geven hier geen reet om anderen. Eens raden, je zit nog steeds in New Jersey en je kunt geen vlucht krijgen omdat het vliegveld dicht is?'

'Helemaal goed,' zeg ik. Terwijl ik mijn situatie toelicht en haar vertel wat ze op kantoor allemaal moet doen als ik er niet ben, vibreert mijn telefoon omdat ik een e-mail heb ontvangen. Mijn maag draait zich om; het is al meer dan een uur geleden sinds ik Jay heb voorgesteld om langs te komen en mijn verbeelding gaat met me op de loop. Ik begon vrij redelijk en dacht gewoon dat hij geen zin had in bezoek van mij, dat hij misschien alleen maar chat omdat het afstandelijk en vrijblijvend is. Maar toen de minuten zonder antwoord voorbij tikten, begon ik verschillende scenario's te bedenken. Misschien heeft hij een lichamelijke afwijking en wil hij niet dat ik die zie. Misschien heeft hij straatvrees en komt hij nooit buiten. Misschien heeft hij huisarrest en draagt hij een enkelband. Misschien zit zijn huis onder de kattenharen en stinkt het er naar kattenpis. Misschien is hij zo iemand die nooit wat weggooit en op de bank moet slapen omdat hij niet meer bij zijn bed kan. Dat heb ik eens bij *Oprah* gezien. Echt eng.

Ik druk op een toets om het telefoonscherm af te sluiten en naar mijn e-mail te gaan.

Gesprek afbreken wanneer u naar het bureaublad gaat? wil mijn Blackberry weten.

Nee, nee. Gina kletst maar door en probeert me ervan te verzekeren dat ze goed in staat is het fort te bewaken terwijl ik weg ben, maar ik luister niet meer naar haar.

Cactusjuicejay, staat er in mijn inbox. Re: bezoek. Mijn maag draait zich om. Kom op, zeg ik tegen mezelf. Het ergste dat hij kan schrijven, is dat hij niet wil dat ik kom en zo erg is dat nu ook weer niet. Dan is alles tenminste voorbij. Ik zou weten dat hij de ware niet is, met Ethan trouwen en verder met mijn leven gaan, zoals het ook zou horen, zonder de enorme afleiding van deze vreemdeling waardoor ik mijn gevoelens over alles in twijfel trek. Lekker belangrijk, ik heb een privéjet afgeslagen. Ik zou Ethan nog kunnen bellen om te zeggen dat ik van gedachten ben veranderd. Dat zou hem niet kunnen schelen. Sterker nog, hij zou het geweldig vinden. Weet je wat? Vergeet het maar. Ik hoop dat Jay zegt dat hij niet wil dat ik kom. Ik hoop dat hij zegt dat hij op de Elephant Man lijkt, of dat hij het syndroom van Gilles de Los Angeles Tourette heeft. Nee, wacht, beter nog, ik hoop dat het een klootzak is. Ik hoop dat hij zegt dat hij me niet wil ontmoeten en dat hij onze chats gewoon heeft gebruikt om de tijd mee te doden. Dat zou geweldig zijn. Dat zou perfect zijn.

Ik heb de hele tijd maar met een half oor naar Gina geluisterd die iets uitlegt over het opnemen van de audities en ze naar een beveiligde website te downloaden zodat ik ze op mijn Blackberry kan bekijken.

'Ik vind het helemaal niet erg,' zegt ze. 'Het is goed voor mijn ervaring om een paar audities te doen en dan kun jij de beslissing nemen, het zou...' Ik onderbreek haar.

'Weet je, Gina, het doet er misschien niet toe. Misschien kan ik hier toch nog wegkomen. Ik krijg er net een e-mail over binnen, even kijken wat erin staat.'

Wees een klootzak, denk ik als ik het mailtje open. Wees een enorme, verschrikkelijke klootzak.

> Wat ik ervan vind? Meen je dat echt? Ik kan maar aan één ding denken: ja! Ja, ik zou je dolgraag willen ontmoeten. Ik wil je al sinds onze eerste chat ontmoeten, maar ik durfde het niet voor te stellen, want ik wilde niet dat je zou denken dat ik een of andere zieke geest was die meiden in chatrooms oppikt. Ik vind ook dat dit een teken is. Het zou verkeerd zijn om er niets mee te doen. In het leven vertellen tekens ons wat we moeten doen. Ik moet wel toegeven dat ik zenuwachtig ben. Ik vind het zo leuk om met je te chatten, het is net alsof jij een betere vriendin bent dan veel van mijn vrienden die ik elke dag zie en dat wil ik niet verpesten. Maar ik ben bereid de gok te wagen. Ik wil je in het echt leren kennen en ik wil dat jij mij leert kennen. Zodat je weet wie ik ben, waar ik woon en hoe ik leef. Het is hier een totaal andere wereld, een heel andere manier om het leven te ervaren. Ik weet dat je grappen over NM maakt, maar sta er alsjeblieft voor open. Misschien heb ik geluk en wil je wel blijven...

Shit. Laat het maar aan mij over om de enige vent in cyberspace te vinden die absoluut, volkomen perfect is. Ik zweer dat hij er nog uitziet als Tom Cruise ook.

'Laat maar,' zeg ik tegen Gina. 'Het ziet ernaar uit dat ik toch naar huis moet rijden.'

DEEL DRIE

14 LAYNIE

We zijn halverwege richting Ohio voor een van ons iets zegt. Ik denk dat het moeilijker was dan ze had gedacht, afscheid nemen van het huis. Zelfs ik had niet verwacht dat het zo moeilijk zou zijn om de kamers zo leeg te zien: de kale muren, de bekraste vloeren, de vale vloerbedekking, het was net een lijk. Zonder meubels, zonder rommel, zonder enig teken van leven, was het er zo stil dat je bijna de echo van de afgelopen dertig jaar kon horen; alsof de jaren leefden en wilden ontsnappen aan dezelfde muren die ze gevangen hielden. Terwijl ik voor het laatst door elke kamer liep en alle maten, details en de typische geur in mijn geheugen probeerde te griffen, merkte ik dat ik me dingen herinnerde waarvan ik niet wist dat ik ze had onthouden. Toen ik vier was, zette ik mijn pluchen beesten altijd tegen die muur. In die hoek daar telde ik altijd tot tien als Sarah en ik verstoppertje speelden. Over deze trede ben ik gevallen en een tand kwijtgeraakt toen ik negen was. Dat gat in de houten lambrisering is van die keer dat mijn moeder een schaal naar pap gooide en ik gillend naar boven ben gerend. En die punaisegaatjes in de muur zijn van de Ralph Macchio-poster die Sarah en ik elke avond kusten voordat we naar bed gingen.

Ik zat te janken en mam kwam naar buiten en ging naast me op het trapje naar de voordeur zitten. Sarah was binnen om foto's van de lege kamers te nemen.

'Ik herinner me nog dat Sarah en jij soms buitengesloten waren als jullie uit school kwamen. Dan belde je me vanaf de buren en haastte ik me van mijn werk naar huis en dan zaten jullie hier op dit trapje op me te wachten.'

'Mevrouw DeMaria werd altijd zo kwaad op je,' bracht ik haar in herinnering. 'Wat voor moeder laat haar kinderen na school naar een leeg huis komen?' Ik zei het met een hoog stemmetje om de voormalige buurvrouw na te doen en mam lachte.

'Die vrouw spoorde niet,' zei ze. 'Ze had een telescoop in haar slaapkamer staan en je vader en ik betrapten haar weleens als ze ons stond te begluren. Hij vond het erg grappig. Dan deed hij al zijn kleren uit en ging voor het raam staan om naar haar te zwaaien.'

'Echt waar?' vroeg ik. 'Waarom heb je me dat nooit eerder verteld?'

Mam haalde haar schouders op. 'Weet ik niet, het leek me niet erg geschikt om te vertellen toen je zeven was en nadat ze zijn verhuisd ben ik het waarschijnlijk vergeten.'

We hadden allebei voor ons uit gekeken, maar toen had mam zich omgedraaid en me recht aangekeken.

'Ik hoop dat je weet hoeveel ik van je hou, Laynie,' had ze gezegd. Ik vroeg me af of Sarah had verteld dat ik boos op haar was. Ik wilde haar mijn kant van het verhaal vertellen, maar ik wist dat als ik zou antwoorden – als ik ook maar iets zou proberen te zeggen – ik weer zou gaan huilen. Dus knikte ik. En toen pakte ze mijn hand en hield die vast en ik liet mijn hoofd op haar schouder rustten en zo zaten we daar, zonder een woord te zeggen, tot Sarah naar buiten kwam en aankondigde dat ze klaar was om te vertrekken.

'We zijn in de buurt van Somerset,' zegt Sarah, waarmee eindelijk de stilte in de auto wordt verbroken. Ik kijk op mijn horloge, het is iets na enen wat betekent dat we al meer dan vier uur onderweg zijn. Ze kijkt weer naar me. 'Het staat op ons schema,' legt ze uit. 'Hier zouden we moeten lunchen.'

'Ik heb eigenlijk nog niet zo'n honger,' zeg ik tegen haar.

'Toch kunnen we beter stoppen, misschien is er de komende kilometers niets te vinden.'

'Oké, dan stoppen we. Maar kunnen we het vlug doen? Ik wil graag weer verder.'

'Hier,' zegt ze en ze duwt de TripTik op mijn schoot. 'Mike heeft een paar restaurants omcirkeld, kies er maar een uit en zeg hoe ik er moet komen. De afrit is over drie kilometer.' Ik bestudeer de lijst met de door de AAA goedgekeurde restaurants: het Pine Grill restaurant, het Hoss Steak and Sea House, het Kings Family Restaurant. Die klinken allemaal alsof het eeuwig gaat duren. Als Sarah de afrit af rijdt, zie ik een bord van de Pizza Hut in de verte opdoemen.

'Daar,' zeg ik en ik wijs ernaar. 'Daar zit een Pizza Hut, laten we daar heen gaan.' Sarah fronst haar voorhoofd.

'Dat stond niet op de lijst,' zegt ze en ik kijk haar aan.

'Het is een Pizza Hut,' zeg ik. 'Ik hoef de goedkeuring van de AAA niet.'

'Prima,' zegt ze zuchtend en ze draait de auto in de richting van het bord. 'Maar ik ga niet iedere keer zo eten. Ik heb geen zin om onderweg vijf kilo aan te komen.'

We zetten de auto op de parkeerplaats en als we het restaurant in lopen, zie ik een rommelige saladbar gevuld met verschrompelde sla en papperige tomaten.

'Kijk,' zeg ik en ik wijs het Sarah aan. 'Kun je toch nog gezond doen.'

Ze trekt haar wenkbrauwen op en nadat we pizza hebben besteld, gaan we aan een tafel met een plastic zwart-witgeruit tafelkleedje zitten. Sarah speelt met haar rietje en kijkt me vervolgens aan. 'Heb je weleens eerder zo'n autoreis gemaakt?' vraagt ze. 'Een echte?'

'Ja, hoor. Ik ben weleens met een paar vrienden van Los Angeles naar Salt Lake City gereden toen ik nog studeerde. En in de voorjaarsvakantie van het laatste jaar van de middelbare school zijn we met zijn achten naar Hilton Head gereden. Dave Turner had een oud busje en we moesten om de beurt op de grond zitten omdat er niet genoeg plek was, de motor maakte echt een vreselijk geluid en ik was ervan overtuigd dat hij zou ontploffen en dat we er allemaal zouden zijn geweest.' Ik was die reis helemaal vergeten en ik glimlach nu ik eraan terugdenk. Heather Maloney was erbij en op een avond zijn we zo dronken geworden dat we het hotel niet konden vinden, dus hebben we op het strand geslapen, op het zand. Ze dwong me lepeltje-lepeltje te gaan liggen want ze was bang dat een van ons zou worden ontvoerd terwijl de ander sliep. Ze zei dat als we elkaar aanraakten we zouden voelen wanneer de ander weg zou worden gehaald. Ik weet niet wie ze dacht dat er op Hilton Head-eiland interesse zou hebben in twee dronken meiden uit New Jersey, maar Heather dacht altijd dat er iemand achter haar aanzat. Ik moet haar echt eens googelen om erachter te komen wat ze tegenwoordig doet.

'Ik wilde dat ik dat soort dingen had gedaan,' geeft Sarah toe. 'Ik was veel te gespannen toen ik jong was. Ik was zo bang dat ik in de problemen zou raken en dat het niet goed zou staan als ik naar de universiteit wilde. Ik ben een hoop lol misgelopen.'

'Je leven is nog niet voorbij,' zeg ik tegen haar. 'Je bent ook weer niet zo oud dat je geen lol meer kunt trappen.'

Maar ze schudt haar hoofd. 'Nee, dat zou niet hetzelfde zijn. Ik heb nu mijn verantwoordelijkheden. Ik heb kinderen. Ik kan niet zomaar een autoreis maken.'

Met samengeknepen ogen kijk ik haar aan. 'Hallo? Je bent nu een autoreis aan het maken. Ik wil wel dronken met je worden als je dat wilt.'

Sarah lacht en wuift het idee met haar hand weg. 'Ik drink bijna nooit meer. Er is geen lol aan als je weet dat je de volgende ochtend om zeven uur op moet om het ontbijt en kunstprojectjes te maken en "mammie en baby zijn in het ziekenhuis" moet spelen met een vijfjarige. Bovendien is er iets met mijn lichaam gebeurd sinds ik vijfendertig ben. Het duurt een week eer ik hersteld ben van een avondje uit. Je zult het wel merken,' zegt ze. 'Het gebeurt bij jou ook.'

'Wauw,' zeg ik. 'Wat schilder jij een aantrekkelijk beeld van het ouderschap. Ik ga vlug naar huis om zwanger te raken.'

'Ja, eh, nou, het heet volwassen zijn. Dat is wat er gebeurt.'

Nu zou ik dat makkelijk zo op kunnen vatten dat ik onvolwassen ben, maar ik laat het van me af glijden. Ik heb afgesproken dat we geen ruzie zouden maken en bovendien ben ik emotioneel nog steeds uitgeput van vanmorgen. Ik heb gewoon geen puf om op dit moment ruzie te maken. 'Oké, misschien heb je het nog niet gemerkt, maar je kinderen zijn er niet, dus hoef je je 's ochtends na het opstaan ook niet met ze bezig te houden. Maar we kunnen natuurlijk ook lol maken zonder te drinken als je dat liever doet. Ik bedoel, het is moeilijker, maar ik weet zeker dat we iets kunnen verzinnen. We kunnen mensen onze blote billen laten zien. Een naakt achterste is altijd goed voor een beetje lol.'

'Oké,' zegt ze bereidwillig. 'Maar alleen als jij het eerst doet. Ik ben niet van plan om in de val te lopen.'

'Je vertrouwt me voor geen cent, hè?' vraag ik.

Sarah trekt haar wenkbrauwen op. 'Ik weet niet wat ik van je moet denken, Laynie. Vraag het me maar als we weer in Los Angeles zijn. Misschien ben ik er tegen het einde van deze reis achter.'

SARAH

Het is zo lang geleden dat ik een kamer met Laynie heb gedeeld. De laatste keer was waarschijnlijk in de hoogste klas van de middelbare school. Toen zijn we met zijn vieren in de kerstvakantie naar de Bahama's geweest en hadden we twee aangrenzende kamers. Ma en pa in de ene en Laynie en ik in de andere kamer. Alleen had Laynie een jongen uit Toronto ontmoet en is ze de hele vakantie bezig geweest om van en naar zijn kamer te sluipen, dus technisch gezien kun je misschien niet echt zeggen dat we een kamer hebben gedeeld. Toen ik wat jonger was, voordat ma en pa het appartement kochten waar pa nu woont, hadden ze echter een ander appartement aan de boulevard in Atlantic City. Het was erg klein, slechts één kamer met een kitchenette en een badkamer, en met zijn vieren brachten we daar de hele vakantie door. Nou ja, ma, Laynie en ik waren daar altijd de hele vakantie en pa kwam elke donderdagavond met de auto naar ons toe en hij reed elke zondag na het eten weer terug.

Maar ik was dol op die plek, want alles zat er verstopt. Als er iemand op bezoek kwam, was het eerste dat ze vroegen altijd waar slapen jullie allemaal en waar eten jullie want op het eerste gezicht leek het gewoon een kamer met een bank en een paar kastjes. Het liefst liet ik mensen zien hoe de ruimte van een huiskamer in een keuken in een slaapkamer en weer in een huiskamer kon veranderen. Ik voelde me net een goochelaar die een show opvoerde. Ik zat op een van de bruine, met stof beklede stoelen en dan demonstreerde ik voilà hoe ze in twee bedden veranderden. Het witte aanrecht tegen de muur daar? Kijkt u eens. En dan reed ik het naar het midden van de kamer waar ik op theatrale wijze de zijkanten naar boven klapte en een keukentafel voor vier personen onthulde samen met de regisseursstoelen die in een smalle kast waren opgeborgen. Met slechts een tikje van mijn pols kon een lange smalle kast in een bureau worden veranderd. Maar net als elke goede goochelaar bewaarde ik mijn beste truc voor het laatst. Ik ging tegen de achterste muur van het appartement staan en gleed met mijn hand over de muur tot ik de verborgen, witte handgreep had gevonden. Dan stapte ik opzij en trok uit alle macht en presto! kwam er een groot tweepersoonsopklapbed naar beneden waar ma en pa sliepen. Ik lach hardop als ik me het applaus herinner dat ik altijd kreeg.

'Zit er iets grappigs in je toilettas?' roept Laynie. Door haar stem schrik ik op uit mijn mijmeringen en ik kijk om me heen in de grimmige, witte badkamer van de motelkamer. De voegen tussen de tegels zijn geel geworden en het plastic douchegordijn heeft een saaie tint grijs. Als deze plek al door de AAA wordt aanbevolen, zou ik niet graag naar een plek gaan die het niet heeft gehaald.

'Nee,' zeg ik als ik de slaapkamer weer in loop. 'Ik moest denken aan dat appartement dat we vroeger in Atlantic City hadden. Kun je je dat nog herinneren? Met dat opklapbed?'

Laynie ligt op een van de twee tweepersoonsbedden in de motelkamer en houdt de afstandsbediening op de tv gericht om naar de verschillende zenders te zappen.

'Natuurlijk herinner ik me dat nog,' zegt ze zonder haar blik van de tv te halen. 'Het was er zo gettoachtig. Bijna net zo erg als deze troep. Niet te geloven, toch, dat we de hele zomer met zijn allen in één klein kamertje sliepen?' Ze legt de afstandsbediening neer nadat ze een herhaling van *Designing Women* heeft gevonden.

'Het was er leuk,' zeg ik defensief. 'Weet je nog dat prinses Diana en prins Charles trouwden en dat mam ons midden in de nacht wakker maakte om naar de tv te kijken?'

Laynie snuift verachtelijk. 'O, ja. Dat is ook zo. En we gingen elke avond naar die speelhal op de boulevard om skibal te spelen. Herinner je je dat spel met die stuivers nog? Er zaten allemaal van die richeltjes en je moest er een stuiver ingooien en proberen de andere stuivers eraf te tikken. Lieve hemel, ik was verslaafd aan dat spel. Ik bewaarde echt elke stuiver die ik kon vinden.'

'Precies!' roep ik als ik me ineens alles weer herinner; de knipperende lampjes, de kakofonie van piepjes en fluitjes van de speelhalspelletjes en de opwinding van het tellen van onze kaartjes elke avond voordat we naar

bed gingen. 'En weet je nog dat we alle kaartjes die we de hele zomer won-
nen, opspaarden en dat mam ze in Labor Day-weekend allemaal in onze
grote strandemmer deed om een van de grote prijzen achter de toonbank
uit te zoeken?'

Laynie knikt en herinnert het zich ook. 'Ik heb een keer een transistor-
radio gekregen,' zegt ze. 'Het kostte zo'n vierduizend kaartjes. Waarschijnlijk hadden we dezelfde voor tien dollar ergens anders kunnen kopen.' Ik
schud mijn hoofd.

'Ik kan niet geloven dat we van ma de hele zomer in een speelhal mochten zitten. Ik zie het al voor me dat Jessie in de herfst naar school gaat en
op Caldwell vertelt dat ze de hele zomervakantie een fruitmachinespel
heeft gespeeld. We zouden er binnen vijf minuten af worden getrapt.'

Laynie scheurt zichzelf net lang genoeg van de tv weg om me aan te kijken.

'Echt?' vraagt ze. Ze heeft haar neus opgetrokken alsof ze net iets vies
heeft geroken.

'Nou, ik weet niet of ze ons er echt af zouden trappen, maar schandalig
zouden ze het wel vinden.'

'Schandalig? Is schandalig niet als een student met een leraar naar bed
gaat, als er een groep is die spiekt of als een moeder een cheerleader
ombrengt zodat haar dochter een plek in het team kan krijgen? Ik bedoel,
wordt een zomer in een speelhal echt als een schandaal beschouwd?'

Ik sla mijn ogen ten hemel. Waarom moet ze alles wat ik zeg altijd zo
letterlijk opvatten? 'Natuurlijk overdrijf ik,' zeg ik. 'Maar tegenwoordig is
alles zo anders. De mensen laten hun kinderen niet meer de hele zomer
thuiszitten en nietsdoen. Ze gaan naar een sportkamp of een toneelkamp,
ze leren paardrijden of tennissen. Mensen houden hun kinderen tegenwoordig bezig. Over het algemeen laten ze ze niet in een speelhal rondhangen.'

'Mensen?' vraagt ze pinnig. 'Bedoel je de mensen in Los Angeles die hun
kinderen naar privéscholen sturen?'

'Nee,' zeg ik op hetzelfde zelfvoldane toontje. 'Ik bedoel alle mensen.
Mensen in het algemeen.'

'O, ja?' vraagt Laynie spottend. 'Jij denkt dat mensen in het algemeen hun kinderen naar een toneelkamp sturen? Wacht, waar zijn we? Columbus, Ohio. Denk je dat de mensen hier hun kinderen naar paardrijles en tennisles sturen als ze in de tweede klas zitten? Je denkt niet dat dat misschien voorbehouden is aan rijke mensen?'

Ik sla mijn ogen weer ten hemel. 'Natuurlijk zijn er gradaties in wat mensen zich kunnen veroorloven. Ik zeg alleen dat de meeste mensen hun kinderen in de zomer iets laten doen zodat ze niet als een troep wilde dieren op straat rondhangen. Waarom val je mij hier trouwens over aan? Wat kan jou het schelen wat kinderen 's zomers doen?'

'Ik val jou niet aan,' antwoordt ze. 'Ik wil je alleen maar duidelijk maken dat jij niet in een typische omgeving woont, en dat is prima, maar je zou in elk geval moeten inzien dat het niet typisch is.'

O god, dit kan ze niet menen. 'Dat meen je niet,' zeg ik. 'Denk je dat ik niet inzie dat het niet typisch is dat vrouwen die niet werken een fulltime nanny per kind hebben? Je denkt dat ik niet inzie dat het niet typisch voor moeders is om Tory Burch-blousejes en Van Cleef-kettingen te dragen als ze de kinderen 's ochtends naar school brengen? Jij denkt dat ik niet inzie dat het niet typisch is voor moeders die niet werken dat ze niet weten hoe hun wasmachine werkt?' Ik besef dat mijn stem steeds hoger wordt en dat hij schel klinkt dus hou ik op met praten en kijk Laynie voor een reactie aan. Ze staart me aan en ik zie dat ze probeert uit te vissen waar die uitbarsting vandaan kwam.

'Waarom doe je je kinderen daar dan heen?' vraagt ze uiteindelijk.

O, weet ik veel, misschien omdat de openbare school in onze buurt een van de slechtste resultaten van de hele stad heeft, en Bill en ik een privéschool zelf niet kunnen betalen en Helene heeft gezegd dat zij zou helpen als we de meiden naar Caldwell zouden doen? Hoe vind je dat, Laynie? Is dat een goede reden? Maar dat zeg ik niet. Noem me trots, noem me koppig, maar ik wil niet dat zij weet dat we geldproblemen hebben. Ze is altijd zo zelfvoldaan geweest over haar investeringen en haar spaargeld: toen ze op de middenschool zat, keurde ze het al af dat ik mijn zakgeld gebruikte om naar de film te gaan in plaats van GE-aandelen te kopen. Echt, het laatste waar ik nu op zit te wachten is een preek van haar over meer uitgeven dan je hebt. Ze is mijn accountant niet.

'Omdat het een geweldige school is,' antwoord ik met een citaat uit de Caldwell-brochure. 'Vijfentachtig procent van de leerlingen gaat na het behalen van het diploma naar een Ivy League-universiteit. Caldwell heeft hooggerechtshofrechters, ministers, ambassadeurs en CEO's van Fortune 500-bedrijven voortgebracht. Het is het Exeter van de west-kust.'

Laynie kijkt me verbaasd aan en ik vermijd oogcontact terwijl ik de sprei van het bed trek. Ik ga nooit op die dingen liggen. Ze worden nooit gewassen en barsten van de bacteriën. Bij *Oprah* heb ik eens gezien dat er bedden in hotels werden getest en de spreien zaten vol sperma, uit-werpselen en andere gorigheid. En dat waren Holiday Inns en Sheratons en zo. Wie weet wat ze hier zouden hebben aangetroffen.

'Prima,' zegt ze en ze richt zich weer op *Designing Women*. 'Wat je maar helpt om te...'

'Nee, hè!' onderbreek ik haar schreeuwend. 'Jakkes!'

Laynie springt van haar bed. 'Wat? Wat is er?'

Ik ben te geschokt om wat te zeggen, dus knijp ik mijn ogen dicht en wijs naar het bed. Ik hoor haar diep inademen. 'Gadver,' zegt ze.

Ik doe mijn ogen weer open en kijk naar het bed. De rand van het witte laken is netjes teruggevouwen en net onder de vouw zit een enorme bloed-vlek ter grootte van een onderbord. Hij is roodbruin van kleur en heeft de vorm van een perfecte cirkel alsof iemand een kompas heeft gebruikt om hem te maken.

Laynie lacht. 'Je wilt toch niet beweren dat het kamermeisje het bed heeft opgemaakt en die enorme bloedvlek op de lakens niet heeft gezien? Waar heb je dit hotel vandaan?'

'Van de AAA-lijst met goedgekeurde hotels,' zeg ik.

'Ja, nou, daar stonden ook een Radisson en een Marriott op. Waarom heb je die niet geprobeerd?'

'We zijn hier maar acht uur,' leg ik uit. 'Ik vond het niet nodig om twee-honderdvijftig dollar per nacht uit te geven. Trouwens, ik heb het Days Inn en het Hampton Inn gebeld en die zaten allebei vol.'

Laynie buigt zich voorover om de bloedvlek beter te kunnen inspecte-ren. 'Het is vreemd dat hij zo perfect is. Het doet me denken aan een graancirkel.' Dan zegt ze fluisterend: 'Denk je dat er iemand door buiten-aardse wezens is vermoord?'

'Dat kan me niet schelen,' zeg ik en ik pak de telefoon. 'Ik wil een ande-re kamer.' Ik draai het nummer van de receptie en wacht tot de vrouw opneemt.

'Met de receptie,' zegt de receptioniste langzaam. 'Kan ik u ergens mee van dienst zijn?'

'Ja,' zeg ik. 'Ik zit in kamer 124 en er zit een enorme bloedvlek op het laken van een van de bedden.'

'Een wat?'

'Een bloedvlek,' herhaal ik langzaam, elke lettergreep duidelijk uitspre-kend.

'Weet u het zeker?' vraagt ze.

'Ja, heel zeker. U mag zelf komen kijken. Maar ik slaap hier niet. Ik wil een andere kamer.'

'O,' zegt ze. Aan de toon van haar stem hoor ik dat er een probleem is. 'Het spijt me, maar we zitten vol. Alle zestig kamers zijn bezet. U hebt de laatste gekregen.'

'Jullie zitten vol,' zeg ik. Ik vind het moeilijk te geloven dat er negenen-vijftig andere mensen zijn die in deze meuk willen verblijven.

'Eh, eh. Elk hotel in Columbus zit bijna vol. Dit weekend wordt het Aziatische festival gehouden.'

'Sorry, het wat?'

'Het Aziatische festival. De viering van veertig verschillende Aziatische culturen. Een grote publiekstrekker in Columbus. Er komen mensen uit de wijde omtrek op af.' Ik kijk naar Laynie die mijn kant van het gesprek heeft gevolgd en ik herhaal weer wat de vrouw zei.

'Er is een Aziatisch festival. In Columbus, Ohio.'

Laynie lacht. 'Dat klopt,' zegt de receptioniste alsof dit werkelijk ergens op slaat.

Ik zucht. 'Goed, zou u dan alstublieft iemand kunnen sturen om de lakens te verschonen?'

'Het spijt me, maar er is niemand van de huishouddienst meer aanwe-zig.' Ik kijk op mijn horloge. Het is halfelf.

'Misschien hebt u me niet goed begrepen. Er zit een bloedvlek ter grootte van een hond op mijn bed. Ik ga daar niet op slapen. Zou u daarop gaan slapen?'

'Nee, mevrouw, dat zou ik ook niet doen, maar zoals ik al zei, er is niemand van de huishouddienst meer aanwezig. Om zes uur zijn ze er weer. Dan kan ik wel iemand sturen om de lakens te verschonen.'

'Nee,' zeg ik en ik probeer me in te houden. 'Dat is geen oplossing. Een opvouwbed, kan ik dat misschien krijgen?'

'Nou, dat zou kunnen, maar die staan bij de huishouddienst en die zijn er niet.'

'Is er een manager die ik kan spreken?' vraag ik.

'Nou, mevrouw, ik ben de nachtmanager. Maar de directeur is hier morgen weer. Om zes uur.'

Ik sluit mijn ogen en zucht luidruchtig. 'Oké, dan kun je de directeur om zes uur vertellen dat ik niet voor deze kamer betaal.' Ik gooi de haak er gefrustreerd op en kijk naar Laynie wier glimlach snel verdwijnt.

'Opschuiven,' zeg ik tegen haar. 'Je krijgt een bedgenoot.'

LAYNIE

Ik weet niet hoe Bill een bed met haar kan delen. Ik ken niemand anders die in bed zoveel beweegt en zoveel geluid maakt. Ze woelt en draait, zucht en legt haar kussens anders neer en net als ik denk dat ze eindelijk goed ligt en ik op het punt sta in slaap te vallen, gaat ze rechtop zitten en begint ze te hoesten alsof ze een stoflong heeft. Het is om gek van te worden.

Maar ik neem aan dat ik toch niet veel zou hebben geslapen. Mijn gedachten schieten alle kanten op. Ik blijf maar denken aan het huis, aan ma en pa, aan Ethan, aan mijn werk en aan Jay natuurlijk. Ik kan nog steeds niet geloven dat ik hem ga ontmoeten. Ik bedoel, zodra ik hem ontmoet, wordt dit echt. En wat gebeurt er als ik hem echt heel leuk vind? Zou ik echt zomaar mijn baan op kunnen zeggen, bij Ethan weg kunnen gaan en naar New Mexico kunnen verhuizen? Ik kan me niet voorstellen dat ik zoiets drastisch zou doen, maar tegelijkertijd vind ik het toch ongelofelijk aantrekkelijk. Het idee om opnieuw te beginnen met een nieuwe carrière, in een nieuwe stad, met een nieuwe vriend, en – wat stond er ook alweer in zijn e-mail? Een heel andere manier om het leven te ervaren. Wist ik maar wat dat betekende.

Sarah draait zich woest om en het hele bed schudt. Ze ligt nu met haar gezicht naar me toe en in het donker kan ik het gezicht onderscheiden dat ze als kind had. Ik kan me nog levendig herinneren hoe dat gezicht me commandeerde en kleineerde waardoor ik haar gefrustreerd wilde stompen. Ik herinner me nog dat ik dat gezicht zo haatte dat het pijn deed en dat ik me vervolgens zo schaamde dat ik zelfs een hekel aan mezelf kreeg. Toch mis ik dat gezicht best wel. Ik mis het net zoals ik het mis om kind te zijn en bij mijn vader en moeder te wonen. Alles was toen zo makkelijk en eenvoudig: toen was mijn grootste probleem dat ik mijn grote zus haatte. Toen waren alle grote onbeantwoorde vragen nog niet op mij van toepassing.

En zomaar ineens voel ik dat de tranen over mijn wangen stromen. Ik wist dat het zou gebeuren. Ik houd ze al twee dagen in en zelfs ik ben verbaasd dat het niet eerder is gebeurd. Ik draai me om zodat ik met mijn rug naar Sarah toe lig en de sluizen gaan open. Mijn hele lichaam trilt: ik doe zo mijn best om me in te houden, om stil te zijn, om Sarah niet wakker te maken, maar ik huil zo hard en om zoveel verschillende dingen. Ik heb mezelf niet meer in de hand.

Natuurlijk wordt Sarah wakker. Ik hoor dat ze wakker schrikt en ik voel dat ze niet snapt waar ze is. Het duurt even voordat ze weer weet waar we zijn en waarom ze met mij in een bed ligt voor het eindelijk tot haar doordringt dat ik lig te snikken.

'Laynie,' fluistert ze. Haar stem klinkt versuft. 'Gaat het wel?'

'Ja, hoor,' krijg ik net over mijn lippen zonder me om te draaien. 'Ga maar weer slapen.'

Maar daar trapt ze niet in. Ze gaat rechtop zitten en buigt zich over me heen zodat ze mijn gezicht kan zien. 'Waarom huil je?' fluistert ze.

'Niets aan de hand,' zeg ik. 'Ik moet ongesteld worden.'

Ze gaat weer liggen. 'Weet je het zeker?'

'Ja,' zeg ik. 'Dank je.' Zelfs zonder te kijken weet ik dat ze op haar rug ligt, met haar ogen open en naar elk snufje luistert en het geeft me zo'n ongemakkelijk gevoel dat ik niet eens meer kan huilen. Ik verstijf omdat ik weet dat ze me wil knuffelen. Maar de knuffel komt niet en even later lukt het me weer om te ontspannen.

'Ik ben ook verdrietig,' fluistert Sarah.

'Waarover?' vraag ik terwijl ik nog steeds doe alsof er niets aan de hand is.

'Pa en ma. Het huis. Alles.' Ik ga op mijn rug liggen en staar naar het plafond.

'Ja,' zucht ik en ik laat de schijnvertoning achterwege. 'De verkoop van het huis vind ik nog het ergst. Ik kan niet geloven dat het niet meer van ons is. Het is zo raar. Ik blijf maar denken dat als ik er ooit nog eens langsrijd, hoe ik de oprit dan voorbij kan rijden? Hoe kan ik niet stoppen en naar de voordeur lopen en de trap naar mijn kamer op rennen? Hoe kunnen we kerst ergens anders vieren?'

'Ik weet het,' fluistert Sarah. 'Mam zei dat de mensen die het hebben gekocht twee jongetjes hebben. Ik zie steeds voor me dat onze kamers blauw worden geschilderd en dat er jongensspeelgoed door het hele huis ligt. Ik heb het gevoel dat ik het niet eens meer zou herkennen.' Ik zeg niets terug want van de gedachte dat mijn kamer blauw wordt geschilderd, krijg ik een brok in mijn keel. Maar Sarah lijkt het niet te merken. 'Ik ben blij dat ik foto's heb gemaakt,' zegt ze.

Ik heb ooit eens gelezen dat het voor ouders makkelijker is om met tieners 'schouder aan schouder' te praten dan zittend tegenover elkaar. Volgens mij was het in de wachtkamer van de gynaecologe waar niets anders te lezen lag dan *Parenting Magazine*. Of misschien was het *Parents Magazine*. Ik weet niet wat het verschil is. Hoe dan ook, ik snap het helemaal. Omdat ik Sarah niet aan hoef te kijken, is het een stuk makkelijker om met haar te praten. Als ik ooit kinderen krijg, moet ik onthouden dat het in het donker nog makkelijker is. En fluisteren. Ik vind het prettig om te fluisteren. Het is moeilijk om je stem ongevoelig of afkeurend te laten klinken als je fluistert. Ja, als ik tieners heb ga ik absoluut al mijn gesprekken op fluistertoon voeren in de bioscoop.

'Denk je dat ze ooit met iemand anders zullen trouwen?' fluister ik.

Sarah zucht. 'Ik hoop het. Ik zou het verschrikkelijk vinden als ze oud en eenzaam zouden zijn. Ik denk alleen dat het voor pa makkelijker is. Er moeten echt duizenden gescheiden vrouwen rondlopen die graag een aardige, stabiele man zouden treffen. Met zijn eigen haar.'

'Ik weet het niet,' zeg ik. 'De gedachte aan pa met een andere vrouw vind ik walgelijk. Ik bedoel, denk je dat ze dan ook zouden vrijen? En stel dat hij iemand krijgt die veel jonger is? Bijvoorbeeld iemand die net zo oud is als wij?'

Sarah is even stil alsof die gedachte nog niet bij haar is opgekomen. 'Ik denk niet dat pa zo is. Er lopen zoveel oudere mannen op Caldwell rond en dat zijn allemaal dezelfde types. Ze zijn rijk en onzeker en moeten iedereen bewijzen hoe jong en hip ze nog zijn, dus gaan ze naar bars en dure restaurants, trouwen met een groen blaadje, krijgen kinderen, maar ondertussen hebben ze kleinkinderen uit hun eerste huwelijk. Maar zo is pa niet. Zou je je hem voor kunnen stellen achter een Bugaboo?'

Ik snuif. 'Zou je hem in een bar kunnen voorstellen?' Sarah giechelt bij de gedachte. 'Nee, je hebt gelijk,' geef ik toe. 'Ik kan me hem eerder voorstellen met een pittige tante van vijfenzestig. Iemand met kort haar en felgekleurde broeken die hem commandeert en ervan overtuigt om naar Florida te verhuizen.'

Sarah lacht. 'Precies,' zegt ze.

Er valt een korte stilte – niet ongemakkelijk, we zijn alle twee gewoon in gedachten verzonken – en ik kijk vluchtig naar haar. Haar ogen zijn dicht en ik vraag me af of ze in slaap is gevallen.

'Sarah,' fluister ik.

'Ja?' Ze antwoordt te vlug en sliep dus nog niet. Waarschijnlijk lag ze gewoon met haar ogen dicht na te denken.

'Verlang jij er ooit weleens naar om opnieuw te beginnen?'

'Hoe bedoel je?' vraagt ze. 'Opnieuw beginnen?'

'Zoals ma. Je weet wel, een frisse start.'

Ze draait haar hoofd om en kijkt me aan. Ik kan het wit van haar ogen in het donker zien glimmen. 'Bedoel je bij Bill weggaan?' vraagt ze. 'Waarom vind je hem toch niet aardig? Wat heeft hij je ooit gedaan?' Ze fluistert niet langer en opeens is de hele ondertoon van het gesprek anders.

'Ik heb het niet over Bill,' zeg ik in een poging weer terug te gaan naar waar we waren. 'Ik bedoel in het algemeen. Heb je nooit ergens anders willen wonen of een andere weg in willen slaan?'

'Nee,' zegt ze boos en ze kijkt weer naar het plafond. 'Nog nooit.'

Ik zucht. Ik had het echt niet over Bill. We zijn allebei een paar minuten stil – deze keer is de stilte wel ongemakkelijk – en ik kijk op de klok. Het is bijna halfvier. Ik ben erg moe en ik heb totaal geen zin om hier nu op in te gaan, maar als ik het niet goedmaak, wordt het morgen in de auto echt een verschrikking. Sarah is zo koppig als een ezel en als ze boos is, zwijgt ze je dood. Ze is er nog goed in ook. Op kamp won ze de 'niet praten onder het eten'-wedstrijd zes jaar achter elkaar. Voor zover ik weet is dat record nog nooit verbroken. Toen ik op de middenschool zat, heeft ze eens een hele week niet tegen me gesproken omdat ik per ongeluk tegen ma had gezegd dat ze haar beste vriendin in mams gloednieuwe Volvo liet oefenen met autorijden. Ik kan me niet indenken hoelang ze het zou hebben volgehouden als ik haar expres in de problemen had gebracht.

'Ik heb geen hekel aan Bill,' fluister ik, de stilte doorbrekend. Maar het magische gemak van het donker is verdwenen en ze antwoordt me op datzelfde hatelijke, gewone toontje van d'r.

'Jawel, dat heb je wel,' zegt ze beschuldigend. 'Dat heb je zelf gezegd toen je hem net had ontmoet.'

'Jemig, Sarah, dat is meer dan tien jaar geleden. Doe me een lol.'

Sarah gaat zitten en kijkt me aan. Haar haar staat rechtovereind op de kruin op haar achterhoofd, net als toen ze nog klein was. Toen we nog tieners waren, was ze elke ochtend twintig minuten bezig om het glad te strijken en te bespuiten zodat het plat bleef zitten.

'Jou een lol doen? Meen je dat? Je doet niets anders dan ruziemaken, me veroordelen en kritiek leveren en dan moet ik jou een lol doen?'

O, daar gaan we weer. Alles is altijd Laynies schuld. Maar hier trap ik niet in. Als ik in de aanval ga, zegt ze dat ik me niet aan onze afspraak heb gehouden en vraagt ze me het hemd van het lijf over New Mexico.

'Ik veroordeel en bekritiseer je niet, Sarah,' zeg ik kalm. 'Ik weet niet eens waar je het over hebt.'

Sarah lacht. 'Denk je dat ik achterlijk ben?' vraagt ze me. 'Je hebt commentaar op het feit dat ik niet werk, op Bills familie, op de buurt waar ik woon en op de school waar ik mijn kinderen heen stuur. Denk je dat ik niet weet dat je me ziet als een sneue verraadster die een rijke vent is getrouwd, haar werk heeft opgezegd en is veranderd in een... *socialite*? Nou, ik heb nieuws voor je, Laynie. Je weet helemaal niets van mijn leven. En in plaats van met mij te praten, in plaats van ook maar iets om me te geven, bekijk je het vanuit jouw perfecte wereldje, veronderstel je van alles, klets je een hoop onzin en dan speel je de beledigde onschuld als iemand je erop aanspreekt.'

Ik heb geen flauw idee wat ik hierop moet zeggen. Mijn hoofd duizelt nog omdat ze 'jouw perfecte wereldje' zei. Denkt ze echt dat mijn leven perfect is? Ironischer kan het bijna niet? Mijn perfecte zus met haar perfecte dochters, haar perfecte huis, haar perfecte huwelijk en een perfecte relatie met onze moeder denkt dat haar leven een puinhoop is en ze is jaloers op mijn leven dat volledig op zijn kop staat? Dat kan niet. Dat is technisch gezien onmogelijk.

'Je hebt het mis, Sarah,' zeg ik nog steeds kalm. 'Ik denk die dingen helemaal niet over je.'

'O, echt niet?' vraagt ze. 'Dus die opmerking die je net maakte, hoe ik niet inzie dat mijn omgeving niet typisch is, dat was een nieuwe conclusie die je vanavond hebt getrokken, hier in dit motel?'

Ik heb er zo'n hekel aan als ze dit doet. Dit doet ze nou altijd. Ze draait het altijd zo dat ik geen kant op kan. Ze is boos op me omdat ik het niet met haar eens ben, maar als ik het wel met haar eens ben, is ze nog steeds boos. Ik zweer het je, zij maakt me razender dan wie dan ook. Dit is het gevoel dat ik krijg als ik ruzie met haar heb: ik weet niet hoe ik het uit moet leggen, maar het is net alsof er een bal van kwaadheid, frustratie en haat laag in mijn buik opborrelt en hoe meer ik me erger, hoe hoger en sneller hij gaat, als een draaikolk, tot hij uiteindelijk mijn keel en mijn mond in bubbelt en de meest verschrikkelijke dingen uit me komen alsof ik mijn innerlijke, meest gemene, gedachten die niet zijn bedoeld om ooit hardop te worden uitgesproken, eruit spuug. Jemig, daar komt het. Het kan elk moment gebeuren. Vijf, vier, drie, twee, een...

'Goed dan,' gil ik. 'Oké. Ik denk dat je je gevoel voor realiteit kwijt bent. Ik denk dat je geen idee hebt hoe de rest van de wereld leeft. Ik vind dat je een snob bent geworden, ik denk dat je je carrière hebt weggegooid, ik denk dat je te veel om geld geeft en ik denk dat je je te druk maakt over hoe dingen eruitzien in de ogen van anderen. En de reden dat ik je niet bel of meer tijd met je doorbreng, is dat ik je niet meer herken. En je hebt gelijk, ik vind Bill niet leuk. Ik vind hem niet leuk omdat ik denk dat hij degene is die jou zo heeft veranderd en ik wist dat hij slecht nieuws was toen ik hem ontmoette. Meneertje met zijn trustfonds die met bekende namen strooit en een luxe baantje bij zijn vader in het bedrijf heeft. Ik kon hem niet uitstaan. En weet je wat? Ik had gelijk. Het is niets dan uiterlijk vertoon voor hem. O, nee het zou niet goed staan voor de CEO van H&H Records als zijn vrouw werkt, dus dien je je ontslag in. Het zou niet goed staan om de kinderen naar een gewone school te sturen, dus moet het de meest snobistische school van de stad zijn. En God verhoede dat hij een normaal huis heeft waardoor je niet het gevoel hebt dat je in een museum loopt, nee, hij moet een herenhuis in de straat van zijn mammie hebben. Houd toch op, Sarah. Je mag gerust zeggen dat ik niets over jou en Bill weet, maar dat hoeft ook niet. Het is voor bijna iedereen volkomen duidelijk.'

Mijn hart bonst, mijn aderen staan stijf van de adrenaline en mijn stem is ergens rond 'dat ik je niet eens meer herken' gebroken. Sarah lijkt stomverbaasd, alsof ik haar net een klap in haar gezicht heb gegeven, en ik krijg onmiddellijk spijt. Mijn gezicht wordt warm en mijn hart zakt met het bekende schaamtegevoel in mijn schoenen; het is het schaamtegevoel dat ik altijd krijg als dit gebeurt en ik wist het al als kind, als tiener en als volwassene. Het is de kater die ik krijg omdat ik haar zo intens en diep haat dat ik er bang van word. Ik word er bang van omdat ik mijn eigen ziel erdoor ter discussie stel en ik me afvraag of ik wel in staat ben om van een ander te houden. Is dit de reden dat ik geen nauwe band met mijn moeder heb? Is dit de reden dat ik zulke ambivalente gevoelens voor Ethan heb? En wat voor vrouw – wat voor moeder – zal ik ooit zijn als ik niet eens in staat ben om van mijn eigen zus te houden?

'Sarah,' zeg ik als ik me wil verontschuldigen, maar zij steekt haar hand op ten teken dat ik mijn mond moet houden en zonder een woord te zeggen, staat ze op, rent ze naar de badkamer en gooit ze de deur achter zich dicht.

15 SARAH

Mijn ogen zijn rood en opgezwollen van het huilen, ik heb barstende koppijn en mijn nek doet hartstikke zeer omdat ik vannacht in de badkuip in slaap ben gevallen. Ik wilde zo graag een kussen halen, maar ik was echt niet van plan om die deur door te lopen en haar ook maar een seconde te laten denken dat ik was gekalmeerd en ook maar zou overwegen – ha, ha, ha – om haar te vergeven. Nee, ik heb precies tot zeven uur gewacht, het tijdstip waarop we hadden afgesproken te vertrekken, om die deur te openen en toen ik naar binnen liep, heb ik haar kant zelfs niet opgekeken. O, ik zag haar natuurlijk wel. Ze zat op de rand van het bed, bepakt en klaar om te vertrekken en ze wilde dat ik zou denken dat ze de hele nacht met een slecht gevoel op had gezeten. Ze had geluk dat ze op was trouwens, want als ze had geslapen toen ik de badkamer uit kwam, zou ik zonder twijfel alleen zijn vertrokken. Eerlijk gezegd was ik eigenlijk een beetje teleurgesteld. Ik ben de hele nacht bezig geweest om te bedenken hoe ik haar de komende vijf dagen kan negeren om vervolgens de rest van mijn leven nooit meer tegen haar te praten. Het zal niet makkelijk worden, want we zitten de komende vijf dagen acht uur per dag bij elkaar in de auto, maar het zal wel lukken. Ik ga alleen aan een tafeltje zitten als we ergens stoppen om te eten en 's avonds in onze hotelkamer, ga ik gewoon lezen zodat we niet hoeven te bespreken wat we op tv willen zien. En in de auto heb ik mijn films om me bezig te houden. Laynie is toch vandaag aan de beurt om te rijden, dus dan kan ik met de dvd-speler en mijn schrijfblok achterin gaan zitten en kan ik mijn stukjes schrijven en vergeten dat Laynie er zelfs maar is.

Ik vouw mijn pyjama op en trek dezelfde spijkerbroek en hetzelfde T-shirt met lange mouwen aan dat ik gisteren ook aanhad en stop de rest van mijn spullen vlug in mijn koffer. Veel is het niet, ik had net genoeg voor drie dagen bij me, niet voor negen. Maar ik heb gelukkig wel schoon ondergoed. Ik heb zaterdagavond voor we weggingen gewassen en nog een paar broekjes van mam geleend. Dat is in elk geval niet zo smerig als vies ondergoed van jezelf blijven dragen, maar goed. Als zij vies ondergoed wil dragen, is dat niet mijn probleem.

Terwijl ik mijn koffer dichtrits, probeert Laynie zich weer te verontschuldigen.

'Sarah,' zegt ze. 'Het spijt me echt heel erg van gisteravond. Ik meende er niets van, ik zweer het je.'

Oké. Als ik tegen haar zou praten, zou ik zeggen dat ze moest uitkijken voor de bliksemflits die haar zo dodelijk zal treffen, maar ik praat niet tegen haar, dus pak ik mijn tas en draag die naar de auto en daarna loop ik met Laynie als een belachelijk jong hondje achter me aan naar de receptie waar de arme directeur niet weet wat hem te wachten staat.

De kalende man achter de balie is halverwege de vijftig en hij draagt een donkerblauw vest met een mottengaatje net onder zijn linkerschouder. Ik vraag hem of hij de directeur is en hij bevestigt dat.

'Ik wil graag uitchecken,' leg ik uit, 'en ik heb gisteravond een berichtje voor u achtergelaten over een probleem in kamer 124.' Hij bladert door een aantal roze memoblaadjes en knijpt zijn ogen tot spleetjes als hij het blaadje leest met in het groot 124 erop.

'Eens zien,' zegt hij, 'er zat een vlek in de lakens? Klopt dat?'

'Geen vlek. Een blóédvlek. Een enorme, gore, bruine bloedvlek.'

Hij bekijkt me van top tot teen en doet dat ook bij Laynie die links van me staat, en ik weet gewoon dat hij zich afvraagt waarom twee vrouwen zoals wij op een dergelijke plek overnachten.

'Het spijt me verschrikkelijk. Ik zal de kamerprijs natuurlijk aanpassen.' Hij geeft me een grote glimlach. 'Wat vindt u van de helft?'

Ik kijk hem fel aan. 'Dat vind ik de helft te veel,' antwoord ik.

Zijn mondhoeken zakken langzaam naar beneden en hij schudt zijn hoofd. 'Nou, het spijt me, mevrouw, maar ik kan de kamer natuurlijk niet voor niks weggeven. We zijn geen Days Inn met een groot bedrijf achter ons. We zijn slechts een klein familiebedrijfje. Een echt zaakje van mams en paps. Als we kamers weg zouden geven, zouden we niet overeind blijven. Het spijt me dat er vlekken in de lakens zaten, echt waar, maar ik kan niet meer voor u doen dan de helft van de prijs.'

'Sarah,' begint Laynie. 'Dat is prima. Ik betaal wel, want jij was degene zonder bed. Laten we nou maar gewoon gaan.'

Ik negeer haar en kijk de directeur boos aan die opgelucht lijkt te zijn omdat Laynie aan zijn kant staat. 'Nee,' zeg ik. 'De helft is onaanvaardbaar.'

De directeur werpt vlug een blik op Laynie en dan weer op mij. 'Kijk, uw vriendin hier zei net dat ze zou betalen. U hoeft geen cent te betalen, onze kosten zijn gedekt, het is een win-winsituatie.'

Ik sla mijn armen over elkaar en verschuif mijn gewicht naar één been. 'Ze is mijn vriendin niet en zij heeft hier niets mee te maken. Ik heb in de badkuip moeten slapen, en ik, noch iemand anders, zou daar een cent aan uitgeven. En het zou voor u veel beter zijn om een kamer weg te geven dan dat ik ervoor zorg dat u van de AAA-lijst wordt geschrapt.'

De man trekt wit weg. 'Dat kunt u niet doen,' zegt hij. 'We staan al meer dan vijftig jaar op die lijst. We staan al op die lijst sinds mijn opa de deuren van dit hotel heeft geopend.'

'Nou, toevallig ben ik zeer goed bevriend met iemand in New Jersey die een zeer goede functie bij de Automobile Club heeft. En ik kan u verzekeren dat wanneer hij erachter komt wat hier is gebeurd, hij niet zal aarzelen een controleur hierheen te sturen om de zaak verder te onderzoeken.'

Laynie schuifelt ongemakkelijk heen en weer en haalt haar elleboog van de balie. 'Ik wacht wel in de auto,' kondigt ze aan. 'Sorry,' zegt ze tegen de directeur. 'Het spijt me.'

Ik sla mijn ogen ten hemel als ze naar buiten loopt en het belletje rinkelt als ze door de deuropening stapt. Ik heb van mijn moeder geleerd om zo te zijn. Die vrouw duldt geen onrechtvaardigheid, hoe klein ook. Laynie heeft zich er altijd voor geschaamd en mijn vader vindt het ook verschrikkelijk. Alle twee vinden ze het echt enorm gênant als ze ruziemaakt over een rekening, om iets te ruilen of wat ze ook maar onrechtvaardig vindt. Maar ik ben net zoals mijn moeder. Als iemand me oneerlijk behandelt, trek ik mijn mond open. Ik ben echter niet onredelijk. Ik ben niet iemand die een discussie begint alleen maar om een discussie te beginnen.

Maar waarom zou ik voor een hotelkamer betalen als een van de bedden niet te beslapen was? Ik denk niet dat ik hier te ver ga.

De directeur kijkt met een weemoedige blik in zijn ogen toe hoe Laynie de deur uit loopt en wendt zich dan met een zucht weer tot mij.

'Nou goed dan, mevrouw. Ik neem aan dat we de kamer voor deze ene keer wel kunnen weggeven.' Ja, alsof ik hier ooit nog terug zal komen.

'Bedankt,' zeg ik tegen hem. 'Hartelijk dank. Het is natuurlijk mijn mening maar, maar misschien moet u overwegen een kamermeisje voor 's nachts in te huren. Gewoon, in geval van nood.' De directeur glimlacht flauwtjes en wenst me een prettige dag terwijl ik naar buiten loop.

Als ik bij de auto kom, zit Laynie achter het stuur een kop koffie uit een automaat te drinken. Ik open het achterportier en schuif naar binnen en zij zucht.

'Heeft hij je het gegeven?' vraagt ze. Ik antwoord niet en trek de deur achter me dicht.

'Zal wel,' mompelt ze tegen zichzelf, 'anders had je daar nog wel gestaan.' Ze kijkt via de achteruitkijkspiegel naar me terwijl ze de sleutel in het contact steekt. 'Ik heb een kop koffie voor je meegebracht, zwart met suiker, zoals je lekker vindt.'

Als ze denkt dat ze me kan paaien met een kop koffie uit een motelautomaat, dan heeft ze me flink onderschat. Blijkbaar is ze vergeten dat ik zes jaar op rij de winnaar was van de 'niet praten onder het eten'-wedstrijd op kamp Lakota. Ik negeer haar weer en sla de *U.S.A. Today* open die ik onderweg naar de lobby heb gepakt.

LAX NOG STEEDS DICHT, luidt de kop. FTA ZEGT DAT HET NOG ENIGE DAGEN KAN DUREN VOORDAT DE LANDINGSBANEN WEER VEILIG ZIJN. Het lijkt erop dat we de juiste beslissing hebben genomen om met de auto te gaan.

Laynie start de auto en draait de parkeerplaats af. Ik zie dat de kaart opengeslagen op de stoel naast haar ligt, dus heeft ze hem vast bestudeerd toen ik nog binnen was zodat ze mij niet om hulp hoeft te vragen. Slimme meid. Ze kijkt weer via de achteruitkijkspiegel naar me en heel even kijken we elkaar aan voordat ik wegkijk.

'Zo gaan we dus doen?' vraagt ze. 'Je praat gewoon niet meer met me?'

Onze ogen ontmoeten elkaar weer in de spiegel en ik klem mijn kaken stijf op elkaar om mijn besluit kracht bij te zetten. 'Goed,' zegt ze. 'Als jij je als een kleuter wilt gedragen, ga je gang. Ik ben van plan om net na de grens tussen Indiana en Illinois voor het middageten te stoppen. Als het goed is, is dat over een uur of vier, vierenhalf, afhankelijk van waar ik een McDonald's of een Burger King zie. Of misschien een Arbys. Ik ben dol op die sandwiches met rosbief. Als je andere suggesties hebt, mag je weer gaan praten want ik kan geen gedachten lezen en gebarentaal begrijp ik ook niet. Ik ben een meisje van het gesproken woord.'

O, ze gaat het hard spelen met de maaltijden en van ons schema afwijken. Ze doet maar. Als zij zich wil volproppen met glucosestroop, nitraten en bewerkte rosbief moet ze dat zelf maar weten. Ik heb genoeg gezonde snacks in mijn tas zitten en een uitzonderlijk sterke blaas, dus ik red me wel. Ik leun achterover tegen de stoel. Ik ben zo moe. Ik moet echt naar de films kijken, maar eerst doe ik een dutje. Even vlug. Een paar minuutjes maar. Net lang genoeg om....

LAYNIE

Ik wist wel dat deze trip een slecht idee was. Waarom heb ik ermee ingestemd om met mijn zus door het land te rijden? Dacht ik werkelijk dat we geen ruzie zouden krijgen? Dacht ik echt dat we iets dergelijks zonder kleerscheuren zouden overleven? En dat alleen maar om een man te ontmoeten met wie ik op internet heb gechat. Het is te hopen dat hij op Tom Cruise lijkt.

Ik kijk in de spiegel om te zien of Sarah nog slaapt. Dat doet ze nog. Ze ligt al meer dan twee uur te slapen en ik ben jaloers. Ik ben doodmoe van de afgelopen nacht. Nadat Sarah zich in de badkamer had opgesloten, kon ik niet meer slapen. Ik heb een poosje liggen woelen, maar ik bleef alles in gedachten steeds opnieuw beleven. De ene keer probeerde ik mezelf ervan te overtuigen dat ik gelijk had en de volgende keer wilde ik dat ik alles terug kon nemen. Dat heb ik een paar uur volgehouden en toen ik er echt niet langer aan kon denken, heb ik mezelf even afgeleid met het googelen van Heather Maloney. Ik weet bijna zeker dat ik haar heb gevonden. Ik kwam een huwelijksaankondiging in de *Camden County Courier-Post* tegen uit 1998 waarin stond dat Heather Maloney was getrouwd met een vent genaamd Ryan Shoemaker uit Chicago, wat bevestigde wat ik al wist. Maar toen ik Heather Shoemaker googelde vond ik een echtscheidingsaanvraag in de staat Illinois uit 2006. Ik vraag me af wat er is gebeurd. Ik vraag me af of ze kinderen hebben. Ik vraag me af of hij haar heeft bedrogen. Hoe dan ook, toen heb ik in een online telefoonboek op beide achternamen gezocht en een Heather Maloney-Shoemaker in Watseka, Illinois zo'n uur buiten Chicago, gevonden. Als het geen vijf uur 's ochtends was geweest, had ik haar meteen gebeld en haar over de ruzie met Sarah, over Ethan en Jay, mijn ouders en de rest verteld. Ik heb het gevoel dat als ik met haar praat, het net zal zijn of er geen tijd is verstreken. Dat we weer verdergaan met onze vriendschap waar we zijn gebleven, net zo vertrouwd als vroeger. Alsof we weer kinderen zijn. Alsof ik nog een stukje van mijn oude zelf heb.

Ik ga haar vandaag absoluut bellen. Ik kan het trouwens nu wel even doen.

Ik heb haar nummer gisteravond in mijn telefoon gezet, ik zoek het op en hij gaat vier of vijf keer over voordat het antwoordapparaat opneemt. Ik moet bijna huilen als ik haar stem hoor. Ze klinkt nog precies hetzelfde.

'Hallo, met Heather! Ik ben er momenteel niet, maar als u een berichtje achterlaat, bel ik zo spoedig mogelijk terug!' Ik hang op. Ik wil geen berichtje achterlaten. Ik wil haar verrassen. Misschien kan ze vanavond met ons gaan eten. We rijden vandaag door Illinois, maar zelfs als de snelweg drie uur bij haar vandaan is, weet ik zeker dat ze zal komen. Ze was altijd erg spontaan, was altijd overal voor in, alsof andere dingen niet belangrijk waren. Over een paar uur probeer ik het opnieuw. Ze is waarschijnlijk aan het werk.

O, god, werk. Ik moet eigenlijk even naar kantoor bellen om te vragen hoe het gaat. Gina zou de audities van vandaag online zetten zodat ik er vanavond naar kan kijken. Ik weet alleen niet hoe laat het is. We zijn in de buurt van Indianapolis, maar ik weet niet helemaal zeker welke tijdzone dit is, of het in Los Angeles nu zeven of acht uur is. Hoe dan ook, er is nog niemand, dus laat ik een berichtje voor haar achter.

'Hoi, Gina,' zeg ik tegen haar voicemail. 'Met mij. Ik ben nu in Indiana als je het je soms afvroeg. Bel me even als je er bent. Bedankt.'

Wauw, rijden is saai. Om me heen op de snelweg zie ik vrachtauto's. Cementwagens, vrachtwagens met voedsel, met goederen, met auto's. Ik verveel me zo dat ik om me te vermaken elke keer dat ik er een passeer een vuist maak en twee keer met mijn arm pomp. Tot nu toe hebben ze allemaal terug getoeterd. Zij vervelen zich waarschijnlijk ook dood.

Ik pak mijn telefoon weer en bel Ethan. Hij slaapt waarschijnlijk nog, maar ik moet hem nu wel bellen want Sarah ligt nog steeds bewusteloos achterin. Ik wil hem over onze ruzie vertellen, maar ik wil niet dat zij meeluistert. De telefoon gaat vier keer over en het antwoordapparaat neemt op, dus hang ik op en bel opnieuw. Weer neemt het apparaat op en bel ik terug. Eindelijk neemt hij op nadat hij drie keer is overgegaan.

'Hallo,' zegt hij met slaperige stem.

'Goedemorgen, zonnestraaltje,' zeg ik spottend opgewekt.

Ethan kreunt. 'Eens raden. Je verveelt je. Je wordt helemaal gek van je zus en je wilde dat je toch het privévliegtuig had genomen. Heb ik gelijk?'

'Zou kunnen,' geef ik toe.

Hij lacht in de telefoon. 'Tjee, en dat pas na één nacht. Nou, ik ga niet zeggen, dat had ik je toch gezegd.'

'Ja, dat ga je wel. Je ligt te popelen om het te zeggen.'

'Je hebt gelijk, dat is ook zo. Ik heb het je toch gezegd.' Hij is even stil. 'Eigenlijk was dat lang niet zo bevredigend als ik had verwacht. De volgende keer dat ik ergens gelijk over heb, wacht dan even tot ik "dat had ik je toch gezegd" heb gezegd voordat je toegeeft dat ik gelijk had. Dat zou wel helpen, denk ik. Wat is er eigenlijk gebeurd? Geen kampvuur en Kumbaya? Geen kussengevecht met je grote zus? Geen nachtelijk jankfestijn?'

Ik had echt een betere verklaring moeten verzinnen. Hiermee word ik de rest van mijn leven gepest. 'Nou, we hebben wel een nachtelijk jankfestijn gehad, maar niet het soort waarop ik had gehoopt.'

'Hoezo, wat heeft ze nu weer gedaan?'

164

Ik zucht. 'Ze heeft niets gedaan. Het was mijn schuld. Ik weet niet hoe het kwam, maar ik ben enorm tekeergegaan. Ik zei dat ze nep is en geen gevoel met de werkelijkheid heeft en ik heb heel gemene dingen over Bill gezegd... het was afschuwelijk. En nu wil ze niet meer met me praten. Ze heeft vannacht in de badkuip geslapen.'

'De badkuip? Is dat niet wat overdreven?'

'Nee, er zat een enorme bloedvlek op haar lakens, dus moest ze bij mij slapen...'

'Wat? Er zat een bloedvlek op haar lakens?' Ik kijk naar Sarah via de achteruitkijkspiegel om er zeker van te zijn dat ze niet net doet alsof ze slaapt en meeluistert. Haar hoofd hangt naast de stoel en er druppelt een straaltje kwijl uit haar mond op de grond, dus ik denk dat het wel goed zit.

'O, laat ook maar. Het is een lang verhaal. Ik heb er een potje van gemaakt en zij is boos en ik kan het haar niet kwalijk nemen.'

'Maar alles wat je hebt gezegd is waar,' herinnert Ethan me. 'Je zegt die dingen altijd. Ik denk dat het goed is dat je ze eruit hebt gegooid. Ze komt er wel weer overheen.'

'Dat weet ik niet,' zeg ik tegen hem. 'Het klonk heel anders toen ik die dingen tegen haar zei. Ik voelde me eerlijk gezegd belachelijk. Alsof het allemaal kleine, onbeduidende dingetjes waren, en wat maakt het eigenlijk uit? Ik bedoel, wat maakt het uit dat ze haar kinderen naar die stomme privéschool stuurt? Wat maakt het uit dat ze in een groot, kil huis woont en dat ze zich druk maakt om wat anderen denken? Waarom zou het mij wat kunnen schelen?'

'Omdat het irritant is,' antwoordt hij. 'Omdat je weet dat ze zo niet is, waardoor het in jouw ogen allemaal nep lijkt. Ik ben het niet met je eens. Ik denk dat je haar juist een gunst hebt bewezen door haar de waarheid te vertellen. Want ik betwijfel of jij de enige bent die zo over haar denkt, maar niemand anders heeft het lef om het tegen haar te zeggen. Daar heb je broers en zussen voor, Laynie. Zij horen je met beide benen op de grond te houden. Zij horen te zeggen dat je je hufterig gedraagt.'

'Hoe weet jij dat nou, Ethan? Jij bent enig kind.'

'Precies,' zegt hij. 'Hoe kan ik er anders mee wegkomen dat ik zo'n rotzak ben?'

Ik lach tegen wil en dank. 'Hé, hoe waren de recensies? Ik heb gisteren een paar keer gebeld, maar je nam niet op.'

'Ja, ik weet het. Ik was te diep weggezakt in mijn Google-verslaving. Volgens mij heb ik een nieuw record behaald. Niet alleen een persoonlijk record, maar een soort wereldrecord. De meeste uren dat iemand zichzelf op een dag heeft gegoogeld zonder zelfmoord te plegen.'

'Zo goed waren ze dus?'

'De *Los Angeles Times* was oké, de meeste kranten uit het middenwesten vonden het geweldig en de *New York Times* noemde het een kruising tussen *The Terminator* en *Charlie's Angels*, maar niet op een goede manier. Dat stond er. "Niet op een goede manier."'

'Au,' zeg ik. 'Wat cru. Maar het is wel vreemd dat je niet meteen zelfmoord hebt gepleegd.'

'Ja. Gek, hè? Maar ik wacht tot ik weet hoeveel hij heeft opgeleverd voor ik iets permanents doe. Niet iedereen kan het wat schelen wat de critici denken, weet je? Ik bedoel, mij wel natuurlijk, maar ik ben tevreden met een slecht gerecenseerde bioscoophit.'

'Wauw, Eth, dat is zo redelijk van je. Ik ben trots op je vooruitgang.'

'O, houd toch op. Neem jezelf niet in de maling. Als de opening niet goed is, heb ik de strop al klaarhangen. Trouwens, mijn testament ligt in een schoenendoos op de bovenste plank in de kast. Voor het geval dat.'

'Nee hoor,' zeg ik tegen hem. 'Die heb ik zes maanden geleden al in de kluis gelegd.'

'Natuurlijk heb je dat gedaan. Ik weet niet waarom ik nog moeite doe. Hé, waar ben je eigenlijk?'

'Indiana,' antwoord ik. 'Ongeveer honderdvijftig kilometer voor de grens naar Illinois.'

'Oooo, Illinois. Zorg ervoor dat je in Illinois niet wordt gearresteerd. Ze hebben daar geen borgstellers.'

'Waar heb je het over, Ethan?' vraag ik.

'Ik zeg dat je in Illinois niet zomaar op borgtocht kan worden vrijgelaten. Die staat heeft zijn eigen borgstellingsprogramma. Als je daar wordt gearresteerd, kun je alleen de gevangenis uit komen als iemand die je kent persoonlijk naar het politiebureau gaat om tien procent van de borgsom te betalen. Dit in tegenstelling tot Indiana waar zeer veel borgstellers zijn die je telefonisch op borgtocht vrij kunnen laten.'

'Oké, ten eerste, waarom weet je dit en ten tweede, waarom vertel je mij dit?'

Hij zucht alsof ik een heel dom meisje ben. 'Dat weet ik omdat ik een verbreider van willekeurige, nutteloze stukjes informatie ben. Dit zou trouwens niet nieuw voor je moeten zijn. Weet je niet meer dat je op ons eerste afspraakje erg onder de indruk was van mijn kennis over de Arctische narwal? Ten tweede vertel ik je dit omdat ik om je geef en je moet weten dat als je van plan bent iets illegaals te doen het verstandiger zou zijn om het te doen voordat je in Illinois bent.'

'Oké, ik heb er genoeg van. Ik moet ophangen.'

'Hé, jij hebt mij gebeld, weet je nog? In de toekomst liever niet voor tienen, *por favor*.'

'*Adiós*, Ethan. Tot straks.'

Ik hang op en pieker over wat hij zei over mijn ruzie met Sarah. Misschien heeft hij wel gelijk. Misschien was het wel goed om het haar te vertellen. Ik moet toegeven, hoe slecht ik me ook voel over wat ik heb gezegd, ik voel me ietsepietsie beter omdat ik het heb gezegd. Ik bedoel, ik heb dit zo lang voor me gehouden. Jaren, waarschijnlijk. Maar toch. Ethan was er niet bij. Hij heeft haar gezicht niet gezien. Nou ja, het doet er niet meer toe. Ik heb het gezegd en ik kan het niet meer terugnemen. Gedane zaken nemen geen keer. Het is nu aan haar om te beslissen wat ze ermee doet.

Mijn telefoon gaat weer en ik neem op zonder naar het nummer te kijken. Ik weet dat het Ethan is. Hij vindt het verschrikkelijk om niet het laatste woord te hebben.

'Ethan, wat nu weer?' vraag ik.

'Eh, hoi, Laynie, met Gina.'

'Gina! Sorry. Ik dacht dat het Ethan was, ik had net opgehangen en hij was... O, laat ook maar. Hoe gaat het? Weet je al hoe je de audities online moet krijgen?'

'Nee, nog niet, maar, Laynie, volgens mij zit er ergens een lek.'

'Een lek? Hoe erg is het? Zeg alsjeblieft niet dat mijn kantoor onder water staat, want ik kan niet meer dan één natuurramp tegelijkertijd aan.'

'Nee, niet zo'n lek. Zo'n lek dat iemand geheimen doorvertelt.'

'Ooo,' zeg ik. Gelukkig. Ik heb mijn eigen laptop op kantoor laten staan en al geen maanden een back-up van mijn harddrive gemaakt. 'Wat is er gelekt?' vraag ik. 'Ik wist niet dat CBC staatsgeheimen had?'

'Het is niet grappig,' zegt Gina. 'Iemand heeft laten ontglippen dat Zane eruit wordt geschreven. Een anonieme beller heeft vanmorgen een bericht voor de directeur van dagtelevisie achtergelaten en gezegd dat als we Zane niet in de show houden, zij de info op alle soapsites zal zetten. Ze heeft gezegd dat we achtenveertig uur hebben om te reageren.' Mijn hart begint te bonzen en twee woorden herhalen zich in mijn hoofd: Marissa Dunn.

Ik slik moeizaam en probeer niet zenuwachtig te klinken.

'Hebben ze enig idee wie het is?' vraag ik.

'Nee. Ze heeft een mobiel nummer achtergelaten waarop we haar kunnen bereiken, maar dat nummer staat op een valse naam. Ze zijn met de politie bezig om het te achterhalen.'

Ik ontspan een klein beetje als ik dit hoor. Het kan Marissa niet zijn. Zij is niet in staat om iets te doen wat zo ingewikkeld is. Bovendien weet ik zeker dat iedereen die het weet het aan vrienden en familie heeft doorverteld. Het kan iedereen zijn. 'Wat zijn ze van plan eraan te doen?' vraag ik.

'Geen idee, maar degene die het heeft laten uitlekken, is uitgerangeerd in deze business. Die geheimhoudingsverklaring die ze ons hebben laten ondertekenen, is rechtsgeldig. Ze kunnen degene die dit heeft gedaan voor de rechter slepen. En ze willen bloed zien. Ze ondervragen iedereen die het weet: schrijvers, managers, acteurs uit de serie en iedereen van casting. Ik ben vanmorgen vroeg door een detective gebeld die iedereen van onze afdeling vandaag wil spreken. Ik heb hem verteld dat jij tot vrijdag in New Jersey op bezoek bij je moeder bent, maar ik heb hem wel je mobiele nummer gegeven. Hij zei dat hij je vandaag of morgen zou bellen.'

Mijn hart gaat weer sneller kloppen. Een detective? 'Oké,' zeg ik zo nonchalant mogelijk. 'Ik ben gewoon bereikbaar.' Ik aarzel even. 'Gina, heb jij het aan iemand verteld?'

'Wat? Waar heb je het over? Waarom zou ik het aan iemand vertellen? Ik wil mijn baan niet kwijt.'

'Nee, nee, dat weet ik wel. Ik moest het gewoon vragen. Ik bedoel, ik zou het verschrikkelijk vinden als het iemand van onze afdeling blijkt te zijn, meer niet.'

'Ja, ik weet het. Maar het lijdt geen twijfel dat wij het meest verdacht zijn. Wij hebben de meest specifieke info.'

Ik slik moeizaam. 'Oké, nou, bel me maar terug als je hebt uitgezocht hoe je de audities moet opnemen.'

'Doe ik,' zegt ze. 'Hoe gaat het rijden?'

'Prima. Het vlot lekker. Rond de lunch ben ik in Illinois.'

'Geweldig. Rijd voorzichtig.'

Ik hang met een knoop in mijn maag op. Dit is niet goed. Dit is echt niet goed.

16 SARAH

Ik kan niet geloven dat ik bijna een hele staat heb geslapen. Toen ik wakker werd, zag ik een bord waarop stond dat we over veertig kilometer bij de staatsgrens tussen Indiana en Illinois zouden zijn. Laynie heeft flink doorgereden, het is nog niet eens twaalf uur. Ik had ingeschat dat we om één uur in Terre Haute zouden stoppen om te lunchen in een restaurant genaamd Madgy's, maar we zijn daar ruim voor enen al. Terre Haute is slechts een paar kilometer voor de grens met Illinois. Ik vind het prima want ik barst van de honger. Hoewel, Laynie kennende gaat ze daar niet naartoe om mij dwars te zitten. God verhoede dat ze zich aan mijn schema houdt.

Ik veeg het kwijl dat een plasje aan de zijkant van mijn arm heeft gevormd af met een oud servetje dat Laynie gisteren achterin heeft laten liggen en ga rechtop zitten. Au, mijn nek doet pijn. Mijn maag knort als een wild dier, maar ik ga haar echt niet vragen wanneer we gaan stoppen. Geen denken aan. Ik pak mijn tas en haal er een Luna-reep uit, maar Laynie ziet dat ik wakker ben nog voordat ik hem open kan maken.

'Nou, nou, nou, kijk eens wie er weer in het land der levenden terug is,' zegt ze terwijl ze in de achteruitkijkspiegel kijkt. 'Misschien kun je beter even wachten met die reep, want we zijn over een paar minuten in Terre

Haute.' Ik zeg niets, maar stop de reep terug in mijn tas. Ze houdt zich dus aan het schema. Ze moet zich echt heel erg schuldig voelen. 'Ik hoop dat je van Taco Bell houdt,' voegt ze er echter aan toe.

Tuurlijk, stom van me. Ik steek mijn arm weer uit om de reep te pakken en zij lacht.

'Och, kom op. Je hebt niet geleefd als je geen chalupa hebt gegeten. Je kunt ze nu zelfs met kip krijgen.'

Het is moeilijk om niet te lachen bij de gedachte aan een chalupa en ze ziet dat ik glimlach.

'Dat zag ik,' zegt ze speels. Ze denkt vast dat ik op het punt sta me over te geven, dus zet ik vlug mijn stuurse blik weer op en richt mijn aandacht op de Luna-reep. Ze slaakt een zucht. 'Ook goed,' zegt ze. 'Wees maar boos. Ik geef het op.'

Een paar minuten later slaat ze de snelweg af en rijden we de parkeerplaats op van een Taco Bell en een Krispy Kreme. Ze zet de motor af, pakt haar tas, stapt uit en slaat het portier zonder een woord te zeggen achter zich dicht. Tegen de tijd dat ik een minuut later uitstap, is zij al binnen.

Ik loop langs een rij vrachtwagens naar het restaurant en zie haar in de rij staan om te bestellen, dus loop ik naar de wc. Als ik naar buiten kom, zit zij alleen aan een tafeltje, verdiept in iets op haar Blackberry terwijl ze zit te eten. Mijn maag knort nu zo hard dat de mensen in Texas het waarschijnlijk kunnen horen en ik staar omhoog naar het Taco Bell-menu om te kijken of er iets op staat wat ook maar enigszins aanlokkelijk lijkt. De Gordita lijkt me oké, hoewel ik het heel raar vind om het te bestellen.

Zodra ik het eten heb, ga ik aan de andere kant van de ruimte aan een tafeltje in de hoek zitten, zo ver mogelijk bij haar vandaan. Ik heb niets bij me om te lezen of iets anders om te doen, dus concentreer ik me op de Gordita die eigenlijk best lekker is, moet ik toegeven, hoewel er waarschijnlijk wel negenduizend calorieën inzitten en het vol natrium zit. Ondertussen houd ik een oog op Laynie, voor het geval ze klaar is en zonder mij wil vertrekken.

Ze is echt knap geworden, Laynie. Ze heeft door hoe ze haar haar moet doen en ze is eindelijk haar babyvet kwijt. Ze is altijd mooi geweest, maar ik zweer het je, zelfs toen ze zevenentwintig was, had ze nog iets vreemds over zich, alsof ze nog vastzat in haar tienertijd. In de afgelopen vijf jaar is er echter iets veranderd. Het is net alsof haar gezicht opeens heeft besloten dat het tijd is om er volwassen uit te zien. En ze heeft een figuur om jaloers op te zijn. Ze weegt vast nog evenveel als op de middelbare school. Gek genoeg denk ik niet dat ze weet hoe aantrekkelijk ze is geworden. Op school had ik een vriendin die altijd aan de dikke kant was, maar in het laatste jaar was ze superveel afgevallen en echt heel slank geworden, maar ze was nooit in staat om het te accepteren. Ze heeft me eens verteld dat ze wel wist dat ze slank was, maar dat ze zichzelf nog steeds dik voelde en iedere keer dat ze in de spiegel keek was ze verbaasd. Ik vraag me af of Laynie zich ook zo voelt. Het moet haast wel want ze is zich niet bewust van alle mannen die haar aanstaren terwijl zij driftig op haar Blackberry typt. Er is vast iets op haar werk gebeurd, want ze lijkt erg gestrest. Verdorie, werk. Ik moet die video's echt bekijken. Niet meer uitstellen. Zodra we weer in de auto zitten, haal ik de dvd-speler tevoorschijn.

Laynie staat op en kijkt om zich heen, op zoek naar mij. Zodra ze zeker weet dat ik haar heb gezien, draait ze zich om en loopt ze naar de deur en ik loop vlug achter haar aan naar de parkeerplaats.

'Ik hoop dat je hebt geplast,' zegt ze kil, 'want ik stop niet meer tot we in St. Louis zijn.' Ik negeer haar en open de achterbak om mijn tas met dvd's en de dvd-speler te pakken en zodra ik weer achterin zit, scheurt ze weg richting de snelweg. Ze lijkt boos – er is geen spoor meer te bekennen van de speelsheid van voor de lunch en ik vraag me af of ik te ver ben gegaan. Eigenlijk begrijp ik best waarom ze al die dingen tegen me heeft gezegd. Wat ik niet begrijp is waarom ze die dingen tegen me zéí, dat was gewoon lomp, maar ik begrijp wel waarom ze ze denkt, en dat is deels mijn eigen schuld. Als ze de waarheid zou weten over onze situatie, als ze zou weten dat de zaak bijna failliet is en dat we voor geld van Helene afhankelijk zijn, zou ze alles begrijpen. Het huis, de school, de bezorgdheid over wat mensen denken. Ik weet dat het er voor een buitenstaander inderdaad op lijkt dat ik de maatschappelijke ladder wil beklimmen, dat snap ik. Maar waar ik zo boos om ben, is dat zij geen buitenstaander is. Ze is mijn zus en ze zou beter moeten weten. Ze zou moeten weten dat ik maar net doe alsof ik die dingen belangrijk vind, en dat er dus iets aan de hand is. Maar ze is te egoïstisch om verder te kijken dan haar neus lang is. Als ze niet zo nuffig zou doen en me zou vragen of alles in orde is, als ze die façade eens een keer zou laten vallen, zou ik haar alles vertellen. Maar nee, zij gaat onmiddellijk van het slechtste uit. Ik krijg geen voordeel van de twijfel. Als zij kwaad op me wil zijn, omdat ik kwaad op haar ben, dan zal me dat een worst wezen.

Ik haal de dvd-speler eruit en zet hem aan, maar er gebeurt niets. We hebben echt een nieuwe nodig. De kinderen hebben deze vernield en hij is zo onberekenbaar; je moet echt precies op de goede manier op het knopje drukken om hem aan en weer uit te zetten. Ik druk er nog drie keer op en dan gaat eindelijk het groene lampje branden en verschijnt de boodschap 'dvd insteken' op het scherm. Ik pak een van de dvd's uit de witte, plastic hoes en stop hem in de dvd-speler.

WELKOM IN ILLINOIS staat er op het groene bord naast de snelweg. Dat is in elk geval positief. Vier staten gehad en nog zeven te gaan. Ik kijk even naar het dashboard terwijl ik wacht tot het copyrightbericht wordt afgespeeld. Laynie rijdt honderdveertig kilometer per uur en als ik tegen haar zou praten, zou ik zeggen dat ze langzamer moet rijden, want ik wil geen tijd verdoen met een bekeuring voor te hard rijden. Maar ik praat niet met haar, dus houd ik mijn mond en wacht tot de film begint. Eindelijk beginnen de credits, ik zet de dvd-speler rechtop aan de rand van de armsteun en houd hem met één hand vast.

De camera zoomt in op een mooie, blonde vrouw in een kort rokje die in haar eentje op een bank in een doorsneewoonkamer zit en nerveus heen en weer schuifelt. Ik heb deze actrice nog nooit eerder gezien en de kwaliteit van de film is niet erg goed. Ik besef dat ik Deb ben vergeten te vragen of ze voornamelijk met filmstudio's of met onafhankelijke filmmaatschappijen werken, maar afgaande op deze film, neem ik aan dat het zelfstandige bedrijven zijn.

De camera is nu op de bovenkant van de trap gericht waar een man in het gezelschap van nog twee blonde vrouwen verschijnt. De camera volgt de drie terwijl ze de trap naar de woonkamer af lopen.

'O, mooi, je bent er,' zegt een van de vrouwen tegen het meisje op de bank. 'We hebben op je zitten wachten.'

'Leuk rokje,' zegt de ander en ze bekijkt haar van top tot teen. 'Waarom trek je het niet uit zodat we...'

O, lieve god.

Laynie draait haar hoofd om.

'Zei zij wat ik denk dat ze zei?' vraagt ze ongelovig. 'Wat ben je in vredesnaam aan het kijken, Sarah?' Onze auto zwenkt naar de andere baan en de persoon in de auto naast ons toetert luid.

'Voorzichtig!' gil ik. 'Let op de weg!' Op de dvd hebben de drie vrouwen alles uitgetrokken behalve hun platformstiletto's en de man is bezig op hun achterste, eh, te slaan.

'Vind je het lekker?' vraagt een van de vrouwen aan het nerveuze meisje.

'Nee,' zegt het nerveuze meisje dat helemaal niet zo nerveus meer lijkt. 'Ik wil het liever harder.'

'Jezus, Sarah!' gilt Laynie en ze draait zich weer om. 'Wat is dat?' Weer toetert er een auto en dan hoor ik een sirene achter ons gillen. Ik draai me om en kijk door de achterruit. Een staatspolitieagent zit ons op de hielen en via een luidspreker laat hij ons weten dat we aan de kant moeten gaan staan.

'O, shit,' zegt Laynie. Ze zet de richtingaanwijzer aan, rijdt helemaal naar rechts en staat stil langs de weg. Ik druk op de uitknop maar er gebeurt niets. 'Zet af,' sist Laynie tegen me als de agent de auto nadert. Ik druk weer op de uitknop, maar er gebeurt niets. 'Zet nu af,' gilt ze tegen me terwijl ze haar raampje laat zakken.

'Dat doe ik,' gil ik terug. 'Het knopje zit vast. Hij doet het niet.' Uit mijn ooghoek zie ik de zwarte leren laarzen en het bruine staatspolitie-uniform verschijnen, dus klap ik het scherm vlug dicht en schuif de dvd-speler achter mijn rug.

'Hallo, agent. Is er iets aan de hand?' vraagt Laynie terwijl ze flirterig naar hem glimlacht. Hé, bij nader inzien weet ze misschien toch wel hoe knap ze is. De agent buigt zich voorover en tuurt de auto in. Ik glimlach naar hem. Achter me kreunt het niet zo nerveuze meisje.

'Dat weet ik niet. Waarom vertelt u het me niet?' vraagt hij. 'U zwenkt de hele weg over en reed honderddrieëndertig kilometer per uur.'

Laynie veinst een verlegen lachje. 'O, het spijt me zo. Er zat een bij in de auto en mijn zus schreeuwde en wilde hem naar buiten jagen en ik denk dat ik afgeleid was en me omdraaide.'

Hij buigt zich weer voorover om naar mij te kijken en ik glimlach schaapachtig. 'Ik ben allergisch voor bijen,' zeg ik.

'Aha,' antwoordt hij.

'Harder!' schreeuwt het niet zo nerveuze meisje. 'O, ja!' Ik doe net alsof ik hoest en de agent staart me aan.

'Zei u iets?' vraagt hij.

Ik schud mijn hoofd en kuch opnieuw terwijl ik met mijn vinger aan de rand van de dvd-speler tast naar het volumeknopje. Gevonden. Ik draai hem helemaal omlaag.

Plots galmt er een mannenstem door de auto. 'Vind je het lekker, kreng? Vind je het lekker als ik je op je kontje sla?' Oeps.

De agent steekt zijn hoofd door het raam en kijkt eerst mij en vervolgens Laynie boos aan.

'Uitstappen, alstublieft, dames,' zegt hij. 'En houd jullie handen waar ik ze kan zien.'

Laynie schudt haar hoofd als we uitstappen. 'Ik vermoord je,' fluistert ze tegen me terwijl de auto's op de snelweg zo hard voorbij razen dat we bijna omver worden geblazen.

De politieagent pakt de dvd-speler van de achterbank. Hij klapt hem open, kijkt er even naar en drukt walgend op het uitknopje dat het natuurlijk meteen doet.

'Agent,' probeer ik uit te leggen. 'Ik zweer u dat ik niet wist dat het zo'n soort film was. Ik heb nog nooit eerder in mijn leven een pornofilm gezien.'

'Jullie staan onder arrest voor het vervoer van obsceen materiaal over de staatsgrens,' is zijn antwoord.

Laynie begint te huilen. 'U kunt me niet arresteren,' zegt ze. 'Ik wist niet eens dat dit in de auto lag.'

'Jullie hebben het recht te zwijgen. Alles wat jullie zeggen kan en zal voor een rechtbank tegen jullie worden gebruikt. Jullie hebben recht op een advocaat. Indien jullie je geen advocaat kunnen veroorloven, zal de staat Illinois er een toewijzen.' Hij legt de dvd-speler op de motorkap en instrueert ons dat we ons om moeten draaien. 'Ik moet me ervan verzekeren dat jullie geen wapens bij jullie dragen. Zodra ik heb vastgesteld dat jullie ongewapend zijn, zal ik jullie vragen om achter in de politieauto plaats te nemen. Als jullie niet in de auto gaan zitten, doe ik jullie handboeien om. Hebben jullie dat begrepen?'

Laynie en ik knikken allebei.

'Het spijt me,' fluister ik tegen haar. 'Ik wist het niet.'

'Ik hoop dat je iemand in Illinois kent,' fluistert ze terug. 'Want ze hebben hier geen borgstellers.'

LAYNIE

Ik heb het gevoel of ik in een slechte film ben beland. Of dat er een grap met me wordt uitgehaald. Heel even dacht ik echt dat dit een uitvoerige opzet was voor een of andere idiote grap. Alles van de ruzie met Sarah en de 'kapotte' dvd-speler tot de politieagent. Ik acht Ethan er wel toe in staat. Als iemand dit in elkaar kan draaien, is hij het wel. Ik bedoel, Sarah met porno? En die politieagent, die vent had makkelijk een acteur kunnen zijn. Hij had zelfs een echte politiesnor. En het gesprek dan dat ik met Ethan had over het overtreden van de wet voor we in Illinois waren? Dat kan toch geen toeval zijn. Echt, terwijl ze bezig waren met onze vingerafdrukken en portretfoto's verwachtte ik ieder moment dat er een cameracrew op ons af zou springen en dat iedereen op het bureau in lachen uit zou barsten. Maar dat is niet gebeurd. Ik sta echt onder arrest in Illinois voor een misdrijf waar ik absoluut niets mee te maken heb. Sarah wilde toch een leuk verhaal over een autoreis? Nou, dat heeft ze nu.

De politieagente die ons heeft gefouilleerd, begeleidt ons naar de politiecel. Ze schuift de metalen deur dicht en doet hem van buitenaf op slot.

'En nu?' vraagt Sarah. 'Wat gaat er nu gebeuren?'

'Over een paar minuten komt er iemand om u naar de telefoon te begeleiden. Jullie mogen allebei twee keer bellen. Als jullie advocaat hier is, mogen jullie hem ontmoeten. Dan zullen jullie op enig moment in de komende tweeënzeventig uur worden aangeklaagd.' Ze zegt het op een verveelde monotone toon alsof ze het al duizenden keren eerder heeft verteld. Eigenlijk zei ze het net zoals ik de tekst oplees tijdens een auditie en ik vraag me af of ik ook zo klink voor de acteurs die bij me komen.

'Wacht,' zeg ik. 'Tweeënzeventig uur? Dat is drie dagen. Ik kan hier niet drie dagen blijven. Ik moet vrijdag weer in Los Angeles zijn.'

De politieagente loopt weg, haar sleutels rammelen in haar zak. 'Ik werk hier alleen maar,' zegt ze achterom. 'Ik verzin de regels niet.'

Fantastisch. Gesproken als een ware ambtenaar. Ik ga op een van de banken in de cel zitten en kijk naar Sarah die in een hoek staat en met haar wijsvingers over haar slapen wrijft. Dit is de eerste keer dat we alleen zijn sinds we in de auto zaten en ik neem aan dat het zwijggedoe nu wel voorbij is.

'Zou je me kunnen vertellen wat er in godsnaam aan de hand is?' vraag ik haar.

Ze draait zich om en kijkt me glazig aan. 'Dat doe ik,' zegt ze. 'Maar ik moet eerst iemand bellen.'

'Hoe bedoel je?' vraag ik. 'Ik denk dat ik het recht heb om te weten waarom ik in een cel zit.'

'Dat heb je ook,' zegt ze kregelig. 'Maar tot ik heb gebeld, kan ik het je niet uitleggen, want ik snap het zelf ook niet. Maar geloof mij, ik zal zorgen dat we hier uitkomen. Dit is één groot misverstand.'

'Nou, ik hoop dat je een advocaat belt,' zeg ik. 'We zullen er een nodig hebben. Dit is niet grappig, Sarah.'

Ze slaat haar armen over elkaar en kijkt me boos aan. 'Denk je soms dat ik het grappig vind?' vraagt ze met dezelfde strenge stem die ze opzet als Jessie of Janie iets verkeerds hebben gedaan.

Ik wil haar vertellen dat ik niet denk dat ze een grapje maakt, maar ik had ook niet gedacht dat ze midden op de dag naar porno kijkt. Maar volgens mij is dit niet het moment om snugger te doen, dus houd ik mijn mond. Bovendien was het waarschijnlijk toch een retorische vraag.

'Oké, dit gaan we doen. Die vrouw zei dat we ieder twee telefoontjes mogen plegen. Ik moet eerst dit ene telefoontje doen en dan ga ik Bill bellen zodat hij op zoek kan naar een goede advocaat. Terwijl ik dat doe, kun jij je werk bellen, of Ethan, of wie je ook moet bellen, en daarna ga je op zoek naar iemand die hierheen kan komen voor de aanklacht en als die niet wordt ingetrokken om de borgsom te betalen. Begrijp je dat?'

'Wacht eens even,' zeg ik en ik ga staan. 'Dit is niet eerlijk. Jij mag Bill bellen en je geheime telefoontje plegen en ik moet iemand in een of ander gat zien te vinden die de borg kan betalen? Waarom moet ik het moeilijkste regelen terwijl we door jou in deze situatie zijn beland?'

Weer kijkt ze me boos aan en ze geeft met haar ogen aan dat ik op moet houden. Ik geef me over en ga zitten. Ze kan soms zo intimiderend zijn. Geen wonder dat haar kinderen zich zo goed gedragen. Ze zijn vast doodsbang voor d'r. 'Goed dan,' zeg ik met tegenzin. 'Ik zal het doen.'

Net op dat moment komt dezelfde politieagente terug en ze tikt tegen de metalen tralies.

'De telefoon is vrij,' kondigt ze aan. 'Wie wil er eerst?'

Sarah doet een stap naar voren. 'Ik.'

De politievrouw haalt de deur van het slot, laat Sarah eruit, schuift hem weer dicht en laat mij alleen achter.

'Zeg tegen Bill dat hij een goede moet regelen!' roep ik haar na. 'Het kan me niet schelen hoeveel het kost!' Ik kijk toe hoe Sarah en de politieagente de gang uit lopen en ga weer op de betonnen bank zitten om na te denken.

Iedereen die ik ken, springt rond in mijn gedachten en de een is nog teleurgestelder en bozer dan de ander. Ik kan ma bellen, maar ik heb het gevoel dat Sarah niet wil dat zij hier achter komt, dus zij valt af. En pa kan ik ook niet bellen. Ten eerste zou Sarah het verschrikkelijk vinden als ik hem hierbij betrek en ten tweede is het een aanklacht wegens porno. Ik bedoel, ik had hem kunnen bellen als het om winkeldiefstal ging of als we dronken waren gaan rijden en zelfs als het om drugs ging. Maar hoe kun je in hemelsnaam porno aan je vader uitleggen? Dat kan niet. Einde verhaal.

Dan Ethan. Ik zou hem kunnen vragen het vliegtuig hierheen te pakken of iemand te regelen die dat kan, maar ik weet dat hij helemaal doordraait als hij erachter komt dat ik zijn première ga missen en ik kan er niet tegen om in de gevangenis te zitten en ook nog naar een van zijn woedeuitbarstingen te moeten luisteren. Ik tik tegen mijn voorhoofd in een poging na te denken. Ik wilde dat ik cactusjuicejay kon bellen. Ik heb het gevoel dat hij wel zou weten wat we moeten doen. Maar ik heb zijn telefoonnummer niet, alleen zijn e-mail. Hoewel, vraag ik me af, misschien geldt een e-mail tegenwoordig wel als telefoontje. Maar wat zou ik tegen hem moeten zeggen? Hé, ik weet dat we elkaar nog nooit hebben ontmoet, maar ik zit in de gevangenis vanwege een pornoaanklacht en ik heb iemand nodig om de borg te betalen. Ken jij iemand in Illinois? O, en trouwens, ik zou nog steeds graag langs willen komen zodra ik uit de nor ben. Nee. Als dat hem niet af zou schrikken, dan weet ik het niet.

Ik moet mijn werk bellen, dat is zeker. Ik moet iets verzinnen. Ik kan niet tegen Gina zeggen dat ik ben gearresteerd, maar ik moet haar laten weten dat ik de komende dagen niet bereikbaar ben, voor het geval de detective me wil spreken. Het zou niet goed staan als hij me wil bereiken en ik steeds niet opneem. Dan zullen ze denken dat ik hem wil ontwijken en worden ze achterdochtig. Wat ze ook zouden moeten zijn, want het ziet er steeds meer naar uit dat ik het lek ben. Nadat Gina heeft gezegd dat onze afdeling extra verdacht is, heb ik Marissa Dunn gegoogeld toen we in Taco Bell waren en blijkbaar heeft ze een eigen blog. En zo te zien heeft ze een vrij grote groep volgers. Er waren minstens zestig mensen ingelogd toen ik het blog vond en op elk bericht dat ze erop zet krijgt ze tientallen reacties. Ik zweer het je, op de middelbare school was ze zo dom dat ze niet eens normale zinnen kon vormen, laat staan elke dag hele paragrafen schrijven en een website onderhouden. Het is natuurlijk geen hoogstaande literatuur of zoiets: de helft van de berichten zijn mondaine verslagjes over haar kinderen en wat ze de hele dag doet, maar de rest is obsessief gemijmer over *The Strong and the Stunning*. Ik heb een draad van drie pagina's gevolgd die ging over het feit of Zane wel of geen derde tepel heeft, omdat ze dat had gezien in een scène waarin hij geen shirt droeg.

Ik vind het echt geweldig dat ik maar drie dagen thuis ben, en de enige persoon die ik tegenkom van de middelbare school, een fanatieke *S&S*-stalker en -fan blijkt te zijn. Dat kan alleen mij overkomen. En alsof dat nog niet erg genoeg is, schijnt haar echtgenoot, de jongen van de middelbare school met wie ze is getrouwd, politieagent te zijn, wat betekent dat ze kan weten hoe ze een niet te traceren telefoontje moet plegen. Blijkbaar heb ik Marissa Dunn onderschat en als de detective diep genoeg graaft, kan ik mijn baan kwijtraken.

Oké. Eens zien. Tot nu toe heb ik: mam, nee. Pa, nee. Ethan, cactusjuicejay, Gina... nee, nee en nee. Geweldig. Ik maak echt goede vorderingen.

Ik ga staan en geef uit frustratie een klap tegen de muur. Weet je wat? Dit is Sarahs pakkie aan, niet het mijne. Er is gewoon niemand die ik kan bellen om hierheen te komen. Wie ik dit ook vertel, het heeft enorme gevolgen en ik heb geen zin om mijn relaties te verpesten of mijn baan op het spel te zetten voor een 'groot misverstand' dat ze niet eens wil uitleggen. Vergeet het maar. Als ze terugkomt zal ik tegen haar zeggen dat ze zelf iemand kan gaan zoeken.

Ik sluit mijn ogen, leun met mijn hoofd tegen de bakstenen muur en doe ze vlug weer open. Wacht eens even. Ik ben zó dom. Waarom heb ik hier niet eerder aan gedacht? Ik weet wel wie ik moet bellen. Ik weet precies wie ik moet bellen.

SARAH

Ik draai het nummer en keer mijn gezicht naar de muur om de rinkelende telefoons, het geklets van de politieagenten en het gezoem van de oude computers buiten te sluiten. Hij gaat één keer, twee keer en drie keer over en dan neemt ze eindelijk op.

'Hallo?' zegt de bekende, hese stem.

'Deb,' zeg ik, zo opgelucht dat ik haar aan de lijn heb. 'Met Sarah.'

'O, hoi,' antwoordt ze. 'Heb je de stukjes af? Kun je ze naar me faxen?'

'Nee,' zeg ik en ik doe mijn best om niet uit mijn slof te schieten. 'Ik heb de stukjes nog niet af, omdat ik op dit moment in de gevangenis zit. Ik ben gearresteerd wegens het vervoer van obsceen materiaal over de staatsgrens.'

Heel even is ze stil en dan hoor ik haar binnensmonds vloeken. 'Wist je dat een van de films die je me hebt gegeven een seksfilm is?' vraag ik fluisterend.

'Wat?' vraagt ze beduusd.

'Porno,' zeg ik. 'Je hebt me een pornofilm gegeven om te bekijken.'

'Ja, dat weet ik,' zegt ze. 'Maar dat wist jij ook. Je had gezegd dat je ze al had bekeken.'

'Eh, dat was niet zo,' zeg ik tegen haar. 'Maar ik ben erachter gekomen toen ik hem in de auto opzette, midden op een snelweg door twee staten.' Fluisterend ga ik verder: 'Hoe komt het dat je nooit hebt gezegd dat er in sommige films naakte mensen en seks voorkomen, Deb?'

'Sommige films?' vraagt ze. 'Alle films bevatten naakte mensen die seks hebben. Dat is wat we doen, Sarah. We verpakken pornofilms.'

Ik ben met stomheid geslagen en ik kan horen dat Deb net zo verbaasd is als ik.

'Het stond in het eerste mailtje dat ik je heb gestuurd,' legt ze uit.

'Nee,' spreek ik haar tegen. 'Nee, dat stond er niet in. Als er had gestaan dat ik tien pornofilms per week moest bekijken, had ik dat wel onthouden en dan had ik je zeker niet teruggebeld.'

'Het stond er wel,' houdt ze vol. 'Onderaan stond een waarschuwing waarin staat dat we deel uitmaken van de porno-industrie en dat elke werknemer die we in dienst nemen achttien jaar of ouder moet zijn. Het staat onder aan al onze e-mails. Standaard.'

Onderaan... Ik doe mijn ogen dicht en probeer terug te denken aan het moment dat ik de e-mail kreeg. Ik weet nog dat ik het las, opsprong en naar de huiskamer rende om Janie te vertellen dat ze me niet moest storen, omdat ik iemand moest bellen. O, lieve hemel.

'Ik heb vast niet helemaal doorgescrold,' zeg ik. 'Ik had geen flauw idee.'

'Nou, dat verklaart een hoop,' zegt ze met een lachje. Ik bloos als ik me herinner dat ik haar heb verteld dat ik de films geweldig vond. Dat ze niet in mijn top tien stonden, maar wel in de buurt kwamen. Jemig.

'Als ik niet in de gevangenis zou zitten, zou ik de lol er wel van inzien, maar op dit moment lijkt het niet erg grappig. Je moet een verklaring afleggen, Deb. Je moet tegen de rechter zeggen dat ik geen flauw idee had wat voor films ik in mijn bezit had.'

'Rustig maar, Sarah, dit wordt geen rechtszaak. Ten eerste is het bijna onmogelijk te bewijzen dat een pornofilm werkelijk obsceen is en ten tweede heb ik me ervan verzekerd dat de films die ik je heb gegeven soft-porno waren. Geen penetratie, geen close-ups. Er is niets illegaals aan.'

Zo te horen weet ze waarover ze het heeft, maar ik ben erg sceptisch. Dit lijkt allemaal wel erg makkelijk. 'Ik weet het niet, Deb, als er niets illegaals aan is, waarom zit ik dan nog steeds niet in de auto?'

'Omdat een verkeersagent geen officier van justitie is en hij waarschijn-lijk een reden had om je te arresteren. Maar ik zeg je, zodra de staat hier een blik op werpt, trekken ze de aanklacht in. Geloof mij nou maar. Hoor eens, heb je al een advocaat?'

'Nee, maar als jij zo zeker weet dat ze de aanklacht intrekken, waar heb ik dan een advocaat voor nodig?'

Deb slaakt geïrriteerd een zucht. 'Je hebt een advocaat nodig om bij het voorlezen van de aanklacht aanwezig te zijn, Sarah. Hoor eens, laat ze je maar gewoon een pro-Deoadvocaat toewijzen. Je kunt beter iemand heb-ben die hier vandaan komt en de rechtbank kent. Dan gaat het veel snel-ler en sta je eerder weer op straat. Maar als de aanklacht om de een of andere reden niet wordt ingetrokken, ken ik iemand in Chicago die in deze dingen is gespecialiseerd. Hij laat het binnen de kortste keren niet-ontvankelijk verklaren.'

Ik zeg niets terwijl ik nadenk over wat ze net heeft uitgelegd. Ze lijkt te weten waarover ze het heeft, maar alles wat ze zegt, druist tegen mijn intuïtie in. Een advocaat door de staat laten toewijzen? Moeilijk te bewijzen dat iets obsceen is? Het klinkt erg fout en ze merkt dat ik aar-zel.

'Ik loop al even mee, Sarah. Ik zweer je dat ik weet waarover ik het heb.'

'Oké,' zeg ik eindelijk. 'Ik geloof je en ik hoop dat je gelijk hebt. Ik kan me een grote, lange rechtszaak niet veroorloven.' Echt niet. Om eerlijk te zijn, ben ik best opgelucht dat ze adviseerde een pro-Deoadvocaat te nemen. Ik zou niet weten hoe ik een advocaat zou moeten betalen als ik er een nodig heb.

Opeens besef ik dat ik haar nog niet heb verteld dat ik mijn ontslag indien. Moet ik mijn ontslag eigenlijk wel indienen? Het zijn maar films. Ik weet zeker dat ik er wel aan gewend raak. En we zouden tweeduizend dollar per week goed kunnen gebruiken.

'Er komt geen rechtszaak,' stelt Deb me gerust. 'Bel je me even als je weer op vrije voeten bent? Ik voel me toch een beetje verantwoordelijk. Ik wil er zeker van zijn dat alles in orde is.'

'Oké, doe ik. Bedankt.'

Ik hang op en wil het volgende kwartje erin gooien, maar dan verander ik van gedachten. Het is niet echt nodig om Bill te bellen. Ik heb een plan en Deb heeft een advocaat als ik er een nodig heb. Bovendien weet ik niet hoe ik hem alles telefonisch vanuit de gevangenis moet uitleggen. En ik wil absoluut niet dat de meiden hier iets van meekrijgen.

Ik gebaar de politieagente dat ik klaar ben en geef haar de ongebruikte kwartjes terug. Ik zit al verstrikt in een web van leugens, er is geen reden om daar nu mee te stoppen.

LAYNIE

'En?' vraag ik als de politieagente de deur openschuift en Sarah de cel binnenstapt. 'Heb je een advocaat geregeld?' Ze knikt. 'Is Bill helemaal geflipt?' O, wat zou ik er veel voor over hebben gehad om mee te kunnen luisteren. De perfecte, in loafers gestoken Bill komt erachter dat zijn perfecte thuisblijfvrouwtje eigenlijk seksverslaafd is en in Illinois gevangenzit omdat ze op de achterbank van een huurauto naar porno keek. Het zou me niets verbazen als hij ter plekke een echtscheiding zou eisen.

'Straks,' zegt ze en ze helt haar hoofd lichtjes in de richting van de politievrouw. We hebben dit achter in de politieauto afgesproken nadat we waren gearresteerd. Wat er ook gebeurt, we bespreken niets als er iemand in de buurt is.

'Ga maar bellen,' draagt ze me op. 'We praten wel als je terugkomt.'

Reken maar. Ik wacht nog steeds op opheldering. Ze heeft echt geluk dat ik gisteravond al die gemene dingen tegen haar heb gezegd, want ik zou niet half zo geduldig zijn geweest als ik me niet zo schuldig had gevoeld.

Ik loop de cel uit en ga met de politieagente naar de telefoon aan de muur en ze overhandigt me vier kwartjes. Wauw. Ik kan me niet herinneren wanneer ik voor het laatst een telefoon heb gebruikt waarin ik muntjes moest gooien. Ik kijk achter me; alles was zo wazig toen we net binnenkwamen. Ik herinner me niet eens meer dat ik heb gezien hoe het politiebureau eruitzag. Maar nu ik goed kijk, besef ik dat het piepklein is. Ik was helemaal vergeten dat we in een klein plaatsje in Illinois zijn en deze plek lijkt rechtstreeks uit *Mayberry* te komen. Superoude, enorme computers. Telefoons met draden. Het is zo ontzettend provinciaal. Ethan zou het geweldig vinden.

Ik draai me weer om en betrap een jonge agent erop dat hij naar me zit te staren. Ik glimlach naar hem en hij wendt zijn blik af, maar hij grinnikt wel tegen zichzelf. Schattig. Ik gooi twee kwartjes in de telefoon en draai het nummer van kantoor. Hij gaat rechtstreeks naar Gina's voicemail. Perfect.

'Hoi, Gina, met Laynie. Hoor eens, het is een lang verhaal, maar ik bel je vanuit een telefooncel. Ik ben per ongeluk over mijn mobieltje heen gereden, dus helaas ben ik niet zo goed bereikbaar als ik had gedacht. Hoe dan ook, ik bel straks wel terug. Je bent waarschijnlijk lunchen, maar ik wilde het je even laten weten voor het geval iemand ernaar vraagt. Oké bedankt, dag!'

Ik hang op, gooi de andere twee kwartjes erin en draai het nummer dat ik op een of andere manier heb weten te onthouden. Nadat hij twee keer is overgegaan, neemt ze op.

'Hallo?' Ik ben zenuwachtig en mijn hart gaat tekeer.

'Heather?' vraag ik. 'Spreek ik met Heather Maloney uit New Jersey?'

'Ja,' zegt ze langzaam. 'Met wie spreek ik?'

'Met Laynie,' zeg ik aarzelend. 'Laynie Carpenter.'

'Laynie Carpenter?' gilt ze. 'Godsamme, Laynie! Hoe is het met je? Niet te geloven dat jij het bent! Hoe heb je me gevonden?'

'Ik heb je gegoogeld,' leg ik uit. 'Ik kan niet geloven dat ik het juiste nummer heb gevonden.'

'Lieve hemel, ik moet echt altijd aan je denken. Waar ben je? Woon je nog steeds in New Jersey?'

'Nee, nee,' zeg ik en ik haal diep adem. 'Ik ben een poos geleden naar Los Angeles verhuisd, maar op dit moment ben ik in Illinois. Het is een lang verhaal. Mijn zus en ik waren thuis, op bezoek bij mijn moeder en er was een aardbeving in Los Angeles en dus moesten we met de auto terug. Toen ik mijn oude kamer aan het opruimen was, vond ik allemaal brieven van je en ik wilde zo graag met je praten, dus heb ik je gisteravond gegoogeld en toen vond ik je, in Watseka, Illinois en ik kom nu door Illinois heen, dus ik moest je gewoon bellen.'

'Wauw,' zegt ze. 'Woon je in Los Angeles? Wat cool. Zie je overal de hele tijd filmsterren?'

Ik houd mijn hart vast. Hopelijk is ze geen soapfan. 'Eh, soms wel, maar hé, ik zou je echt heel graag willen zien. Ben je vanavond vrij? Of morgenochtend misschien?'

'Tjee, ik heb vanavond helemaal niets. In welke stad ben je? Ik kan overal heen komen rijden, dat vind ik helemaal niet erg.'

Ik glimlach tegen mezelf. Ik wist wel dat ze dat zou zeggen. De tranen springen in mijn ogen, maar ik probeer ertegen te vechten. 'Nee, dat is het nou juist,' zeg ik. 'We zijn op de snelweg in de problemen geraakt en we zijn gearresteerd en we zitten, eh, momenteel in de gevangenis. Precies bij de grens in de buurt van Terre Haute. Het is allemaal een misverstand en ik weet zeker dat het allemaal goed komt. Maar ik dacht, weet je, ik ben hier en ik ga nergens heen en ik ken niet echt iemand anders in Illinois, dus ik dacht, eh, dat jij misschien langs zou kunnen komen om ons te zien en, ik weet het niet, ons kan helpen de borgtocht te regelen? Ik bedoel, natuurlijk hoef je niets te betalen. Je zou een cheque kunnen uitschrijven en kunnen zeggen dat je de verantwoordelijkheid voor ons op je neemt en ik kan je terugbetalen zodra ze me mijn handtas teruggeven.'

Het is stil aan de andere kant van de lijn. Oké, misschien was dit toch niet zo'n goed plan. Wat dacht ik ook eigenlijk? Dat ik haar na bijna vijftien jaar gewoon op kon bellen en haar kon vragen onze borgtocht te regelen en dat zij zou zeggen: natuurlijk, geen punt, ik kom eraan? Echt, ik ben ook zo stom. Als iemand dat bij mij zou doen, zou ik onmiddellijk ophangen. Ik sta op het punt mijn verontschuldigingen aan te bieden, maar dan hoor ik haar. Ze maakt een verschrikkelijk geluid alsof ze stikt en ik glimlach.

O, god, die lach herken ik. Heather had echt zo'n rare lach die heel stil begon; haar mond ging helemaal open en haar hele lichaam begon te schokken en dan stroomden de tranen over haar wangen, maar ze maakte geen geluid. Althans, niet voor een minuut of anderhalf. En dan begon ze eindelijk geluid te maken. Het was hard en het klonk alsof ze tegelijk stikte en de hik had. Als we ergens waren en ze begon eenmaal, dan vroeg er altijd wel iemand of ze de heimlichgreep moesten doen. Ze zei altijd dat ik de enige was die haar zo aan het lachen kon maken.

Ik luister naar haar terwijl ze haar best doet om zichzelf weer in de hand te krijgen – een hoop gepuf en gehoest en volgens mij hoor ik dat ze een slok water neemt – en dan is ze eindelijk weer in staat om te praten.

'God, Laynie, ik heb je zo ontzettend gemist! In welke gevangenis zit je? Ik kan over een uur of twee bij je zijn.'

17 SARAH

Laynie staart me aan en wacht tot ik haar uitleg waarom ik op de achterbank van onze huurauto naar porno zat te kijken. Ik heb geprobeerd een goede leugen te bedenken, maar mijn creativiteit lijkt te zijn geblokkeerd, dus het lijkt erop dat ik haar de waarheid moet vertellen. Overal over.

Maar eerst moet ik weten of ze iemand heeft gevonden die onze borgtocht kan regelen.

'Heel even,' zeg ik. 'Wie heb je gebeld?' Ik ben er volkomen op voorbereid dat ze zal zeggen dat ze niemand heeft gebeld. Ik verwacht zelfs dat ze niemand heeft gebeld. Sterker nog, ik verwacht dat ze tegen me gaat schreeuwen en dat ze gaat huilen en mij gaat verwijten dat ze niemand heeft gebeld, want zo is Laynie nu eenmaal. Als er iets negatiefs gebeurt, stort Laynie altijd in, ze kan er niet tegen en iemand anders moet alles regelen, het is nooit haar schuld want zij is altijd het slachtoffer. Ik heb natuurlijk een plan achter de hand. Ik neem aan dat ik de advocaat in Chicago kan bellen die Deb heeft aanbevolen en dat ik hem hierheen kan laten komen om de borgsom te betalen. Maar dan glimlacht Laynie zelfvoldaan.

'Als je het per se wilt weten, ik heb Heather Maloney gebeld. Ze woont in Illinois, zo'n twee uur hiervandaan.'

'Heather Maloney,' herhaal ik. 'Meen je dat?'

Laynie kijkt beledigd en ze slaat haar armen over elkaar. 'Ja, dat meen ik. Heb jij een beter idee, dan?' vraagt ze gepikeerd.

'Nee, het is prima. In mijn herinnering was ze alleen een beetje een warhoofd, meer niet. Weet je zeker dat ze komt?'

'Ik weet het zeker. En ze was geen warhoofd. Ze was alleen een beetje anders, meer niet. Kun je nu alsjeblieft ophouden met uitvluchten zoeken en me vertellen wat er aan de hand is?' Ze tikt ongeduldig met haar voet op de grijze, betonnen vloer.

'Oké,' zeg ik. 'Ik weet alleen niet waar ik moet beginnen. Het is een lang verhaal.' Ze tikt weer met haar voet op de grond, *tik, tik, tik, tik, tik.* 'Kun je daarmee ophouden?' vraag ik en wijs naar haar voet. 'Ik word er zenuwachtig van.'

Ze plant haar voet stevig op de grond en kijkt me boos aan. 'Prima. Als je niet weet waar je moet beginnen, zal ik je dan maar vragen stellen?'

'Geweldig,' zeg ik opgelucht omdat ik er niet meer over na hoef te denken. 'Ga je gang.'

Laynie kijkt verbaasd alsof ze niet had verwacht dat ik hiermee akkoord zou gaan. 'Oké,' zegt ze en ze denkt even na. 'Waar heb je de film vandaan?' wil ze weten.

Goed, die is makkelijk. 'Van een bedrijf in Northridge genaamd DDR Entertainment. Ze verpakken seksfilms.'

'Waarom had je ze?' Nog een makkelijke.

'Ik werk voor ze. Althans sinds afgelopen week. Eigenlijk weet ik niet zeker wat mijn status bij het bedrijf op dit moment is.'

Laynie fronst haar wenkbrauwen. Ze lijkt in de war. 'Wat voor soort werk deed je dan voor ze?'

Ik heb het gevoel dat ik in een scène van een spionagefilm ben beland en dit is het gedeelte waarin ik niet wil antwoorden en zij haar zwarte koffertje met tandartsinstrumenten opendoet. 'Ik moest stukjes schrijven voor achter op de dvd-hoes. Alleen wist ik niet dat het om pornofilms ging. Ik dacht dat het gewone films waren.'

Laynie kijkt nu nog verbaasder. 'Hebben ze je dat dan niet verteld tijdens het sollicitatiegesprek?'

Ik sla mijn ogen ten hemel. 'Het lijkt erop dat ik dat detail heb gemist, ja.'

Laynie lacht als het haar begint te dagen. 'Jemig. Dit is het grappigste wat ik ooit heb gehoord. Dus toen je hem in de auto opzette, dacht je dat je naar een gewone film ging kijken, voor je werk, en toen verscheen er een vent in beeld die op het naakte achterste van een meid begon te slaan?' Ze giert het nu uit en zelfs ik glimlach. Het is ook erg grappig.

'Eigenlijk,' zeg ik grinnikend door mijn neus, 'sloeg hij twee meiden.'

Laynie slaat hysterisch dubbel en rolt van de bank op de grond. 'O, jezus,' jankt ze. 'O, ik kan niet meer. Ik kan echt niet meer.'

'Sta op,' zeg ik nog steeds lachend. 'Die vloer is smerig.' Ze steekt haar hand naar me uit en ik trek haar nog steeds lachend omhoog.

'Dus je bent weer gaan werken,' zegt ze goedkeurend. 'Wat goed. Was je het moederen zat? Had je zin om je weer onder volwassenen te begeven?' Ze maakt met haar vingers aanhalingstekens in de lucht als ze het woord 'volwassenen' zegt en haar grap bezorgt haar een nieuwe lachbui.

Ik aarzel even voordat ik antwoord. Het zou zo makkelijk zijn om gewoon ja te zeggen, ik verveelde me en ik wilde weer iets gaan doen, dus zocht ik een baantje om me bezig te houden. Iets leuks, voor een paar uur per week, en ik doneer mijn salaris aan een liefdadigheidsinstelling, want we hebben het geld natuurlijk niet nodig. Maar ik ben het zo zat om te liegen. Het is vermoeiend en ik zit in de gevangenis, het kan heus niet gênanter worden dan het al is. Dus kijk ik Laynie recht aan en zeg het.

'Ik heb werk gezocht omdat we blut zijn en het geld nodig hebben.' Ik zie dat ze denkt dat ik een grap maak, en ze staat op het punt in lachen uit te barsten als ze mijn gezicht ziet en beseft dat ik het meen. Ze wordt onmiddellijk stil alsof de naald van een plaat wordt gehaald en ze staart me aan in een poging te bevatten wat ik net heb gezegd.

'Hè?' vraagt ze.

'Je hebt me toch gehoord?' zeg ik. 'We zijn blut. We hebben geen geld. Noppes. Niets.'

Laynie schudt ongelovig haar hoofd. 'Ik begrijp het niet,' zegt ze. 'En het huis dan en de privéschool en de verjaardagspartijtjes voor de meiden? Hoe kunnen jullie nou blut zijn?'

'Helene,' licht ik nonchalant toe. 'Zij betaalt alles. Zij heeft het huis voor ons gekocht, zij betaalt het schoolgeld, zij geeft de feestjes. Zij heeft alle betaaltouwtjes in handen. Bill en ik zijn slechts poppen die zij in haar macht heeft.' Laynie opent haar mond wagenwijd. Ik dacht dat ik me zou schamen als ik de waarheid zou vertellen, maar eigenlijk vind ik het wel leuk. Het is net alsof ik een sloopkogel ben en in één zwaai alle illusies die ze over mij in haar hoofd had bedacht, omver maai.

Laynie gaat weer op de bank zitten en, terwijl ze me nog steeds aanstaart, slaat ze haar benen over elkaar. Ze is er nog altijd niet van overtuigd dat het geen grap is.

'Het is waar,' zeg ik. 'Geloof me nou maar.'

Ze schudt haar hoofd. 'Maar ik begrijp het niet. Ik dacht dat Bill de CEO van het bedrijf van zijn vader was?'

Ik ga op de bank tegenover haar zitten en leun achterover tegen de muur. 'Dat is hij ook.'

'Oké, Maar het is een enorm bedrijf. Ik bedoel, H&H Records is het grootste onafhankelijke platenlabel dat nog bestaat. Het is beroemd.'

'Het is failliet,' zeg ik botweg. Laynies ogen puilen zo ver uit dat het bijna eng is, dat gebeurt altijd als ze bang is of door iets wordt verrast. De kinderen uit de buurt pestten haar er altijd mee. Ze noemden haar Laynie Kikkeroog en als ze boos werd zongen ze altijd: insectenoog, insectenoog, Laynie heeft insectenogen.

'Doe nou niet met je ogen,' zeg ik tegen haar. Zodra ik dat zeg worden ze weer normaal en ik zie dat haar wangen felrood zijn geworden. Ik wilde haar niet in verlegenheid brengen. Het is gewoon erg goor om al die haarvaatjes onder haar oogballen te zien.

'Het zit zo,' zeg ik omdat ik niet wil dat zij de voor de hand liggende vraag stelt. 'Toen Bills vader het bedrijf begon, was het een andere tijd. iTunes bestond nog niet en er was geen internet. Als mensen naar muziek wilden luisteren, moesten ze het kopen. Bills vader had er kijk op, hij kende de juiste mensen en hij had een goede reputatie omdat hij zijn artiesten beter behandelde dan de grote platenlabels, dus wilden veel goede bands een contract bij hem. Maar veel was ook geluk en de juiste timing. Vandaag de dag had hij niet kunnen doen wat hij toen heeft gedaan. Platenlabels verdwijnen. Het zijn relikwieën. Denk er maar eens over na: het heet nog steeds platenlabel, maar hoeveel kinderen weten tegenwoordig nog wat een plaat is?'

'Dat snap ik, dat snap ik, maar als dit waar is, waarom heeft Helene dan zoveel geld?'

Ik wuif afwijzend met mijn hand. 'Dat is allemaal van daarvoor. In de jaren tachtig en negentig hebben ze miljoenen verdiend en Bills vader was erg slim. Hij heeft veel gespaard en in onroerend goed geïnvesteerd. Bovendien heeft ze minstens tien miljoen uitgekeerd gekregen van zijn levensverzekering toen hij stierf.'

'En Bill heeft niets gekregen?' vraagt Laynie.

'Bill heeft de helft van het bedrijf gekregen,' zeg ik terwijl ik met mijn wijsvinger een sarcastisch joepie-gebaar in de lucht maak. 'Het was zo geregeld dat Helene eenenvijftig procent van de aandelen had en Bills vader negenenveertig procent en die heeft Bill geërfd toen hij stierf.'

'Wilde Bill ze niet?' vraagt ze verbaasd.

'Nee, natuurlijk niet. Hij had een geweldige baan bij Goldman Sachs. Hij was bijna directeur. Hij wilde dat niet opgeven om een bedrijf te gaan runnen waar hij niets vanaf wist.'

'Waarom heeft hij het dan niet gewoon verkocht?'

'Dat heeft hij geprobeerd,' zeg ik met een zucht. 'Toen Bills vader stierf, wilden alle grote platenlabels H&H kopen. Sony, BMG, Warner, echt allemaal. Ze wilden het al jaren overnemen, maar Bills vader wilde het niet verkopen. Hij deed de dingen op zijn eigen manier, hij had een speciale H&H-cultuur gecreëerd waar het personeel dol op was en zijn mantra was dat hij zijn zaak nooit zou verkopen aan een stel zakenmannen die twintig jaar hard werken in twintig minuten zouden verpesten.

Maar zodra hij weg was, was het niet mogelijk het in stand te houden. De cultuur was rondom hem opgebouwd. Het personeel hield van hem. Bill wist dat het zonder zijn vader nooit hetzelfde zou zijn. Dus heeft hij met alle labels gesproken en met Sony een deal uitonderhandeld. Een goede deal, inclusief de garantie dat alle werknemers minstens drie jaar mochten blijven. Maar Helene wilde niet tekenen. Ze verweet Bill dat hij een slaatje wilde slaan uit zijn vaders dood en dat hij geen enkel respect voor zijn vaders wensen had of het bedrijf dat hij had opgebouwd. Ze zei dat de enige manier waarop hij ooit geld aan zijn vader zou kunnen verdienen, was als hij het bedrijf over zou nemen en het zelf groter zou maken. Ze liet hem geen keuze. Hij nam ontslag bij Goldman en ging aan de slag als CEO en twee jaar later kwam de muziekdienst Napster uit. Sindsdien draait H&H verlies.'

Laynie schudt haar hoofd.

'Wat een ongelofelijk verhaal,' zegt ze. Ik knik maar, want als ik mijn mond opendoe ga ik huilen. Dit heb ik nog nooit eerder aan iemand verteld. En het is nog niet eens het hele verhaal. Ik heb haar niet verteld dat alle werknemers een hekel aan Bill hadden omdat ze dachten dat hij het van de hand wilde doen. Ik heb haar niet verteld dat Bill zichzelf al drie maanden geen salaris meer betaalt zodat hij een reserve kan opbouwen voor het personeel voor het geval het echt helemaal fout loopt. En ik heb haar niet verteld dat hij weigert om zijn moeder uit te leggen hoe slecht het gaat, omdat hij weet dat zij zal zeggen dat het zijn schuld is en omdat hij dat diep vanbinnen ook gelooft.

Laynie trekt haar wenkbrauwen op alsof haar plots iets te binnen schiet. 'Helene zei dat ze hem geen geld geeft, maar jij zei dat ze alles betaalt.'

Ik snuif verachtelijk. 'Helene geeft hem geen geld want daar zijn geen voorwaarden aan verbonden. Maar ze betaalt wel voor dingen omdat ze ons graag in haar greep wil houden. En omdat we geen geld hebben, laten we het toe. Denk je echt dat ik de meiden naar Caldwell wil doen? Helene wil niet voor een andere school betalen. Denk je echt dat ik in dat huis wil wonen? Helene wilde ons in de buurt hebben, dus kocht ze het voor ons zonder te vragen of wij het wel mooi vonden. Denk je dat ik zo'n groot, aanstootgevend verjaardagsfeestje voor Janie wilde vorig jaar? Met die pony's, suikerspinnen en die band? Helenes secretaresse heeft alles geregeld. Ze heeft me één keer gebeld, voor de gastenlijst.'

'Dus heb je een baan gezocht,' zegt Laynie meer tegen zichzelf dan tegen mij. Ik knik. 'Je hebt het zeker niet aan Bill verteld?' vraagt ze. Ik schud mijn hoofd, maar ze vraagt me niet waarom niet.

'Het spijt me,' zegt ze en ik haal mijn schouders op.

'Het is jouw schuld niet,' zeg ik tegen haar.

'Nee, ik bedoel dat het me spijt dat ik gisteravond al die dingen tegen je heb gezegd. En het spijt me dat ik van het slechtste uitging wat jou betreft. Ik dacht gewoon dat je was veranderd. Ik dacht dat je al die dingen belangrijk vond.'

Ik slik moeizaam. 'Ik had het je moeten vertellen,' zeg ik. 'Het is net zo goed mijn schuld.'

'Heb je een plan?' vraagt ze. Ik recht mijn rug en denk hierover na. Heb ik een plan? Ik was van plan tweeduizend dollar per week te verdienen met het bekijken van films. Maar nu... nu weet ik niet wat ik ga doen. Voor dit probleem heb ik geen plan achter de hand.

'Nee,' geef ik toe. 'Voor het eerst van mijn leven heb ik geen plan.'

Laynie glimlacht. 'Nou, zodra we hieruit zijn, zitten we nog drie dagen in de auto. Twee mensen kunnen in drie dagen veel plannen maken.'

Ik glimlach terug. 'Dat zou fijn zijn,' zeg ik tegen haar. 'Dat zou heel erg fijn zijn.'

LAYNIE

De politieagente is terug en slaat tegen de tralies.

'Kom, dames, het is tijd om naar de rechtbank te gaan.' Ik heb nog nauwelijks de tijd gehad om alles te verwerken wat Sarah me zojuist heeft verteld – Ze is blut? Bill is niet rijk? Helene betaalt alles? Ze heeft geen plan??? – maar er is nu geen tijd om hier over na te denken. De advocaat wacht op ons in de rechtbank, voor onze aanklacht en we moeten er nu heen. Ik kreeg bijna een hartaanval toen Sarah zei dat het een pro-Deo-advocaat is en dat ze niet iemand heeft ingehuurd om ons terzijde te staan. Maar ze zweert dat ze weet wat ze doet. Ze zei dat haar bazin of haar voormalige bazin, wie dat ook is, heeft gezegd dat we pas een echte advocaat moeten inhuren als ze de aanklacht niet onmiddellijk intrekken.

Ik wil haar vertrouwen en ik wil haar geloven, maar nu ik weet wat ik weet is het moeilijk om niet te denken dat ze misschien gewoon geld wil besparen. En ik vind het verschrikkelijk dat ik zo denk, en dat ik me zo voel, maar eigenlijk ben ik boos op haar. Als ik had geweten dat ze geen geld had, had ik zelf een advocaat geregeld. Ik bedoel, hoe durft ze beslissingen over mijn leven te nemen – mijn vrijheid – zonder me eerst alle informatie te geven terwijl zij dit allemaal heeft veroorzaakt? En wie is die Deb in hemelsnaam? Hoe weet zij nou dat ze de aanklacht onmiddellijk zullen intrekken? Jemig, ik ben zo stom. Ik had erop moeten staan dat ze me eerst alles zou vertellen voordat ik haar iemand liet bellen. Dit is de reden dat je Sarah geen dingen meer laat regelen, Laynie. Je hebt gezworen dat je dit niet meer zou laten gebeuren en wat doe je bij het eerste teken van problemen? Je valt weer terug in je oude gewoonte. Stom. Stom, stom, stom.

In gedachten schreeuw ik tegen dit stemmetje om te stoppen met praten! Er is niets wat ik nu kan doen. Ik probeer me ergens anders op te focussen zodat ik niets merk van de golven angst en misselijkheid die door me heen spoelen elke keer dat we door de volgende deur in de rechtbank lopen. Focus, Laynie, focus. Maar waarop? Op de slecht geverfde haren van de politieagente? Moet ik proberen een glimp op te vangen van het pistool in de holster onder haar jasje? Nee. Het is beter om aan Heather Maloney te denken. Zal ik haar herkennen? Ik heb het gevoel dat ze er nog precies hetzelfde uitziet, maar ja, ik herkende Marissa Dunn ook niet. Ik zou haar nog niet hebben herkend als ik op haar was gaan staan. En ik vraag me af of ze op tijd zal zijn. Ze heeft gezegd dat ze twee uur nodig heeft om hier te komen en dat was bijna drie uur geleden. Ik neem aan dat Sarah gelijk had, ze was altijd een beetje een warhoofd. En onbetrouwbaar. Heather kennende is ze ergens een kop koffie gaan drinken en eerst nog een paar boodschappen bij Target gaan doen.

We lopen de – een, twee, drie, vier, vijf, zes, zeven, acht – acht treden naar het gerechtsgebouw op en gaan dan een trapje af naar een kleine ruimte zonder ramen. Binnen zit een man – te zwaar, van middelbare leeftijd, zijn huid vol putjes van acnelittekens – op ons te wachten. Hij heeft een oud uitziend donkerblauw pak en bruine afgetrapte, versleten schoenen aan. Zijn zwarte, dunner wordende haar heeft hij over zijn verder kale hoofd gekamd en hij heeft een dikke, zwarte snor die bij zijn mondhoeken omhoog krult. Zijn ogen zijn donkergrijs, de kleur van mosselen. Dus dit is onze advocaat. Ik moet zeggen, hij is perfect gecast. Hij ziet eruit als iemand die dit al heel lang doet. Erg geloofwaardig. Als *S&S* ooit een rol voor een pro-Deoadvocaat heeft, is dit de man die ik voor de rol wil.

De golven angst worden minder. Ze verdwijnen niet, maar kabbelen rustig voort. Onze advocaat steekt zijn hand uit en stelt zichzelf voor als Frank Leonetti, en de angst steekt de kop weer op, elke golf slaat bijna tegen mijn keel. Frank Leonetti praat vlugger dan wie ook, zo snel dat de woorden een lange brij vormen en ik nauwelijks begrijp wat hij zegt.

'Ikhebhetarrestatierapportgelezeneneenkopievandefilmdiejeaanhetkijkenwas,' zegt hij terwijl hij luidruchtig inademt om weer op adem te komen. 'Waaromzatjeopdesnelwegopdeachterbanknaareenpornofilmtekijken? Hetisnietobsceenmaakjegeenzorgenikhebjehierzouitmaarhetwasnietergslimvanje.'

Mijn hemel, is dit onze advocaat? Dit is iemand die de gemeenschap moet verdedigen? Ik kijk naar Sarah, maar ik kan haar blik niet vangen.

'Ik wist niet dat het een pornofilm was,' zegt ze. 'Ik was in de veronderstelling dat het een gewone film was.'

Frank Leonetti trekt een gezicht en wuift afwijzend met zijn hand. 'Jaja,datzeggenzeallemaalalszemetpornoindeautowordengesnapt.'

Deze keer kijkt Sarah naar mij en ik zie dat ze net zo verbaasd is als ik. 'Echt waar?' vraag ik. 'Er worden wel vaker mensen gearresteerd omdat ze in de auto naar porno kijken?'

Frank Leonetti kijkt me aan alsof ik niet helemaal goed snik ben. 'Dame, ikhebmensenvertegenwoordigddiewarengearresteerdvoorhetopnemenvanpornofilmsindeauto.'

Sarah stoot me aan. 'Je ogen,' fluistert ze en ik knipper. Ik wilde dat ze daarmee ophield. Ik kan er niets aan doen dat ik uitpuilende ogen heb. Bovendien zou ze zich helemaal niet druk moeten maken over mijn ogen als we een advocaat hebben die klinkt als een veilingmeester aan de speed.

'Oké, wegaan, ditduurtvijfminuten.' Hij klopt op de deur en een politieagent opent hem van buitenaf. Ik had niet eens door dat we hier ingesloten zaten, maar ik snap het wel. Zodra mensen deze man ontmoeten, zal minstens de helft proberen ervandoor te gaan.

Frank Leonetti stapt de kamer uit en gebaart dat we achter hem aan de trap op en door een lange gang moeten lopen. Hij blijft voor een grote, houten deur staan waarop KAMER 219 staat. Er staat een bewaker voor de deur en Frank Leonetti knikt naar hem.

'HoiCalvin. Hoeishetmetjedochter? HeeftzealietsvanColumbiagehoord?'

'Nog niet, meneer Leonetti,' antwoordt Calvin terwijl hij de deur voor hem open zwaait. 'Maar ik denk wel dat ze wordt toegelaten. Ze was de enige die op het tussenrapport een tien voor rekenen had.' Frank Leonetti glimlacht.

'Nou, laatmaarwetenofikietskandoen, ikvindhetgeenenkelprobleemomeenaanbevelingteschrijven. Ikhebjealgezegddatikiemandopderechtenfaculteitken.'

'Dat weet ik, meneer Leonetti. Bedankt.' Hij zegt het alsof hij tegen een seniele oude man praat die denkt dat het nog steeds 1947 is en ik begrijp onmiddellijk dat Frank Leonetti zo iemand is die niet snapt dat iedereen hem altijd in de maling neemt. Mijn handen ballen zich tot vuisten. Ik ga Sarah echt vermoorden omdat ze geen echte advocaat heeft geregeld.

'*Oye, oye,*' zegt de griffier als we de bank voor in de rechtszaal in glijden. 'Wilt u allemaal gaan staan voor de edelachtbare rechter Eleanor Johnson.' We gaan allemaal staan en de rechter, een oudere, Afro-Amerikaanse vrouw met een statig gezicht loopt vanuit haar kamer naar binnen en neemt plaats op de leren stoel. Ze kijkt naar haar papieren.

'Zaak 147632, de staat Illinois versus Laynie Carpenter en Sarah Felton,' roept ze uit. Frank Leonetti gaat staan, haast zich naar de voorzijde van de kamer en struikelt bijna over zichzelf. Sarah en ik gaan weer zitten en ik kijk om me heen, op zoek naar Heather Maloney. Er zitten een paar vrouwen achter in de zaal, maar die zijn niet alleen en niemand lijkt de menigte af te speuren voor een oude vriendin. O, ik hoop echt dat ze het redt. Ik wil niet dat het mijn schuld is dat we de nacht in een cel moeten doorbrengen.

'Frank Leonetti voor de verdachten, uw edelachtbare.' De rechter knikt naar hem ter erkenning.

'Meneer Leonetti. Pleiten uw cliënten schuldig of onschuldig?'

'Edelachtbare,' zegt hij. Ik kijk op, stomverbaasd omdat ik hem langzaam hoor spreken en hij elke lettergreep goed articuleert. Oké, dus hij weet dat er iets mis met hem is. Gelukkig maar. Dit oefent hij vast. Het is vast zijn rechtbankstem. Ik zie helemaal voor me hoe hij alleen in zijn kleine vrijgezellenappartement voor de badkamerspiegel steeds opnieuw 'Edelachtbare, Edelachtbare' oefent terwijl zijn kat vanaf de wc-bril naar hem kijkt.

'Mag ik een moment met de staat?' vraagt hij. De rechter knikt en Frank Leonetti loopt naar een knappe, blonde vrouw in een zwart pak toe. Ik had haar nog niet eens opgemerkt en ik kijk toe hoe hij iets tegen haar fluistert en zij iets terugfluistert.

'Edelachtbare,' kondigt zij aan. 'De staat laat alle aanklachten tegen deze verdachten vallen.'

De rechter slaat twee keer vlug met haar hamer op haar bureau.

'Zaak afgewezen. De gedaagden mogen gaan.'

Sarah glimlacht en pakt mijn hand en ik kan alleen maar naar haar staren, zo verbaasd dat zelfs ik weet dat mijn ogen uitpuilen. De golven angst die in mijn buik aanzwollen, zijn veranderd in golven opluchting die met zo'n kracht over me heen spoelen dat ik nauwelijks rechtop kan blijven zitten. Opeens ben ik doodmoe. Al die angst om zoiets onbeduidends. Zaak afgewezen. Jullie mogen gaan. Niets aan de hand.

Wauw, over een anticlimax gesproken.

Sarah en ik gaan staan en Frank Leonetti glimlacht en steekt zijn hand uit.

'Dames, leukomzakenmetjulliegedaantehebben.'

'Wat heb je tegen haar gezegd?' vraag ik ongelovig.

Frank Leonetti haalt zijn schouders op. 'Ikhebgezegddatzenietkanwinnenendatweetze, enalszedeaanklachtintrektdanbepleitikstrafverminderinginruilvooreenschuldbekentenisbijeenvanmijnandereclientenwaarzijopuitis.'

Mijn mond valt open van verbazing. Gluiperig. Blijkbaar heb ik Frank Leonetti, pro-Deoadvocaat onderschat.

Terwijl Sarah en ik hem bedanken, vliegt de deur van de rechtszaal met een harde knal open. Een klein mager vrouwtje met donker haar komt de zaal in zetten en iedereen draait zich om om naar haar te kijken. Misschien staren ze naar haar omdat ze zoveel lawaai maakte toen ze binnen-kwam of misschien omdat ze haar donkere haar in vlechtjes draagt en een kastanjebruine broek en een lichtblauw shirt met een grote ster erop aan-heeft. Ik vermoed echter dat ze naar haar staren omdat ze een pop vast-heeft die precies dezelfde kastanjebruine broek en hetzelfde lichtblauwe shirt draagt en haar haar ook in vlechtjes heeft. Het geheel is superbizar, toch heeft ze iets bekends over zich. Ze ziet dat ik naar haar kijk en om haar mond verschijnt een enorme grijns. Jemig. Die grijns zou ik overal herkennen.

'Laynie?' gilt ze rennend over het middenpad van de rechtszaal. 'Ben je het echt? Jemig, je bent geen spat veranderd! Je bent nog precies hetzelf-de!'

Maar net voordat ze bij me is, blijft ze plotseling staan. Ze remt bijna op haar hakken. Ze draait zich naar de bank naast haar en zet de pop voor-zichtig in een zittende houding neer. Ze buigt zich voorover en fluistert iets in het oor van de pop en dan giechelt ze en spreidt haar armen en geeft me een grote, stevige knuffel.

'Heather,' zeg ik terwijl ik over haar schouder naar Sarah kijk die me boos aanstaart en nee schudt: geen denken aan dat ik zelfs maar vijf minu-ten van mijn nieuw verworven vrijheid met dit bizarre poppenvrouwtje doorbreng, dus zorg maar dat je van d'r afkomt. Maar ik glimlach slechts en haal mijn schouders op. Sorry, zeg ik tegen haar met mijn ogen. Je hebt er zelf om gevraagd.

18 SARAH

Ik herken die kleding. Het is American Girl-kleding. Vorig jaar heb ik zo'n setje voor Jessie gekocht, voor haar verjaardag, en een bijpassende voor haar pop. Erg schattig voor een meisje van zeven, maar voor een volwas-sene? Het spijt me, maar het is erg irritant. En sorry als ik paranoïde over-kom, maar met deze vrouw in een auto stappen lijkt me geen slim plan. Het kan me niet schelen dat ze vroeger Laynies beste vriendin was. Ze praat met poppen. Het is niet zo heel raar om te denken dat we ergens in een greppel kunnen eindigen, doodgeknuppeld en kaal omdat de pop tegen haar heeft gezegd dat ze ons moet vermoorden en onze haren eruit moet trekken.

'Kom op,' probeert Laynie me over te halen nadat ik mijn bedenkingen heb geuit. 'Ze is eenzaam en praat tegen een pop. Nou en? Mensen praten ook tegen hun huisdieren en dat vindt niemand vreemd.'

We zijn weer in de gevangenis en wachten tot we onze persoonlijke bezittingen terugkrijgen. We zijn alleen omdat Heather en haar pop niet mee naar de voorraadkamer mochten.

'Ja, dat doen ze wel,' antwoord ik. 'En ze denken ook dat het nog vreemder is als ze bijpassende kleding dragen. Denk je werkelijk dat ze normaal is, Laynie?' Laynie aarzelt. Ik heb geen enkel idee wat er in haar omgaat. Normaal gesproken zou ze hier niet over ophouden. Laynie heeft sneller een oordeel klaar dan wie dan ook. Jemig, ze werkt in casting. Dat moet ook wel.

'Oké, misschien is ze niet helemaal normaal. Maar, Sarah, ik zou echt graag wat tijd met haar doorbrengen. Sinds ma en pa hebben aangekondigd dat ze gaan scheiden, denk ik erg veel terug aan mijn kindertijd, en ik wil gewoon graag met iemand praten uit die tijd. Ik bedoel, vind je het niet verschrikkelijk dat je zo ver uit de buurt woont van de plek waar je bent opgegroeid? Vind je het niet verschrikkelijk dat je nooit meer iemand tegenkomt die je hebt gekend?'

Ik zucht. Ik begrijp haar obsessie met haar jeugd niet. Een paar jaar geleden ben ik naar de vijftienjarige reünie van de middelbare school geweest en ik wilde dolgraag meteen weer weg. Alle mannen waren dik en kalend en alle vrouwen waren dik en gerimpeld, maar verder was iedereen nog precies hetzelfde. Je had ons zo weer in de schoolbanken kunnen zetten. En nee, ik vind het niet verschrikkelijk dat ik nooit meer iemand tegenkom. Bill komt continu mensen tegen die hij van vroeger kent en het is altijd ongemakkelijk. Hij weet nooit wat hij moet zeggen en ik ben altijd opgelucht dat ik niet tegen een willekeurig iemand van de middelbare school hoef te zeggen dat we absoluut een keer ergens koffie moeten gaan drinken als ik iets dergelijks helemaal niet van plan ben.

'We zijn bijna een hele dag kwijt,' klaag ik. 'Het kan wel een uur duren eer we de auto uit het depot hebben. We hebben geen tijd voor een gezellig dinertje met Heather Maloney.'

'Ik rij vannacht,' smeekt Laynie. 'We kunnen die tijd wel weer goedmaken. Alsjeblieft, Sarah. Ik moet dit echt doen.' Ze kijkt alsof ze elk moment in huilen kan uitbarsten en ik sla mijn ogen ten hemel.

'Oké, goed dan. Zij kan ons naar het depot rijden, maar we nemen onze auto mee naar het restaurant en als ik een scherp voorwerp zie, smeer ik hem.'

De vrouw achter het raam komt eindelijk terug en schuift twee grote, gele enveloppen door de halfronde opening samen met een klembord en een paar officieel uitziende documenten.

'Check goed of al je spullen erin zitten, en teken dan hier het ontvangstbewijs.'

Ik pak de envelop met daarop FELTON, SARAH en maak hem open. Mijn horloge, mijn trouwring, mijn mobiel en een dvd in een wit, ongemerkt plastic hoesje. Ja, dat is het. De vrouw kijkt me vreemd aan en ik bloos als ik het papier onderteken en het haar overhandig. Ik kan me goed indenken wat ze hier over ons zeggen.

Terwijl ik op Laynie wacht, zet ik mijn telefoon aan en als ik weer ontvangst heb, verbaast het me dat ik elf gemiste oproepen heb. Ik scrol door de nummers en mijn maag draait zich om als ik de namen op het schermpje zie. Thuis, thuis, Caldwell, thuis, Caldwell, Molly Royce, Molly Royce, Molly Royce, thuis, Molly Royce, Molly Royce. O, o, dit is geen goed teken.

LAYNIE

Heather zei dat ze haar auto zou gaan halen terwijl wij binnen waren voor onze spullen, maar als we naar buiten lopen, is ze er nog niet en mijn hart zakt me in de schoenen. Ik hoop dat ze er niet vandoor is. Er zijn zoveel dingen die ik met haar wil bespreken. Er zijn zoveel dingen die ik me niet meer herinner en ik weet gewoon dat zij ze nog wel weet. Ik vind het zo spannend; ik heb het gevoel alsof ik op het punt sta een reis te gaan maken die ik mijn hele leven al aan het plannen ben en ik wil er dolgraag aan beginnen.

Sarah luistert haar voicemail af en ze trekt haar wenkbrauwen naar me op alsof ze wil zeggen dat ze me heeft gewaarschuwd dat Heather een freak is en helemaal niet verbaasd is dat ze niet is teruggekomen. Ik wil haar bellen, maar net als ik mijn Blackberry uit mijn tas opduikel, komt ze zwaaiend en toeterend voorrijden. Ik kijk naar de auto en sluit mijn ogen. Oké. Misschien is er iets met me gebeurd toen ik in de gevangenis zat. Volgens mij hallucineer ik van de stress, want ik zou zweren dat ik Heather Maloney net in een paarsmetalic Chevy Impala zag zitten met enorme oranje vlammen op de zijkant en knipperende neonverlichting. Ik open mijn ogen, kijk weer en verwacht een Toyota Camry of een Honda Accord of misschien een Dodge Neon te zien. Maar nee. De paarse Impala staat er nog steeds.

Ik weet dat het poppengedoe bizar is, maar dit had ik echt niet verwacht.

Ik kijk zenuwachtig naar Sarah, maar zij staat met haar rug naar de straat. Ze is nog steeds naar haar berichtjes aan het luisteren en ik zie dat er iets mis is, ze lijkt ontdaan en ze ijsbeert op en neer. Ze vermoordt me als ze dit ziet.

Heather draait het raampje naar beneden.

'Hoi!' gilt ze. 'Sorry dat het zo lang duurde om van de parkeerplaats af te komen.'

'Dat geeft niet. Leuke auto,' voeg ik daaraan toe. Ik hoop dat mijn opmerking een uitleg uitlokt. Dat haar auto bijvoorbeeld naar de garage moest en dit de enige beschikbare huurauto was. Of dat haar benzine op was en ze een zeer betrouwbare Mexicaanse gangster tegenkwam die haar zijn auto heeft geleend om ons op te halen.

'Bedankt,' zegt ze trots. 'Hij was van mijn ex-man, maar ik heb hem bij de scheiding gekregen. Ik zei tegen hem, die paarse verf was mijn idee, dus het is alleen maar eerlijk dat ik hem krijg.'

'Natuurlijk, dat snap ik.' Ik steek mijn vinger op en glimlach tegen haar. 'Ik ga Sarah even halen,' zeg ik. 'Ze had een heleboel berichtjes en volgens mij heeft ze niet door dat je er al bent.'

Sarah is nog steeds aan de telefoon, geïrriteerder dan ooit. Ze is de trap naar de gevangenis weer op geijsbeerd dus loop ik erheen en tik haar op de schouder. Ze springt weg en houdt een vinger tegen haar lippen om aan te geven dat ik stil moet zijn. Ik gebaar dat ze mee moet komen. Dit is perfect. Als ze aan de telefoon is, kan ze pas naderhand over de auto klagen. Ik open het portier aan de passagierszijde om in te stappen, Sarah opent het achterportier, maar aarzelt dan.

'Schat,' zegt ze in de telefoon, 'ik bel je zo terug.' Sarah steekt haar hoofd naar binnen en ik draai me om zodat ik kan zien wat er aan de hand is. Nee, hè? De pop die Heather in de rechtbank bij zich had, zit achterin in een kinderzitje en daarnaast zitten nog drie poppen met de riem er zo overheen dat ze er alle drie onder zitten.

Sarah schraapt haar keel. 'Eh, Heather, waar wil je dat ik ga zitten?' vraagt ze in haar meest beleefde, 'ik erger me kapot maar ik probeer wel beleefd te blijven'-stem. Heather draait zich om en slaat tegen de zijkant van haar hoofd alsof ze nu pas beseft dat ze beter een V8 had kunnen hebben.

'Wat dom,' zegt Heather. 'Sorry, ik was helemaal vergeten dat jij mee zou komen.' Heather denkt even na en slaakt dan een diepe zucht. 'Nou, ik weet dat het niet is toegestaan om kinderen onder de zes zonder autozitje te vervoeren, maar het is vast wel goed als je haar op schoot houdt. Ze is trouwens bijna zes. Haar verjaardag is al over drie weken.' Heather doet haar portier open, stapt uit en loopt om de auto heen naar de plek waar Sarah staat om de riem los te maken die het kinderzitje op zijn plek houdt.

'Ik weet het,' zegt ze tegen de pop, alsof ze zojuist heeft geprotesteerd tegen de andere plannen. 'Het komt allemaal goed. Ik laat je echt niets gebeuren.'

Ze zet het kinderzitje in de kofferbak en geeft de pop aan Sarah.

'Houd haar alsjeblieft goed vast,' instrueert ze. 'Dit is een zeer kostbaar vrachtje!' Sarah werpt me een blik toe van 'we zijn in een aflevering van *Twilight Zone* beland' en ik probeer niet te lachen. Oké. Misschien is Heather tegenwoordig een beetje vreemd, maar ze doet geen vlieg kwaad. Ze lijkt alleen eenzaam, meer niet. En misschien ietwat schizofreen. Maar ik

200

weet zeker dat ze, zodra we beginnen te praten, deze onzin allemaal vergeet en gewoon weer net is zoals vroeger. Dat weet ik zeker.

Als Sarah de riem om heeft en de pop in de juiste positie houdt, steekt Heather de sleutel in het contact en kijkt via de achteruitkijkspiegel naar haar.

'Goed vasthouden, hoor!' zegt ze net als de auto hevig van links naar rechts begint te schudden en vervolgens bijna tot op de grond zakt. Ik pak me stevig aan het portier vast.

'Wat was dat?' vraag ik doodsbang.

'Het hydraulische systeem,' legt ze uit terwijl we de parkeerplaats af rijden. 'Mijn ex heeft het zelf geïnstalleerd, maar ik denk dat hij iets verkeerd heeft gedaan. Hij zou niet zo moeten schudden. Waarom zaten jullie eigenlijk in de gevangenis? Zaten er ook enge mensen? Was je bang, eh, om de zeep in de douche te laten vallen?'

Ik kijk vanuit mijn ooghoeken naar haar. Daar, denk ik. Dit is echt iets voor Heather om te zeggen. Zo'n typische, malle, naïeve Heather Maloney-opmerking. Ik wist wel dat het poppengedoe een act was.

'Het was maar een tijdelijke cel,' antwoord ik iets te hard lachend en probeer van deze glimp van mijn oude vriendin te genieten. 'Er zat verder niemand, alleen wij.'

Heather lijkt teleurgesteld. 'Wat jammer,' zegt ze. 'Ik had gehoopt dat jullie een paar leuke gevangenisverhalen zouden hebben. Ik vond die tv-serie *Oz* helemaal geweldig. Hé, op de heenweg ben ik een Olive Garden tegengekomen. Zullen we daarheen gaan? Het is mijn lievelingsrestaurant.'

'Natuurlijk,' zeg ik. 'God, weet je nog dat we altijd naar Wendy's gingen toen we op school zaten? Je was dol op die kaasfrietjes. Weet je nog?'

Heather houdt haar hoofd schuin en knijpt haar ogen tot spleetjes. 'Is dat zo?'

'Ja. We gingen er bijna elke dag na school heen. Weet je dat niet meer?' Ik kijk naar de routebeschrijving voor het depot waar de in beslag genomen auto's staan en het valt me op dat ze net voorbij de straat is gereden die we in hadden moeten slaan. 'Eh, volgens mij heb je een afslag gemist,' zeg ik tegen haar.

'Nee, hoor. Olive Garden is deze kant op. Dat weet ik zeker.'

'Dat zal wel, maar we moeten eerst onze auto ophalen. Ik dacht dat je ons zou afzetten en dat we daarna wat zouden gaan eten?'

Heather trapt op de rem en stopt zonder zelfs maar te kijken of er iemand achter haar zit.

'Heather! Wat doe je?' roept Sarah vanaf de achterbank.

Heather kijkt me verwijtend aan. 'Je zei dat we ergens gingen eten. Als ik jullie afzet, gaan jullie er vast vandoor.'

'We gaan er niet vandoor. We moeten alleen onze auto ophalen.'

Maar Heather schudt haar hoofd wild heen en weer, haar rechtervlecht zwiept rakelings langs mijn neus. 'Nee. We gaan eerst eten en dan zet ik jullie af.' Ze draait zich om en kijkt boos naar Sarah. 'Houd je haar wel goed vast?' vraagt ze. 'Want het lijkt niet of je haar goed vasthebt.'

Sarah trekt de pop tegen haar borstkas. 'Ik houd haar zo stevig mogelijk vast.'

Ik hoor de angst in haar stem en ik weet dat ze denkt: geweldig, zijn we net uit de gevangenis en dan worden we gegijzeld door een popgekke idioot. Ik slik en probeer Heather weer op het goede spoor te krijgen.

'Laten we wat gaan eten,' zeg ik en ik zorg ervoor dat ik opgewekt klink. 'Ik hoor de soepstengels roepen.'

Heather kijkt naar me en als ze beseft dat ik het meen, zie ik dat haar handen om het stuur zich ontspannen. Ze lacht en start de auto weer. 'O, jemig, ik ook. Ik ben dol op soepstengels.'

SARAH

Geweldig. Zijn we uit de gevangenis en worden we meteen gegijzeld door een popgekke idioot. Ik kijk naar de pop die ik in mijn armen wieg. Het is een Just Like Me-pop, precies dezelfde die Jessie heeft. Lang donker haar, bruine ogen, lichte huid en een paar sproetjes om haar neus. Ik weet nog wanneer Jessie en ik haar hebben uitgezocht. Het was voor haar zesde verjaardag en het was de eerste keer dat we in een American Girl-winkel waren. Jessie was zo blij, al haar vriendinnetjes hadden al een American

Girl-pop – sommigen hadden er wel twee of drie – maar ik wilde er pas een voor haar verjaardag kopen, en het arme kind had er het hele jaar geduldig op gewacht. Toen we er waren, stond er een lange rij poppen, bijna identiek maar met een andere kleur haar, haarlengte en kleur ogen en ze droegen trouwens allemaal dezelfde kleren die Heather nu aanheeft.

Jessie liep onmiddellijk op de pop met donker haar, bruine ogen en de sproetjes af en ze draaide zich om met de grootst mogelijke glimlach en zei mammie, ze lijkt op mij, echt waar. En dat was trouwens ook zo. Het is een van mijn dierbaarste herinneringen aan Jessie. En die is nu helemaal verpest door Heather Maloney.

We rijden de parkeerplaats van Olive Garden op en stappen uit – voor de goede orde, uit een glimmende paarse bak met oranje vlammen op de zijkant – Heather pakt haar pop terug en ik trek Laynie opzij.

'Ik zag een politieauto staan,' fluister ik. 'We zouden erheen kunnen rennen. Ik weet zeker dat ze ons zullen helpen als we vertellen hoe gek ze is.'

Laynie lacht. 'Er is niets aan de hand,' zegt ze afwijzend. 'Het is Heather Maloney. Ze doet ons heus geen kwaad.'

'Laynie, ze is duidelijk niet dezelfde persoon meer. Misschien is er iets gebeurd. Ze is doorgedraaid. Zeg alsjeblieft dat je dit beseft.'

'Ik zeg dat er niets aan de hand is. Ze is gewoon gek op aandacht en ze doet rare dingen om die te krijgen. Zo is ze altijd geweest. Ik beloof je, zodra we gaan praten, doet ze weer normaal.'

Ik ben erg sceptisch om het zachtjes uit te drukken. 'Oké dan, er is alleen een probleempje met Janie en ik moet Bill even bellen, dus je moet even met haar alleen zijn zodat ik dit kan regelen.'

'Ga je gang. Ik zeg toch dat er niets aan de hand is.'

'Goed dan. Als jij het zegt. Maar doe me een plezier, ga in het drukke gedeelte van het restaurant zitten, goed? En als er iets is, ben ik hier.'

'Begrepen,' zegt ze en ze slaat haar ogen ten hemel. 'Doe rustig aan.' Ze stapt de glazen hal in en ik kijk hoe ze de binnendeur naar het restaurant opent.

Ik klop op het raam. 'Bestel iets voor me met kip!' roep ik.

Ze glimlacht, steekt haar duim omhoog en loopt naar binnen.

Als ze weg is, ga ik buiten op een bankje zitten en bel Bill op zijn werk. Ik begrijp nog steeds niet helemaal wat er is gebeurd. Ik had vier berichtjes, allemaal vaag; één was er van Janie, maar ik verstond geen woord van wat ze zei omdat ze huilde; één was er van de secretaris van Caldwell om te zeggen dat ik onmiddellijk naar school moest komen om Janie op te halen; één was er van Bill met de boodschap dat ik hem meteen moest bellen zodra ik zijn berichtje had gehoord, en er was er een van Molly Royce met slechts een kort bevel dat ik haar onmiddellijk terug moest bellen.

Van Bill heb ik ook niet veel begrepen toen ik hem net sprak. Hij wilde weten waar ik was geweest, waarom ik mijn telefoon niet opnam, hij maakte zich zorgen, hij dacht dat ik een ongeluk had gehad. Ik vertel hem niets over het gevangenisgedoe – misschien ben ik ooit in staat om erom te lachen en het hem te vertellen, maar nu nog niet – en dus heb ik verzonnen dat ik geen ontvangst had op een deel van de snelweg en dat ik pas merkte dat ik allemaal berichtjes had toen we gingen tanken. Toen we dat net allemaal achter de rug hadden, moest ik ophangen vanwege het poppengedoe op de achterbank van Heathers auto. Wat een gek mens. Ik heb haar nooit gemogen. Ik vond altijd dat ze niet slim genoeg voor Laynie was en ook niet verfijnd genoeg trouwens. Ze was een zeer behoeftige vriendin en altijd erg van Laynie afhankelijk.

Eindelijk neemt Bill op.

'Hoi,' zegt hij.

'Sorry,' antwoord ik. 'Als ik je zou vertellen wat er net is gebeurd, zou je me toch niet geloven. Wat is er eigenlijk aan de hand? Wat is er met Janie gebeurd?'

Bill slaakt een diepe zucht. 'Ze heeft gevochten,' zegt hij.

'Hoezo, "ze heeft gevochten"? Ze is zes!'

'Nou, onze zesjarige heeft Carly Royce op haar neus geslagen en mevrouw Landes heeft haar naar het schoolhoofd gestuurd.'

Ik ben sprakeloos. Wat is er aan de hand met dit kind? Waar heeft ze geleerd om iemand op de neus te slaan?

'Heb je met het schoolhoofd gesproken?' vraag ik. Het komt er op fluistertoon uit.

'Eh, ja. Hij zei dat ik haar mee naar huis moest nemen en als het nog een keer zou gebeuren, moeten we komen praten om te kijken of Janie wel op Caldwell kan blijven. Blijkbaar is dit niet de eerste keer dat ze heeft gevochten.'

Ik sluit mijn ogen. Dit is een nachtmerrie. 'Ik weet het,' zeg ik. 'Ze hebben vorige week ruzie gehad. Carly schepte op dat ze met een privévliegtuig vliegen, Janie geloofde haar niet en toen heeft ze haar een duw gegeven.'

'Geweldig,' zegt Bill sarcastisch. 'Wat heb je tegen haar gezegd?'

'Ik heb gezegd dat ze andere mensen niet mag duwen, zelfs niet als je denkt dat ze liegen.'

'Heb je niet gezegd dat Carly niet loog?'

'Nee! Ik ga mijn zesjarige echt niet over privévliegtuigen vertellen.'

'Sarah, in het leven is niet iedereen gelijk. Je mag ze niet afschermen van die realiteit.'

'Het spijt me, Bill, maar privévliegtuigen zijn niet de realiteit. Gekke vrouwen die met poppen praten, zijn de realiteit. Mensen die pornofilms afspelen in rijdende auto's, zijn de realiteit.'

'Waar heb je het over?' vraagt Bill.

'Nergens over. Ik wil alleen maar zeggen dat dit misschien een teken is. Misschien is dit precies wat we nodig hebben. We zouden Janie van Caldwell af kunnen halen en de rest van het jaar op een openbare school kunnen doen en dan kunnen we in de zomer naar een appartement ergens in de buurt van een goede school verhuizen. In september, in het nieuwe schooljaar, kunnen ze dan alle twee opnieuw beginnen. We zouden trouwens allemaal opnieuw kunnen beginnen. Jij zou bij H&H weg kunnen gaan, ik kan een baan zoeken, dan zouden we niet meer afhankelijk van je moeder zijn. Kom op, Bill. We kunnen dit. Je weet dat we het kunnen.'

Bill ademt zwaar en ik voel dat hij boos is.

'Sarah, dit is niet het juiste moment voor een discussie. Janie wil met je praten en je moet Molly Royce terugbellen. Ze is de hele dag al naar je op zoek.'

'Dat weet ik. Maar dit is veel belangrijker dan Molly Royce. Ik zeg je, Bill, als ik thuiskom, maken we een plan en zorgen we ervoor dat de dingen veranderen. Ik kan zo niet langer leven.'

'Dat zal niet nodig zijn, Saar. Weet je nog dat ik zei dat ik met iets bezig was? Nou, een van die dingen lijkt te gaan lukken en dan zal alles veranderen.'

'Bill, dat zeg je al maanden en er verandert niets. Zeg dat we erover zullen praten.'

'Sarah,' begint hij.

Ik onderbreek hem: 'Zeg het. Zeg dat we erover zullen praten.'

'Goed, we zullen erover praten.' Hij klinkt gefrustreerd, misschien zelfs wel boos. 'Maar ik zeg je dat ik op het punt sta een deal te sluiten die alles zal veranderen. Ik zweer het. Tegen de tijd dat je terugkomt is alles misschien al in kannen en kruiken. Wacht even.' Ik hoor de meiden op de achtergrond en Bill praat tegen ze. 'Ja, het is mammie. Ja, je kunt met haar praten. Heel even. Ja, jij mag daarna met haar praten. Ik zeg toch ja. Saar? Janie wil met je praten. Ze kan niet wachten. Ik bel je later wel terug.'

'Oké,' zeg ik. 'Ik hou van je,' voeg ik daaraan toe maar hij hoort me niet, hij heeft de telefoon al aan een van de meiden gegeven. En dan hoor ik Janie aan de andere kant van de lijn, haar stemmetje zo hoog en lief dat ik zo zou kunnen huilen.

'Mammie?'

'Ja, schatje, met mij.'

'Ben je boos op me?'

'Ik ben niet boos, Janie. Maar ik ben niet blij met je gedrag. Ik weet dat je boos op Carly bent, maar je moet op een andere manier met je emoties omgaan. Haar een klap verkopen is geen oplossing en als ik thuiskom moeten we maar eens praten over wat de consequenties zullen zijn als je dit weer doet.'

'Oké,' zegt ze beteuterd en ik zie precies voor me hoe ze er nu uitziet met haar hoofd naar beneden hangend zoals ze altijd doet als ze in de problemen zit. 'Maar, mammie? Wanneer kom je weer thuis? Ik mis je.'

'Ik denk dat ik vrijdagavond weer thuis ben, maar waarschijnlijk lig je dan al op bed. Maar dan zie ik je zaterdagochtend weer.'

'Oké. Jessie wil met je praten.' Jessie moet de telefoon uit Janies hand hebben gegrist, want ik hoor Janie op de achtergrond schreeuwen en huilen.

'Mammie?'

'Hé, Jess. Hoe gaat het?'

'Goed. Ik mis je.'

'Ik mis jou ook, liefje. Hoe ging het op school?'

'Oké, maar, mama, ik vind het niet leuk dat oma na school bij ons is.'

Verdorie. Ik was helemaal vergeten dat Helene er vandaag was. Ik had ze willen bellen om te vragen hoe het was gegaan.

'Waarom niet, liefje? Is er iets gebeurd?'

Jessie zucht theatraal. 'Nee. Maar ik mag geen koekjes van d'r na school. Ze zei dat ik fruit moest eten. Maar Janie mocht wel koekjes en dat is niet eerlijk. Waarom krijgt Janie wel koekjes terwijl zij in de problemen zit?'

O, nee. O, nee, nee, nee, nee, nee, nee. Dit had ik kunnen weten. Ik had kunnen weten dat ze zoiets zou doen. Alle boeken die ik heb gelezen, al het werk dat ik heb gedaan – alle gesprekken over gezonde keuzes en een gezond lichaam, niet praten over gewicht of calorieën, nooit het woord 'dik' zeggen, geen commentaar leveren op dingen die Jessie eet – laat het maar aan Helene over om alles in vijf minuten te verpesten. Ik zweer het, als ze ook maar één woord tegen Jessie over haar gewicht zegt dan doe ik haar wat. Het kan me niet schelen of we in onze auto moeten gaan wonen en restjes uit prullenbakken moeten eten, ik zet dat mens zo vlug op haar plek dat haar hoofd ervan tolt.

'Jessie, luister naar me,' zeg ik en ik probeer de urgentie die ik voel niet in mijn stem door te laten klinken. 'Oma heeft haar eigen ideeën over sommige dingen en dat zijn niet altijd dezelfde ideeën die papa en ik hebben. Dus ik wil graag dat je dit doet; negeer haar en ik beloof je dat ik zo snel mogelijk naar huis kom. Goed?'

'Oké, mammie. Ik hou van je.'

'Ik hou ook van jou, Jess. Ik hou heel veel van je.'

Ik hang op, haal diep adem en draai het nummer van Molly Royce. Dit zal leuk worden.

Molly neemt onmiddellijk op en ik voel dat ze weet dat ik het ben.

'Ja,' zegt ze meteen op een hatelijk toontje.

'Hoi, Molly. Met Sarah Felton.'

'Nou, eindelijk. Verdwijn je altijd uren achter elkaar van deze aardbol?

Ik begrijp niet hoe iemand met twee jonge kinderen zo lang onbereikbaar kan zijn. Het is gewoonweg onverantwoord, Sarah.'

'Molly, geen gepreek alsjeblieft. Ik heb een lange dag gehad.'

'Jij hebt een lange dag gehad? Ik heb de hele middag met Carly bij de plastische chirurg gezeten. Je dochter heeft haar neus gebroken.'

'Wat?' Bill heeft helemaal niets gezegd over een gebroken neus.

'Je hebt me wel gehoord. Ze heeft een haarbreuk en haar neus wordt misschien nooit meer hetzelfde. Het kan zelfs zijn dat ze een neuscorrectie nodig heeft. En ik stuur jou de rekening voor de röntgenfoto en het consult. En als ze een neuscorrectie nodig blijkt te hebben, stuur ik je die rekening ook.'

Ze meent het nog ook. Deze vrouw bulkt van het geld, maar zij stuurt mij de rekening?

'Molly, alsjeblieft, doe kalm. Blijf wel een beetje redelijk.'

'Ik ben redelijk, Sarah. Waarom zou ik tweeduizend dollar moeten uitgeven omdat jouw kleine monster mijn dochter op haar neus heeft geslagen?'

Ik slik zo luidruchtig dat ze het vast heeft gehoord. Tweeduizend dollar? 'Het spijt me, Molly, maar ik betaal echt geen tweeduizend dollar. Dat lijkt me een beetje overdreven. Ik weet zeker dat je ook naar een minder dure dokter had kunnen gaan.'

'Ik laat echt niemand anders dan de beste dokter het gezicht van mijn dochter aanraken. Ik weet zeker dat jij hetzelfde zou hebben gedaan als het om Janies of Jessies neus ging.'

'Nee, Molly, dat denk ik niet. Ik betaal voor een röntgenfoto bij een gewoon ziekenhuis en een reguliere consultprijs. Meer niet. Als je meer wilt, zul je me voor het gerecht moeten slepen.' Ik heb zojuist tegen de rijkste vrouw van Los Angeles gezegd dat ze me voor het gerecht moet slepen. Het is even stil en mijn hart bonst terwijl ik op haar antwoord wacht.

'Prima,' zegt ze uiteindelijk kalm maar kil. 'Maar dan zeg jij tegen Janie dat Carly niet liegt over vliegen in een privévliegtuig. Ik weet wat je hebt gezegd, Sarah. Ik weet dat je tegen haar hebt gezegd dat Carly het heeft verzonnen. Dat heeft ze Carly verteld. Toen heeft Carly jou een leugenaar genoemd en toen heeft Janie haar een klap verkocht. Dus eigenlijk is dit allemaal jouw schuld. Als jij je kind gewoon had uitgelegd dat Carly meer bevoorrecht is, dan zou dit niet zijn gebeurd.'

Niet te geloven dat zij dat zojuist heeft gezegd. Ik voel dat mijn gezicht warm wordt, maar ik weet niet zeker of dat komt doordat ik kwaad op Molly ben of omdat ik me schaam omdat Laynie dacht dat ik ook zo was.

'Ik weet dingen over je, Sarah,' gaat Molly verder, haar stem nu laag en gemeen. 'Ik weet een heleboel dingen over je.'

'Waar heb je het over?' vraag ik geïrriteerd.

'O, weet ik veel. Dat je misschien niet zo rijk bent als je je voordoet. Dat het familiebedrijf op zijn gat ligt. Dat je echtgenoot bijna niets verdient. Hoe vind je dat? Klinkt dat misschien bekend in je oren?'

O, nee. Hoe kan zij die dingen nou weten? Met wie heeft ze gesproken?

'Dat is belachelijk,' zeg ik tegen haar. 'Je hebt geen flauw idee waarover je het hebt.'

'Is dat zo?' vraagt ze. 'Een van mijn mans dochtermaatschappijen was van plan om in H&H te investeren,' legt ze uit. 'Althans, tot gisteren, toen Bruce naar de financiële overzichten heeft gekeken. Blijkbaar hebben zijn mensen jouw man een paar keer gesproken. Maar Bruce' mensen zijn niet zo slim als hij. Hij zei dat ze wel gek moeten zijn om geld in een bedrijf te steken dat bijna failliet is. Hij zei dat ze beter kunnen wachten tot ze bankroet zijn zodat ze het kunnen kopen als het onder de hamer gaat.'

Plotseling heb ik het gevoel dat ik moet overgeven. Is dit de deal waarover Bill het had? Hij weet vast niet dat Bruce Royce de eigenaar is van het bedrijf waarmee hij in gesprek is, want anders zou hij nu in alle staten zijn omdat Janie dit kind heeft geslagen. En hij weet waarschijnlijk ook nog niet dat de deal niet doorgaat. Hij denkt waarschijnlijk dat alles in orde is. Hij denkt waarschijnlijk dat alles volgens plan verloopt.

'Nou, dat is je mans mening,' zeg ik tegen haar en ik probeer het trillen dat mijn hele lichaam heeft overgenomen in bedwang te krijgen.

'Ja, dat is zo, maar zijn mening blijkt meestal wel juist te zijn. Daarom hebben wij ons eigen vliegtuig.'

'Wat wil je van me, Molly?' vraag ik.

'Ik wil dat je je kleine pitbull bij Carly uit de buurt houdt,' dreigt ze. 'Want ik zweer je, Sarah, anders vertel ik iedereen alles wat ik weet.'

'Chanteer je me?' vraag ik ongelovig.

'Noem het wat je wilt, maar als je uit het roddelcircuit wilt blijven, kun je maar beter mijn advies opvolgen.'

Het liefst zou ik dingen tegen haar zeggen die ik normaal gesproken niet eens denk, met woorden die ik normaal gesproken niet gebruik. Maar ik kan dit geheim niet uit laten komen. Niet om mij, mij kan het niets schelen. Maar Bill zou zich zo schamen en ik weet zeker dat de meiden het ook te horen zouden krijgen. En arme Jessie maakt zich overal al zo druk over; het laatste dat ze nodig heeft, is dat ze zich zorgen maakt of haar ouders de rekeningen wel kunnen betalen. Ik knars mijn tanden.

'Ik zal het er met Janie over hebben,' zeg ik toeschietelijk. 'Het zal niet meer gebeuren.'

'Goed,' zegt ze alsof de zaak gesloten is. 'O, en Sarah, zou je alsjeblieft op kunnen schieten en zo snel mogelijk terug kunnen komen? Er is nog steeds veel te doen voor de bazaar zondag en niemand heeft zin om jouw zaakjes op te knappen, oké?'

19 LAYNIE

Ik doe echt mijn best om net te doen alsof er niemand in het restaurant naar Heather en haar pop zit te staren die nu een plastic slabbetje om heeft en in een kinderstoel aan onze tafel zit. Het ruikt hier trouwens naar rook hoewel we in het niet-rokersgedeelte van het restaurant zitten, maar dat is ook logisch want het enige dat het rokersgedeelte van het niet-rokers gedeelte scheidt is, eh, lucht.

'Dus,' zeg ik tegen Heather als ze eindelijk stopt met het gefrunnik aan de pop en op haar stoel gaat zitten. 'Wat heb je de afgelopen jaren allemaal gedaan?'

Ze pakt haar vork op en tikt ermee op de tafel. 'Eh, jemig, ik weet het niet. Gewerkt en zo. En ik ben getrouwd. Maar dat was niet echt een succes.'

'Wat ging er mis, als je het niet erg vindt dat ik het vraag?'

'Nee hoor, iedereen weet het toch al. Hij ging vreemd met een meid die samen met hem bij de dealer werkte. En met zijn ex-vriendin van de middelbare school.'

'Wat erg,' zeg ik. 'Hoe ben je erachter gekomen?'

'Hij heeft het me verteld,' zegt ze alsof ik echt superstom ben dat ik dat niet weet. 'Ik vond het niet erg. Ik bedoel, toen we ons verloofden zei hij al dat het erg moeilijk voor hem zou zijn om maar met één vrouw samen te zijn. Hij wilde niet langer getrouwd zijn en dat was best jammer. Want ik had eigenlijk gedacht dat een huwelijk voor altijd zou zijn. Tot de dood ons scheidt en zo.'

'Heb je hem op de universiteit ontmoet?' vraag ik.

Zij lacht. 'Hem? Nee. Ik heb het na twee semesters opgegeven. Mijn ouders zeiden dat ze me geen geld meer zouden geven als ik niet terug zou gaan naar de universiteit, dus ben ik naar Chicago verhuisd. Ik heb hem in een pizzeria in de buurt van mijn oude appartement ontmoet en een maand of zes daarna zijn we getrouwd.' Ze zit nu doldwaas met haar vork op de tafel te tikken, dus ik krijg het gevoel dat ik misschien beter van onderwerp kan veranderen.

'Hé, vorige week ben ik nog bij jullie langsgekomen, toen ik thuis was. Het ziet er nog precies hetzelfde uit. Ben je er nog weleens geweest?'

Ze snuift verachtelijk. 'Nee. Ik praat niet meer met mijn ouders. Ik heb ze al in geen tien jaar meer gezien. En trouwens, mijn moeder heeft al haar vriendinnen verteld dat ik met een rijke vent ben getrouwd en in een mooi appartement in de buurt van Lake Michigan woon. Als ik naar huis zou gaan, zou iedereen erachter komen dat ze heeft gelogen.'

'Ik was altijd een beetje bang voor je moeder,' vertrouw ik haar toe. 'Ik heb altijd het gevoel gehad dat ze me niet echt mocht.'

'Dat was waarschijnlijk ook zo. Ze vond niemand aardig.' Ze knijpt haar ogen weer samen alsof ze zich iets probeert te herinneren. 'Ik herinner me jouw moeder niet meer zo goed. Had ze blond haar?'

'Nee,' zeg ik geschokt dat ze zich mijn moeder niet meer herinnert. Ze is zo vaak bij me thuis geweest, ze woonde er bekant. Mijn mam noemde haar altijd haar derde dochter. 'Het was donkerbruin. Ze heeft haar hele leven donkerbruin haar gehad. Herinner je je dat echt niet meer?'

'Niet echt,' zegt ze. 'Ik denk dat ik het grootste gedeelte van mijn kindertijd heb verdrongen. Jou kan ik me zelfs nog maar nauwelijks meer herinneren.' Ze ontdekt de ring aan mijn vinger en probeert te fluiten, maar dat lukt haar niet.

'Wauw, dat ding is enorm. Is hij echt?'

'Ja,' zeg ik een beetje gegeneerd. 'Ik ben verloofd.'

'O, gefeliciteerd. Nu we weer vrienden zijn, mag ik zeker wel op je bruiloft komen?'

'Natuurlijk, dat denk ik wel. Als het er ooit van komt.' Heather kijkt me vragend aan en ik probeer het uit te leggen. 'Ik heb moeite om een datum te prikken. Ik weet niet helemaal zeker of hij de ware is. Hij weet dat alleen niet. Eigenlijk weet niemand het.'

'Waarom vertel je het dan aan mij?' vraagt ze.

'Weet ik niet. Ik moet de laatste tijd veel aan je denken. Mijn ouders gaan scheiden en mijn moeder verkoopt ons ouderlijk huis en Sarah en ik hebben ruzie gehad. Ik neem aan dat ik dacht dat als ik jou zou zien, alles weer goed zou komen.'

'En is dat ook zo?' vraagt ze.

Ik schud mijn hoofd en grinnik. 'Nee. Niet echt.'

'Ik vond het best vreemd dat je belde,' geeft ze toe. 'Zo heb ik vijftien jaar niet met je gesproken en dan bel je me op om te vragen of ik je uit de gevangenis wil komen halen. Ik heb ja gezegd zonder er eerst goed over na te denken, maar toen ik hierheen reed, dacht ik: stel dat ze een of andere malloot is geworden of zo?'

Ik denk niet dat het gepast is om commentaar te leveren op de ironie van deze verklaring, dus knik ik.

'Maar je bent toch gekomen,' zeg ik.

'Ja. Ik bedacht me dat je geen grotere malloot dan ik zou kunnen zijn.' We lachen allebei. Ik wist het wel. Ik wist wel dat het maar een act was.

'Mag ik je wat vragen?' vraag ik.

'Wat dan?'

'Wat doe je toch met die pop?' Zodra ik het heb gezegd, heb ik spijt. Heathers hele lichaam verstijft en haar ogen veranderen, alsof er een donkere, grijze stormachtige wolk achter is gerold. Ze staat op en grist de pop uit de kinderstoel en schreeuwt uit alle macht.

'Wie heeft je hierheen gestuurd? Mijn moeder? Stel je daarom al die vragen? Wie ben je eigenlijk? Hoe kan ik weten dat je echt Laynie Carpenter bent?' Iedereen in het restaurant houdt tegelijkertijd op met praten en ik merk dat de man aan het tafeltje naast ons versteend met zijn vork in de lucht blijft zitten.

'Doe maar rustig,' zeg ik en ik probeer geen onverwachte bewegingen te maken. 'Ik ben het: Laynie. Weet je nog dat we samen naar Hilton Head zijn gereden, in ons laatste jaar? Weet je nog dat we dronken zijn geworden en buiten hebben geslapen, op het strand?'

Heather schudt haar hoofd wild heen en weer waardoor haar vlechten zo vlug heen en weer bewegen dat ze bijna een waas vormen.

'Ik weet niet waarover je het hebt!' schreeuwt ze. 'Ga weg!'

'Heather...'

'Nee! Praat niet tegen me!' Ze pakt de mand soepstengels van tafel. 'Deze neem ik mee!' schreeuwt ze tegen het restaurant. 'En jullie kunnen me maar beter niet tegenhouden!' Ze kijkt om zich heen als een wild dier dat aan alle kanten wordt ingesloten en dan stormt ze het niet-rokers-gedeelte uit, haar pop in de ene en het mandje soepstengels in de andere hand. Ik zie hoe ze langs de keuken rent en bijna tegen de gastvrouw opbotst. Ze duwt eerst de glazen deur en vervolgens de buitendeur open. En dan is ze weg.

Onmiddellijk begint iedereen weer te praten. De vork van de man aan de tafel naast me komt weer in beweging en de obers zetten eten op de tafels alsof er niets is gebeurd.

'Gaat het?' vraagt iemand. Ik kijk op en zie Sarah voor me staan. 'Gaat het?' vraagt ze nogmaals.

Ik schud mijn hoofd. 'Nee,' zeg ik terwijl de tranen over mijn wangen stromen. 'Nee, het gaat niet.'

Ze sleept een stoel naast die van mij en gaat zitten. 'Is het goed als ik je een knuffel geef?' vraagt ze.

Ik knik en dan liggen de armen van mijn zus om me heen, als een warme, oude, vertrouwde deken. Ik leg mijn hoofd op haar schouder en snik.

20 SARAH

Ik weet nog steeds niet precies wat er zojuist is gebeurd. Ik weet alleen dat ik Heather het restaurant uit zag rennen met haar pop en een mandje soepstengels en dat ze in haar auto is gesprongen. Ik ben opgestaan en heb naar haar gezwaaid en geroepen om haar aandacht te trekken, maar ze scheurde vlak langs me heen, haar banden piepten terwijl ze de parkeerplaats af reed. Toen ik naar binnen liep, zat Laynie aan een tafeltje als een zombie de ruimte in te staren. Ik zag dat ze van slag was. Ze zag er zo klein en hulpeloos uit en ze deed me aan Janie denken. Mijn eerste reactie was dat ik haar wilde omhelzen, maar ik hield me in.

Is het goed als ik je een knuffel geef? vroeg ik en ik kon bijna niet geloven dat ze ja zei. Dus sloeg ik mijn armen om haar heen en ze huilde bijna twintig minuten lang aan één stuk. Iedereen in het restaurant keek naar ons, maar het kon me niets schelen. Het kon me niets schelen, want op dat moment veranderde er iets. Een verschuiving in de dynamiek, oude wrok die werd losgelaten, nieuw respect voor elkaar. Eigenlijk was het niets, maar toch, het was tastbaar, bijna alsof ik mijn hand uit kon steken en het met mijn palm op kon scheppen.

Eindelijk heb ik mijn kleine zusje weer terug.

LAYNIE

Sarah had dus gelijk, Heather is gek. Ze moet een lobotomie hebben gehad of elektroshocktherapie. Het feit dat ze zich niets meer herinnert, de stemmingswisselingen, de vreemde reactie op haar ouders. Ze hebben haar waarschijnlijk een keer op laten nemen en nu haat ze hen. Jemig, het is nu zo overduidelijk. Het enige dat nog ontbrak was geschreeuw over de verschrikkingen van de psychiatrische inrichting – Ik ga niet terug naar die plek! Je kunt me niet dwingen om terug te gaan! – en het had zo een scène uit *S&S* kunnen zijn.

En dan Sarah... dat was ook zo raar. Ik weet niet waarom ik het plotseling geen probleem vond om haar de grote zus uit te laten hangen. Misschien kwam het doordat ze me eerst vroeg of ze me een knuffel mocht geven, in plaats van er gewoon van uit te gaan dat ik het wilde. Of misschien kwam het doordat ik nu weet dat zij problemen heeft waardoor ik het niet erg vind dat ze mij een beetje betuttelt. Is het verkeerd om me alleen bij mijn zus op mijn gemak te voelen als zij er slechter voor staat dan ik?

21 SARAH

Ik wist wel dat dit zou gebeuren. We hebben veertig dollar uitgegeven voor een taxi naar het depot dat gesloten is. Dus nu kunnen we niet eerder gaan rijden dan morgenochtend, we hebben onze spullen niet en het enige motel in een straal van zestig kilometer ziet eruit als een crackhuis.

'Nee,' zeg ik ronduit als de taxi voor het Prairie Motel stopt. Drie van de ramen op de tweede verdieping zitten dichtgetimmerd en er staan twee vrouwen op de parkeerplaats in een kort rokje en op hoge haken. Ze glimlachen ondeugend naar de taxichauffeur en het valt me op dat bij allebei een paar tanden ontbreken. AIRCONDITIONING! HBO! staat er trots op een wit, half verlicht bord. Laynie en ik kijken elkaar aan. 'Hier slaap ik niet,' laat ik haar weten. 'Geen denken aan.' Laynies ogen puilen uit als ze naar de hoeren op de parkeerplaats kijkt.

'Is er nog iets anders?' vraagt ze aan de taxichauffeur. De taxichauffeur, een gewoon uitziende man van halverwege de dertig met donkerblond, ruig haar, een kort baardje en van wat ik hiervandaan kan zien een vrij smalle bouw, schudt zijn hoofd.

'Nee, hier in de buurt niet,' zegt hij nuchter. 'Er zijn een paar goede hotels in Terre Haute. Daar zitten volgens mij een Hilton, een Days Inn en een Motel 6. Maar dan heb je het wel over tachtig tot honderd dollar om daar te komen, plus tien dollar om de staatsgrens over te gaan.'

'Ik ga niet terug,' zegt Laynie tegen me. 'We zijn al genoeg tijd verloren.'

'Nou, ik weet niet wat je dan wilt,' zeg ik tegen haar. 'Maar dit is geen optie.'

Laynie klopt twee keer op de stoel van de chauffeur. 'Breng ons maar terug naar het depot,' draagt ze hem op.

'Hoezo, Laynie? Het is gesloten, weet je nog? Het is een halfuur geleden dichtgegaan.'

'Ik weet niet waarom ik dit niet heb geprobeerd toen we er net waren.'

'Wat geprobeerd?' vraag ik. Ik ben in de war. Ik heb geen flauw idee waarom ze terug wil. We waren er een paar minuten na sluiting en toen was het al volledig donker en verlaten en hing er een enorm slot aan het hek.

'Ik garandeer je dat er nog iemand is,' zegt ze opgewonden. 'Er moet een bewaker zijn, of zo. Misschien kost het ons wat extra, maar ik haal die auto er vanavond uit.' Dit klinkt niet goed. Dit is niet mijn soort plan. 'Maak je geen zorgen,' zegt ze als ze voelt dat ik twijfel. 'Ik betaal.' O, geweldig. We gaan op die tour.

'Ik maak me geen zorgen over het geld,' fluister ik. 'Ik wil niet weer gearresteerd worden.'

Laynie slaat haar ogen ten hemel. 'Ik ben niet van plan om in te breken en de auto te stelen. Ik ga alleen die man maar omkopen zodat hij het hek opendoet. Relax, Sarah, mensen doen zulke dingen de hele tijd.'

'Je doet maar. Ik wil alleen niet betrokken raken bij iets illegaals.'

'Dat hoeft ook niet. Ik regel het wel.' Ze buigt zich voorover en praat met de chauffeur. 'Het depot, graag. En ik verdubbel je fooi als we er in minder dan vijf minuten zijn.'

Ik kijk naar haar vanuit mijn ooghoeken. Volgens mij vindt ze het leuk dat Bill en ik geldproblemen hebben. Volgens mij geniet ze er zelfs van. Waarom zou ze die opmerkingen anders maken? Ik verdubbel je fooi. Maak je geen zorgen, ik betaal. Weet je, als dit mijn kleine zusje is, dan wil ik haar niet eens terug. Eigenlijk wilde ik haar in vertrouwen nemen over Molly Royce en Bills deal, ik wilde haar zelfs om advies vragen. Nou, nu niet meer, ik heb er genoeg van dat ze zich zit te verkneukelen.

De taxi stopt naast het depot, een donkere, slecht verlichte strook asfalt, met daaromheen een omheining van gaas. In het midden hangt een oud, versplinterd stuk hout dat wit is geschilderd – althans zo'n twintig jaar geleden – waarop in met de hand geschilderde, rode letters staat: TOMS DEPOT. GEOPEND MAANDAG T/M ZATERDAG, VAN 8.00 TOT 20.00 UUR. ALLEEN CONTANT! Net daaronder houdt een groot, metalen hangslot het hek stevig op slot. Laynie stapt uit en tuurt door het hek. Net als daarstraks is het verlaten. Er is niemand te zien.

Ik draai het raampje naar beneden en roep: 'Zie je nou wel? Er is niemand. Kom op, Laynie, laten we teruggaan naar Terre Haute.'

Maar dan draait de taxichauffeur zijn raampje ook naar beneden. 'O, hij is er wel,' roept hij tegen haar. 'Tom heeft een klein kamertje achter het kantoor, waar hij slaapt sinds zijn vrouw hem eruit heeft geschopt. Ze heeft hem gesnapt toen hij dat kamertje gebruikte met een dame die in de lik werkt. Hij wilde haar alleen maar een wederdienst bewijzen voor alle business die ze zijn kant op stuurt.'

Ik denk aan de politieagente die ons heeft gefouilleerd en de kwartjes voor de telefoon heeft gegeven. Ik vraag me af of zij het was.

'Waarom heb je dat niet verteld toen we hier daarstraks waren?' vraagt Laynie hem.

De taxichauffeur haalt zijn schouders op. 'Weet niet. Je hebt het niet gevraagd.'

Ze kijkt me wijsneuzerig aan. 'Zie je nou wel! Ik zei toch dat er iemand zou zijn,' zegt ze. Ze loopt terug naar de taxi en leunt aan de passagierszijde door het raam naar binnen om met de chauffeur te praten. 'Kun je hem roepen?' vraagt ze flirterig. 'Kun je hem laten weten dat we er zijn?'

De taxichauffeur glimlacht en drukt op zijn toeter.

'Tom!' roept hij en hij toetert weer. 'Hé, Tom! Kom even naar buiten, wil je!' Hij eindigt door drie keer vlug en één keer lang te toeteren tot er eindelijk een lichtbundel om de hoek van het depot verschijnt en een groot, hulkachtig figuur uit het donker tevoorschijn komt.

'Ben jij dat, Carl?' vraagt hij en hij houdt zijn hand boven zijn ogen zodat hij in het donker beter kan kijken. Tom is zeker een meter negentig lang en waarschijnlijk weegt hij een kilo of honderdtwintig. Hij heeft een geknipte grijzende snor en baard en zijn haar is achterovergekamd in een korte, grijze staart.

Onze taxichauffeur die blijkbaar Carl heet, stapt uit en gaat bij het hek staan terwijl hij wacht tot Tom het slot opendoet. Carl is niet zo groot als Tom, maar hij is langer dan hij leek toen hij zat en lang niet zo slank als ik dacht. Plotseling word ik zenuwachtig. Twee vrouwen in een vreemde stad, in een uithoek, in het donker, met alleen twee grote kerels van wie er een taxi rijdt en de ander een depot heeft en door zijn vrouw is gesnapt omdat hij een politievrouw smeergeld betaalde in de vorm van seksuele gunsten. Misschien ben ik gek, maar ik vind niet dat dit scenario er goed voor ons uitziet.

Carl en Tom geven elkaar een high-five en het duurt even voordat Tom Laynie opmerkt die aan de kant in de schaduw staat. Hij kijkt weer naar de taxi en ik merk dat hij mij ook heeft gespot.

'Wat doe je hier, Carl?' vraagt Tom nieuwsgierig. 'Wie zijn die meiden?'

'Ze moeten jou hebben,' zegt Carl tegen hem. 'Er staat hier een auto van ze die ze op willen halen.'

Tom kijkt Carl boos aan. 'Kun je niet lezen?' vraagt hij. 'Op het bord staat van acht tot acht. Het is bijna negen uur. Waarom val je me lastig met werk, Carl? Ik dacht dat je langskwam om een biertje te drinken of zo.'

'Het is zijn schuld niet,' bemoeit Laynie zich ermee. 'Hij heeft me in eerste instantie niet eens gezegd dat je hier zou zijn. Het was mijn idee.'

Tom bekijkt Laynie van top tot teen. 'Nou, het was een slecht idee. Je kunt morgenochtend terugkomen. We gaan om acht uur open, net als op het bord staat.'

Laynie slaat haar ogen neer en loopt naar Tom toe. 'We komen hier niet vandaan, we zijn vanmorgen op de snelweg in de problemen geraakt en we willen gewoon verder. Als jij zo vriendelijk zou kunnen zijn om onze auto vanavond terug te geven, vind ik het geen enkel probleem om je te betalen voor je extra tijd.'

Tom zet zijn hand weer boven zijn ogen en kijkt door de auto naar mij, achterin. 'Wacht eens even,' zegt Tom en hij klikt met de vingers van zijn rechterhand. 'Jullie zijn die twee meiden die vanmorgen voor porno zijn gearresteerd. Uit Hollywood.' Hij draait zich om naar Carl. 'Myrna heeft me over ze verteld. Ze zijn gesnapt terwijl ze op de snelweg naar een spankingfilm keken.'

O, nee. Ik leg mijn hand over mijn ogen en schud mijn hoofd gegeneerd heen en weer. Zo is het dus om in een klein plaatsje te wonen.

'Hij ligt nog steeds in de auto,' zegt Laynie koket. 'Je mag hem houden als je ons er vanavond uitlaat. Souvenirtje.'

Tom glimlacht schalks naar Laynie. 'Waarom zou ik de film willen als ik de echte versie hier heb?'

Mijn hemel. Dit is helemaal geen taak voor Laynie. Ze is altijd al slecht geweest in het doorzien van mensen. Neem Heather Maloney maar. Het is grappig, dit heb ik me eigenlijk nooit eerder bedacht, maar daarom is ze natuurlijk zo goed in casting. Bij het casten maakt het niet uit of diegene aardig is of deugt en zelfs niet of hij of zij ze allemaal op een rijtje heeft. Het is alleen maar van belang dat die persoon aan de eisen van de rol voldoet. Er is niet veel intuïtie voor nodig. Want iemand met een beetje intuïtie zou weten dat geflirt deze kerels alleen maar aanmoedigt. Ik zucht als ik in het donker met de deur worstel. Sarah gaat helpen, wederom. Eindelijk krijg ik het portier open, ik stap uit en maak mezelf zo lang mogelijk.

'Het spijt me,' zeg ik streng tegen Tom terwijl ik hem recht in zijn ogen kijk. 'Maar zo is het genoeg. We zijn niet het soort meiden dat je denkt. Ik ben een getrouwde vrouw, ik heb twee jonge kinderen en zo wens ik niet behandeld te worden. Of je geeft ons de auto vanavond terug en wij betalen je extra, of we komen morgenochtend terug als je weer open bent.'

Tom kijkt verbouwereerd en ik weet zeker dat hij op het punt staat zijn verontschuldigingen aan te bieden, maar dan trekt Carl zijn grote mond open.

'Ze kunnen nergens heen,' informeert Carl Tom. 'Ik heb ze bij de Prairie afgezet en ze begonnen bijna te janken toen ze die plek zagen.'

Ik kijk Carl aan met een blik van je wordt bedankt en hij staart naar de grond als een schooljongen die net is gesnapt omdat hij spiekte tijdens een proefwerk.

'Je bent best pittig voor een getrouwde dame met twee kinderen,' zegt Tom spottend. Hij slaat zijn grote, forse armen voor zijn grote, brede borstkas over elkaar. 'Wat vinden jullie hiervan? Jullie krijgen je auto vanavond terug, maar onder één voorwaarde.'

Ik zet mijn handen in mijn zij. 'Wat dan?' vraag ik hem.

Hij grijnst. 'Jij moet me je kont laten zien,' zegt hij.

'Pardon?' zeg ik overrompeld.

'Je hebt me wel gehoord,' zegt hij op uitdagende toon. 'Laat me je kont zien en jullie mogen de auto vanavond meenemen.'

Ik kijk naar Laynie. Ze lijkt in eerste instantie geschokt, maar als ze mij ziet kijken, trekt ze een gezicht alsof het niet zo'n slechte deal is. Ik sla mijn ogen ten hemel.

'Ik laat jou mijn kont niet zien,' zeg ik nuchter tegen Tom.

'Dan denk ik dat je in de Prairie slaapt,' antwoordt hij. 'Hé, Carl, zijn ze er trouwens ooit achter gekomen wie de receptionist daar heeft neergeschoten?'

'Nee,' antwoordt Carl. 'Het is een onopgelost mysterie.'

'Hè. Nou ja. Ik zie jullie morgenochtend, dames!' Hij maakt aanstalten om weer naar zijn kantoor te lopen, maar Laynie rent vlug achter hem aan.

'Wacht!' roept ze. 'Laat me alsjeblieft even met haar praten.'

Tom kijkt op zijn horloge. 'Je hebt één minuut voordat ik het hek weer dichtdoe.'

Laynie loopt naar me toe en gebaart dat ik dichterbij moet komen, maar ik beweeg niet. 'Sarah, wat is nou helemaal het probleem? Het is je kont maar. Wat maakt het uit?'

'Heel veel,' fluister ik. 'Het is jouw kont niet.'

'Nee, maar ik ben ook niet degene die een grote bek opzette.'

'Nee, maar jij was wel degene die met hem flirtte. Je had net zo goed tegen hem kunnen zeggen dat je met hem zou vrijen om de auto terug te krijgen.'

'Hoe bedoel je? Dat ik een slet ben?'

'Nee, je bent onverantwoordelijk. Wie gaat er nou midden in de nacht met niemand in de buurt naar een donker depot? Je hebt mazzel dat ze ons niet hebben verkracht.'

Laynie zucht. 'Sarah, doe niet zo kinderachtig en laat hem je achterste zien. Jij zei toch dat je je broek weleens wilde laten zakken? Dit is je kans.'

Ik denk aan het Prairie Motel en de crackhoertjes op de parkeerplaats. Ik weet zeker dat het daar veel erger is dan alleen een bloedvlek op de lakens. Ik zucht. Het is m'n achterste maar. Hij hoeft me niet van voren te zien.

'Prima,' zeg ik tegen haar. 'Maar dan sta je wel bij me in het krijt.'

Laynie glimlacht. 'Wat je wilt,' zegt ze. 'Doe het alleen wel snel dan kunnen we hier weg.'

Ik draai me om en kijk Tom aan tot hij zijn ogen neerslaat. 'Oké, gozer. Ik laat je mijn kont zien. Maar zij gaat met de autosleutels in de auto zitten voordat ik het doe.' Tom grinnikt naar me.

'Met genoegen,' zegt hij. 'Carl, kun jij hier even blijven terwijl ik de papieren pak?' Tom draait zich om en loopt naar zijn kantoor en ik kijk boos naar Carl die de glimlach van zijn gezicht haalt alsof ik hem net een natte papieren servet in zijn handen heb gedrukt.

Twee minuten later komt Tom aanrijden in onze huurauto die hij voor onze neus parkeert. Hij laat de motor draaien en stapt uit. In zijn hand heeft hij een clipboard en hij gebaart naar Laynie dat ze in moet stappen.

'Dat is dan vierhonderd dollar,' zegt hij tegen haar terwijl zij instapt.

'Sorry, maar zei je nou vierhonderd dollar?' vraag ik verschrikt.

Tom knikt. 'Honderdvijftig voor het wegslepen, honderdvijftig voor de inbeslagname en nog eens honderd omdat het na sluitingstijd is.'

Ik schud mijn hoofd. 'Een extra honderd?' vraag ik ongelovig.

Maar Laynie onderbreekt me. 'Het is al goed,' zegt ze tegen me en ze pakt haar portemonnee. 'Ik wil hier weg.'

'Het is niet goed,' zeg ik. Ik draai me weer terug naar Tom. 'Je zei één voorwaarde,' zeg ik tegen hem. 'Niet twee.'

Hij fronst zijn voorhoofd. 'Zij heeft gezegd dat ze me extra wilde betalen voor mijn tijd.'

'Ja, maar dat was voordat je zei dat je mijn kont wilde zien.' Ik geef deze vent niet nog een keer zijn zin. Ik loop nog eerder naar Terre Haute dan dat ik hem honderd dollar geef én op een peepshow trakteer. 'Ik weet wie Myrna is,' lieg ik. 'En ik vind het geen enkel probleem om nu naar het politiebureau te gaan. Ik weet zeker dat ze graag wil horen dat jij mijn broek naar beneden probeert te krijgen en hoe je ons in je, eh, kantoortje hebt uitgenodigd. En ik weet ook zeker dat er nog genoeg andere depots zijn die haar verwijzingen graag willen hebben.'

Carl kijkt Tom schaapachtig aan en Tom stompt hem hard tegen zijn arm.

'Au!' piept Carl.

'Driehonderd,' zegt hij tegen Laynie. 'En schiet op voordat ik van gedachten verander.' Laynie duikelt een stapeltje contant geld uit haar portefeuille op en geeft het aan hem. Hij rukt het uit haar handen en stopt het in één beweging in zijn achterzak.

Hij geeft mij met zijn vingers een teken.

'Genoeg gepraat. Laat maar zien,' eist hij.

Ik draai me om en knoop mijn spijkerbroek open. Echt, als iemand mij vorige week had gezegd dat ik midden in Niemandsstad, Illinois mijn achterste aan een provinciaaltje genaamd Tom zou laten zien in ruil voor een gehuurde Ford Fusion, had ik dat nooit geloofd. Maar waarschijnlijk had ik ook niet geloofd dat Molly Royce me zou chanteren, dat ik zou worden gearresteerd voor het bekijken van een pornofilm op de achterbank van een huurauto, dat Heather Maloney met American Girl-poppen praat of zelfs niet dat Helene op mijn kinderen zou passen.

Ik pak zowel mijn spijkerbroek als de witte onderbroek die ik van mijn moeder heb geleend vast en haal diep adem.

'Een, twee, drie,' fluister ik tegen mezelf en zo snel als ik kan trek ik mijn broek naar beneden en buig me voorover.

Tom fluit lang en laag.

'Dat is een mooi achterwerk,' zegt hij goedkeurend.

Echt waar? denk ik en ik ben blij met zijn opmerking. Vindt hij dat ik een mooi achterwerk heb? Aangemoedigd schud ik even met mijn achterste en Tom en Carl klappen voor me. Ik trek mijn broek omhoog en Laynie gooit het portier aan de passagierszijde voor me open. Ik was van plan erin te springen en te gillen 'Vlug! Vlug! Weg hier!' maar in plaats daarvan draai ik me om en buig, waardoor Carl en Tom nog harder joelen en klappen.

'Instappen!' gilt Laynie waarmee ze onmiddellijk de wind uit mijn zeilen haalt. Ik laat me op de stoel zakken en voordat ik het portier zelfs maar dicht heb, rijdt Laynie plankgas uit het depot weg waarbij ze Carl en Tom op een haar na mist en ze net weg kunnen duiken.

'Godsamme,' zeg ik nog steeds high van alle opwinding. 'Ik kan niet geloven dat ik dat heb gedaan. Ik heb mijn broek voor twee vreemden naar beneden gedaan.'

'Ja, welkom bij de club. Zo bijzonder is het nu ook weer niet, geloof mij maar.'

'Wat heb jij nou weer?' wil ik weten. 'Ik heb ons net gered van wie weet wat voor lot in het Prairie Motel en ik heb je ook nog eens honderd dollar bespaard. Je zou minstens dankjewel kunnen zeggen.'

'Bedankt,' zegt ze sarcastisch. 'Heb je nog ringen die ik moet kussen als we toch bezig zijn?'

Ik kijk haar aan en probeer te bedenken wat ik heb gedaan om een dergelijke reactie te verdienen en dan snap ik het. Mam had gelijk. Ze is jaloers. Ze is gewoon jaloers omdat ze mijn achterste wilden zien en niet dat van haar. Ik schud mijn hoofd tegen mezelf. Laat het maar aan Laynie over om mijn eerste broek-zakervaring te verpesten.

LAYNIE

Ik zal niet liegen, ik was best een beetje verbaasd dat ze haar achterste wilden zien en niet dat van mij. Als dit vijftien jaar geleden was gebeurd, of zelfs tien, dan had ik het verwacht. Sarah was knap toen ze nog jonger was, dat valt niet te ontkennen. Ik bedoel, we waren allebei best leuk om te zien, maar de opvatting was dat Sarah knapper was. Ze had grotere borsten, ze had langere benen, haar haar had meer volume en ze had wittere tanden. In het laatste schooljaar was ze *prom queen* en won ze twee verkiezingen, voor 'Knapste studente' en 'Meest waarschijnlijk dat ze Miss Amerika wordt'. Het was geen geheim dat de hele wereld dacht dat Sarah een schoonheid was en even knap als Helena van Troje of Elizabeth Taylor.

En ze ziet er nog steeds goed uit voor iemand van zevenendertig die er twee kinderen heeft uitgeperst. Echt. Maar laten we eerlijk zijn en er geen doekjes om winden. Ze gaat in de nabije toekomst geen tientallen schepen meer dopen. Niet dat ik nou zo'n supermodel ben. Ik wil alleen maar zeggen, als je zou moeten gokken wier achterste een willekeurige boerenkinkel liever zou zien, zou ik op dat van mij hebben gewed.

Ik kijk vlug naar Sarah in de passagiersstoel naast me. Ze zit al zonder een woord te zeggen uit het raam te staren sinds we bij het depot zijn weggereden. Ik vind het niet leuk dat ik haar heb gekwetst. Ik had niet zo gemeen moeten doen toen ze instapte. Het is natuurlijk niet haar schuld dat ze niet hebben gevraagd mijn achterste te zien.

'Het is een rare dag geweest,' zeg ik als zoenoffer. 'Niet te geloven dat we vanmorgen pas uit Columbus zijn weggereden. Het lijkt wel een week of twee.'

'Ik weet het,' antwoordt Sarah. 'Nog maar achttien uur geleden lag ik in een badkuip te slapen.'

Ik huiver. Dat moest ze nog even zeggen. 'Ga je Bill hier iets over vertellen?' vraag ik en ik laat haar opmerking van me afglijden. 'Over de arrestatie, Heather Maloney of dat je je broek voor die kerels hebt laten zakken?'

Ze gniffelt bij de gedachte. 'Weet je, ik kan me nog goed herinneren dat ze met die slogan voor Las Vegas kwamen. "*What happens in Vegas stays in Vegas.*" Ik was al een paar jaar bij dat bureau weg, maar ik ging lunchen met een paar ex-collega's net nadat hij was gelanceerd en zij deden zo lyrisch, ze vonden het echt briljant. Het zou de waardering voor slogans vergroten en de verwachtingen van de klanten zouden nog groter worden, bla, bla, bla, bla, bla. Ik weet nog dat ik toen dacht, ik ben zo blij dat ik niet meer in de reclamewereld werk want ik snap er echt geen bal van.

Natuurlijk begreep ik wel wat het betekende, maar ik was nog nooit een weekend in Vegas uit mijn bol gegaan, dus persoonlijk had ik er echt helemaal niks mee. En ik zei het niet tegen ze, maar eigenlijk vond ik het in moreel opzicht nogal verwerpelijk. Een stad – een echte stad waar mensen wonen die hun kinderen grootbrengen – trekt mensen met het idee dat je tegen je vriend, vriendin of echtgenoot moet liegen. En ik had nog nooit tegen Bill gelogen.' Ze is even stil, alsof deze hele dag nu pas goed tot haar doordringt; alsof ze net beseft dat haar hele leven, haar hele manier van denken in een tel is veranderd.

'Hoe dan ook, ik snap het nu. Er zijn gewoon dingen die alleen ergens op slaan als ze gebeuren en het heeft geen zin je relatie te verknallen door het onuitlegbare uit te leggen.'

Dat is nog eens een waarheid als een koe, denk ik bij mezelf.

'Ik heb koffie nodig,' zeg ik opeens als we een bord passeren waarop staat dat er over acht kilometer een wegrestaurant is. 'Ik denk niet dat ik de hele nacht zonder cafeïne in mijn lijf kan rijden.'

'Wanneer heb je voor het laatst geslapen?' vraagt Sarah en ze klinkt bezorgd.

Ik haal mijn schouders op. 'Dat weet ik niet. Waarschijnlijk de laatste avond bij ma thuis.'

Sarah schudt haar hoofd alsof ze wil zeggen dat dat niet kan. 'Aan de kant,' commandeert ze. 'We moeten dit om de beurt doen anders redden we het niet de hele nacht. We doen het als volgt: jij gaat nu een paar uur slapen en als ik het echt niet meer trek, maak ik je wakker en dan kunnen we in de ochtend weer wisselen.'

Ik zou graag tegen haar ingaan, maar ik weet dat ze gelijk heeft. Ik ben veel te moe om nog te rijden en de gele lijn in het midden van de weg is hypnotiserend, als ik niet uitkijk slaap ik binnen vijf minuten.

Ik rijd de berm in en we wisselen van plaats, we klimmen over elkaar heen zodat we niet uit hoeven te stappen. Als ik weer zit en Sarah de weg op is gereden, pak ik mijn tas en haal mijn Blackberry eruit. Het rode lampje van de berichtjes knippert hevig en mijn maag draait zich om. Normaal gesproken als ik niet op kantoor ben, check ik mijn berichtjes om de vijf minuten, maar ik heb nu nog niet één keer gekeken sinds ik mijn telefoon in de gevangenis terug heb gekregen. Vermoedelijk ben ik er gewoon niet zo op gebrand om erachter te komen dat ik verdachte nummer één ben voor het lek van CBC.

Dus in plaats daarvan open ik mijn e-mail in de hoop een mailtje van Jay aan te treffen. Ik glimlach tegen mezelf als zijn naam in mijn 'postvak in' verschijnt.

> Hoe gaat het onderweg? Heb je al goede verhalen? Ik neem aan dat je ongeveer halverwege naar New Mexico bent. Heb ik al gezegd dat ik je dolgraag in het echt wil ontmoeten? Ik heb gewoon het gevoel dat je er precies zo uitziet als ik denk. Niet dat het me wat kan schelen hoe je eruitziet, het zou me niet kunnen schelen al zat je helemaal onder de wratten. Je snapt wel wat ik bedoel. Was het maar woensdag.

Ik schrijf terug:

> Hé, eigenlijk heb ik een onevenredige hoeveelheid goede
> verhalen als je bedenkt dat we pas twee dagen onderweg zijn.
> Trouwens, ik ben zo blij dat je dat zei over die wratten, want ik
> wist niet goed hoe ik het je moest vertellen. Ik wilde ook dat het
> woensdag was. Ik verwacht dat we op tijd zijn, maar zoals de reis
> nu verloopt, weet je het nooit. Ik houd je op de hoogte.

Ik druk op verzenden en ga dan met tegenzin naar het scherm met gemiste oproepen.

U hebt vier oproepen gemist, staat er.

Ik scrol door de nummers: werk, Ethan, pa, werk. Natuurlijk. Ik krimp ineen want ik vind het jammer dat ik hem heb gemist en het is nu te laat om nog terug te bellen. Ik was helemaal vergeten dat het vandaag maandag is. Zaterdagavond heb ik een berichtje voor hem achtergelaten, voor we weggingen, om te vertellen wat er was gebeurd en dat we met de auto terug zouden gaan. Ik spreek je maandag, had ik tegen het apparaat gezegd. Bel me op mijn mobiel. En dat heeft hij gedaan, goede, oude, betrouwbare pap. Zulke mannen worden niet meer gemaakt. Ik probeer me Ethan als vader voor te stellen, dat hij onze kinderen vijftien jaar lang elke week op dezelfde dag belt en ik schiet bijna in de lach. Alsjeblieft zeg. Ethan kan niet eens onthouden waar hij de telefoon laat. Altijd als ik thuiskom moet ik ons eigen nummer intoetsen en rondrennen om te kijken waar het gerinkel vandaan komt terwijl ik kussens optil en keukenkastjes opentrek.

Ik zucht. Ik zou Ethan moeten bellen, maar ik ben niet in de stemming om te worden ondervraagd. Hij zal willen weten wat er vandaag is gebeurd, en hij zal Heather Maloney belachelijk maken en mij, omdat ik haar in een vlaag van nostalgie heb gebeld. En ik kan hem ook niet vertellen dat we zijn gearresteerd. Ethan zou echt honderden vragen stellen en elk detail willen weten, wat betekent dat ik hem moet vertellen over de porno en Sarahs werk en over Bill en hun geldproblemen, en ik kan er niet op vertrouwen dat hij dat voor zich houdt. Ik zou er altijd over in zitten dat als we ze zien, hij iets zou zeggen als: hoe gaat het met het faillissement? Of erger nog, hij schrijft er een film over met Ben en Sally in de hoofdrol en dan zou Sarah pas echt kwaad op me zijn en eerlijk gezegd is dat het niet waard. Ik kan Ethan ook morgen bellen. Of overmorgen.

En werk... het is thuis al halfacht. Alles wat ze me willen vertellen moet nu toch tot morgen wachten, dus het heeft geen zin om nu naar de berichtjes te luisteren en me druk te maken voordat ik ga slapen.

Resoluut leg ik de Blackberry in mijn tas en ik ga gemakkelijk zitten.

'Weet je zeker dat je kunt rijden?' vraag ik Sarah.

'Ik voel me prima,' zegt ze. 'Zorg jij nu maar dat je wat slaap krijgt. Ik zeg altijd tegen de meiden: er is niets waardoor je je beter voelt dan een goede nacht slaap.'

'O, dat is ook zo,' zeg ik. 'Wat is er met Janie gebeurd? Is alles in orde?' Sarah aarzelt en ik weet onmiddellijk dat wat ze ook gaat zeggen, het niet in orde is.

'Het is niks. Gewoon een misverstand met een meisje op school. Niets bijzonders.'

'Weet je het zeker?' vraag ik.

Ze glimlacht niet erg overtuigend naar me. 'Ja. Echt.'

Er is absoluut iets gebeurd. Ze wil het gewoon niet vertellen omdat ik net zo gemeen deed. Ik zou door kunnen vragen, maar ik ben te moe. Morgen misschien.

'Oké, dan doe ik nu even mijn ogen dicht.'

'Goed zo. Geniet van je dutje.'

Volgens mij hoor ik haar nog wat zeggen, maar ik val te vlug in slaap om het nog te horen.

22 SARAH

Ik had het haar moeten vertellen. Verdorie. Ik had het haar moeten vertellen. Waarom ben ik toch zo eigenwijs? Wat kan mij het schelen dat zij zich verkneukelt over mijn geldproblemen? Wat kan mij het schelen dat zij de dingen niet waardeert die ik voor haar doe? Ik had haar hulp nodig en ik heb het zelf verpest door er niet om te vragen en nu weet ik niet wat ik tegen Bill moet zeggen. Hoe moet ik hem in hemelsnaam vertellen dat de deal waarop hij zijn toekomst bouwt op het punt staat uiteen te spatten? En hoe moet ik hem vertellen dat ik dat weet omdat onze dochter de dochter van de belangrijkste investeerder op haar neus heeft geslagen en dat zijn vrouw me nu chanteert? Ik moest hier echt met iemand over praten, maar nu is het te laat. Ze is het spuugzat.

Thuis is het al negen uur. Als ik hem niet vlug bel, gaat hij naar bed en ik kan hem morgen niet gewoon naar kantoor laten gaan en hem door het nieuws laten overvallen. Ik pak mijn telefoon en toets het nummer in, maar hij gaat over voordat ik klaar ben. Ik kijk naar het nummer en zucht: het is Molly Royce. Wat moet ze nu weer?

'Hallo?' vraag ik expres in een poging geïrriteerd te klinken.

'Hoi, Sarah, met Molly.' Haar stem is veel zachter dan voorheen en ik hoor vaag iets van verdriet alsof ze heeft gehuild.

'Ja?' vraag ik ongeduldig.

'Eh, ik vroeg me af, heb je Bill al over ons gesprek verteld?'

Ik knijp mijn ogen achterdochtig tot spleetjes. Ik vertrouw haar niet. Ik vertrouw haar voor geen meter. Ik wil liegen, ik wil haar vertellen dat ik Bill alles heb verteld, maar ik kan verschrikkelijk slecht liegen en stel dat ik alles nog erger maak? Dat risico kan ik niet nemen.

'Ik was net bezig zijn nummer te draaien toen jij belde,' zeg ik tegen haar en ze slaakt een diepe zucht alsof ze nog nooit zo opgelucht is geweest. 'Hoezo? Wat kan het jou schelen?' vraag ik. Haar stem is meteen opgewekter en ze is weer haar oude zelf.

'Nouuuuuu, ik vertelde Bruce een paar dingetjes over ons gesprek en blijkbaar wist hij niet eens dat de eigenaar van H&H Felton heette, laat staan dat het iemand uit Carly's klas was. Hoe dan ook, hij voelt zich erg rot over jullie omstandigheden en hij wil geen gênante situatie voor iemand op school creëren. Dus heeft hij me gevraagd je terug te bellen en je te zeggen dat je moet vergeten wat ik heb gezegd, je weet wel, dat hij niet wil investeren in het bedrijf van je man en dat het op het veilingblok terechtkomt en zo. Hij zei dat hij morgenochtend onmiddellijk zijn mensen gaat bellen om te zeggen dat de deal moet worden gesloten.'

'Echt waar?' vraag ik ongelovig. 'Zou hij dat doen?'

'Natuurlijk doet hij dat,' zegt Molly en ze lijkt bijna beledigd door mijn vraag. 'Het is een goede deal en denk je nu echt dat mijn man er verantwoordelijk voor wil zijn dat de familie Felton op straat komt te staan? Alsjeblieft, Sarah. Hij is geen monster.'

'Nou, we zouden niet meteen op straat staan, maar het is erg vriendelijk van hem. Ik weet zeker dat Bill dolblij is.'

'Ja, maar hij wil liever niet dat je het tegen Bill zegt. Bruce zou niet graag willen dat Bill denkt dat hij hem een oor aan wilde naaien of zelfs dat de deal bijna niet door was gegaan. Waarom zouden we hem van streek maken?' Nou, dat weet ik best, maar ik heb er niets tegenin te brengen.

'Natuurlijk. Ik zal niets zeggen. Dat beloof ik.'

'Geweldig dan! Prima. En hoor eens, Sarah, het spijt me wat ik tegen je heb gezegd, oké? Het is gewoon een erg emotionele dag geweest. Ik kan er slecht tegen als Carly pijn heeft en soms als ik boos ben, haal ik uit naar degene die in de buurt is.' Ze lacht een kort eenlettergrepig bulderlachje. 'Het is geen wonder dat er vier nanny's bij me zijn weggegaan in zes jaar tijd, hè?'

Vier maar? zou ik willen zeggen, maar in plaats daarvan lach ik gewoon mee. Ik ben zo opgelucht dat dit allemaal goed is gekomen, dat ik overal om zou lachen. Maar wat had ik graag bij hun gesprek willen zijn. Ik zie helemaal voor me dat ze hem vertelt wat ze tegen mij heeft gezegd, zo zelfvoldaan en gewichtig. Ze had waarschijnlijk gedacht dat hij haar zou prijzen omdat ze zo sluw was geweest. Maar hij heeft zich vast enorm gegeneerd. Ik durf te wedden dat hij tegen haar heeft geschreeuwd omdat ze zo harteloos en gemeen heeft gedaan, vooral tegen iemand van school. Genoeg om haar zelfs aan het huilen te maken.

En ik had gehoord dat het zo'n rotzak was. Zo zie je maar weer, je hoeft niet alles te geloven wat je hoort.

Ik verbreek de verbinding, slaak een tevreden zucht en ik kan voelen hoe mijn spieren in mijn nek en schouders zich ontspannen. Wauw, denk ik. Dus alles komt toch nog goed. We zullen weer geld hebben, we zijn niet langer van Helene afhankelijk en ik hoef niet naar porno te kijken om de eindjes aan elkaar te knopen... Ik glimlach in mezelf en kan nog niet helemaal geloven dat we zo'n geluk hebben. Geloof het nou maar, zegt een stemmetje in mijn hoofd. Het werd tijd dat je voor de verandering eens geluk hebt.

Ja, zeg ik tegen het stemmetje. Ja, dat klopt.

DEEL VIER

23 LAYNIE

Het eerste dat me opvalt als ik wakker word, is dat de zon schijnt. Het tweede wat me opvalt, is dat de auto niet beweegt. Op het klokje op het dashboard zie ik dat het 9.34 uur is. Gedesoriënteerd ga ik vlug rechtop zitten. Sarah ligt naast me te slapen, haar stoel staat zo ver naar achteren dat de leuning de achterbank bijna raakt. Ik kijk uit het raam en besef dat we op een parkeerplaats van een McDonald's staan, maar ik kan nergens uit opmaken in welke plaats we zijn, of in welke staat. Het zou overal kunnen zijn.

Ik pak Sarahs schouder vast en schud haar door elkaar.

'Sarah! Sarah! Wakker worden!' Haar ogen gaan open en dan weer dicht. O, nee, echt niet. Ik pak een grote pluk haar en trek eraan.

'Au!' gilt ze en ze duwt mijn hand weg. 'Waarom deed je dat?'

'Waar zijn we?' vraag ik dringend. 'Waarom staan we stil?'

Verdwaasd gaat ze rechtop zitten en ik kijk naar haar terwijl ze in haar geheugen graaft. Ze kijkt uit het raam, ziet de McDonald's en aan haar gezicht kan ik zien dat alles weer terugkomt.

'Ik was zo moe, ik kon niet meer rijden. Dus ben ik de snelweg af gegaan voor een kop koffie, maar de McDonald's was dicht. Vreemd, want ik heb altijd gedacht dat de McDonald's vierentwintig uur per dag open was.'

'Nee, hoor,' zeg ik tegen haar. 'Tot één uur.'

'Ja, dat weet ik nu ook. Ik was er om halftwee en er was nog iemand aan het schoonmaken, maar hij wilde me geen koffie geven. Ik heb hem zelfs tien dollar geboden, maar hij schudde zijn hoofd. Volgens mij was hij niet helemaal goed snik. Hij leek niet helemaal jofel.'

'Wat is er nou gebeurd?' vraag ik ongeduldig. Ze haalt haar schouders op.

'Ik heb de auto geparkeerd en ben gaan slapen.'

Ik gooi mijn handen geïrriteerd in de lucht. 'Waarom heb je me niet wakker gemaakt?' schreeuw ik.

'Dat heb ik geprobeerd,' legt ze uit. 'Maar je lag als een blok te slapen. Je bewoog niet eens en ik was te moe om harder te schudden.'

Niet te geloven. Het plan was toch om de hele nacht door te rijden zodat we de tijd die we gisteren zijn verloren weer goed konden maken. Dan hadden we vanmorgen voor op schema gelegen en vanavond in New Mexico kunnen zijn.

'Waar zijn we nu?' vraag ik met klem.

'Geen idee. Ergens in Missouri. Ik weet dat we een paar kilometer terug langs Springfield zijn gekomen.'

Springfield. Ik pak de TripTik van de achterbank en kijk op de kaart. Ik had vanmorgen in Oklahoma City willen zijn, maar dat is nog vierhonderd kilometer rijden. Verdorie. Niet te geloven dat ik twaalf uur heb geslapen. De laatste keer dat ik twaalf uur heb geslapen, was in mijn laatste jaar op de universiteit, een maand voor de diploma-uitreiking. Mijn vriendje en ik hadden tot vier uur 's ochtends hasj gerookt en toen heb ik in één ruk tot vier uur 's middags doorgeslapen. Ik weet het nog omdat ik een opdracht moest inleveren voor 'geschiedenis van het zuiden van Amerika'. Ik had de opdracht al dagen klaar, maar ik heb dwars door de les heen geslapen en ik kreeg een halve punt aftrek omdat ik het te laat had ingeleverd. Uiteindelijk was die halve punt de reden dat ik niet summa cum laude maar magna ben afgestudeerd en ik zal nooit vergeten hoe teleurgesteld mijn vader was toen hij mijn 3,89 score op het afstudeerprogramma zag staan. Je had geen tiende punt meer kunnen halen om summa af te studeren? Hoe moeilijk had dat kunnen zijn? Ik heb nooit meer hasj gerookt. Iemand zou dát eens openbaar moeten maken.

'Laten we gaan,' spoor ik haar aan. 'We moeten vandaag wel acht uur doen als we vrijdagavond thuis willen zijn.'

'Ik ga nergens heen,' zegt Sarah opstandig en ze doet de deur open. 'Ik barst van de honger. Ik moet wat eten. Ik moet plassen en ik wil mijn gezicht wassen. Ik had nooit gedacht dat ik dit ooit zou zeggen, maar een McMuffin klinkt erg goed op dit moment.'

Ik zucht. Het klinkt ook erg goed. 'Prima, maar laten we wel opschieten.'

Ze kijkt me even aan, haar neus gerimpeld van nieuwsgierigheid. 'Wat is er toch in New Mexico waarvoor we ons zo moeten haasten?'

Ik voel dat ik bloos en ik loop voor haar uit zodat ze het niet ziet. 'Ik heb geen haast om naar New Mexico te gaan,' lieg ik. 'Ik heb haast om naar huis te gaan. Voor het geval je het bent vergeten, de film van mijn verloofde gaat zaterdagavond in première en ik zou het leuk vinden mijn nagels te laten doen, mijn haar te wassen en de stank van deze reis kwijt te raken voordat ik over de rode loper wandel.'

'Heb je eigenlijk wel een schone onderbroek aangetrokken, sinds we zijn vertrokken?' vraagt ze.

Ik draai me om en kijk haar aan. 'Hè?'

'Je hebt me wel gehoord. Nou?'

'Wat kan het jou nou schelen of ik een andere onderbroek aanheb?'

'Nee, dus? Nee, je hebt sinds zondagmorgen geen schone onderbroek meer aangetrokken?'

Een dame op de parkeerplaats staart naar ons. Ik kijk haar boos aan en ze haast zich naar binnen.

'Leg me geen woorden in de mond. Ik vroeg waarom het jou wat kon schelen.'

Ze zet haar handen in haar zij. 'Het kan mij wat schelen omdat ik bij je in de auto zit en ik graag zou willen weten of je van plan bent je ondergoed voor vrijdag nog te verschonen. Zo niet, koop ik voor mezelf een paar watten voor in mijn neus bij de dichtstbijzijnde winkel.'

'Goorlap,' zeg ik.

'Ik ben een goorlap?'

Ik negeer haar en loop naar binnen. Het is niet mijn schuld dat ik geen extra ondergoed bij me heb. Ik was van plan om twee dagen weg te gaan, niet zeven, en in tegenstelling tot andere mensen die ik ken, heb ik geen zin om de enorme grote onderbroeken van mijn vijfenzestigjarige moeder aan te trekken. Ik wist niet wat ik gisteren zag toen Sarah haar broek voor die kerels naar beneden trok.

We lopen alle twee zonder een woord te zeggen rechtstreeks naar de wc's. Binnen zijn drie hokjes, ik loop de eerste in en Sarah die ernaast. Ik voel dat ik me opwind en als ik dit nu niet oplos, escaleert het en zitten we nog een dag in stilte in de auto. En dat is de laatste keer niet zo goed afgelopen.

'Ter informatie,' zeg ik door de deur van het hokje heen, 'ik heb geen onderbroek aan. Niet dat jij daar wat mee te maken hebt.' Iemand in het derde hokje hoest hard. Oeps. Ik wist niet dat er nog iemand anders was. Ik hoor Sarah ingehouden lachen en ik kan er niets aan doen dat ik glimlach.

'Het geeft niet,' roep ik tegen de vreemdeling in het andere hokje. 'Het is mijn zus.'

'Laynie,' fluistert Sarah afkeurend, maar ze wordt overstemd doordat de vreemdeling de wc doortrekt. De deur van het derde hokje gaat open en onder de deur door zie ik een paar dikke, witte enkels gepropt in een paar zwartleren, platte schoentjes naar buiten komen schuifelen.

'Ik had twee oudere broers,' kondigt de vreemdeling aan. Haar stem is hoog en dun, het soort stem dat mensen nadoen als ze een verhaal voorlezen en bij het gedeelte van de oma komen. 'Ik heb altijd een zus gewild. Mijn hele leven heb ik het gevoel gehad dat ik daardoor iets heb gemist.' Ik hoor het water over haar handen lopen en dan het gekraak van de papieren handdoek die van de rol af wordt getrokken. 'En zodat je het weet, ik heb ook geen onderbroek aan.'

Ze opent de deur met een harde piep en weg is ze. Sarah en ik barsten in lachen uit als we de hokjes uit komen.

'Laten we wat gaan eten,' zegt ze nog steeds grinnikend. Iets lijkt er anders vandaag. Ik kan mijn vinger er niet precies op leggen, maar ze heeft iets luchtigs over zich dat er eerst niet was. 'Ik betaal,' zegt ze terwijl ze de deurklink met een papieren handdoekje naar beneden drukt om haar pas gewassen hand tegen bacteriën te beschermen. 'Maar alleen als je iets van het ééndollar-menu neemt,' waarschuwt ze. 'Anders zoek je het maar uit.'

Terwijl Sarah het ontbijt bestelt, ga ik naar buiten en heb ik eindelijk de moed om naar mijn berichtjes van gisteren te luisteren. Ik vind het irritant van mezelf dat ik me gisteravond zo kinderachtig heb gedragen – dacht ik soms dat ze door niet te luisteren vanzelf weg zouden gaan? – maar ik verwacht nog steeds half dat ik als lek word aangewezen of dat ik ben ontslagen, of allebei. Dus eigenlijk ben ik best geschokt als alle berichtjes vrij positief blijken te zijn. De eerste was van Gina, nog geen paar minuten nadat ik haar uit de gevangenis had gebeld met het verzonnen verhaal dat ik geen bereik had. Ze belde alleen maar om te zeggen dat ik me geen zorgen hoefde te maken, dat alles goed ging en dat ik terug moest bellen als mijn telefoon het weer deed. Het tweede berichtje, van Ethan, was precies wat ik had verwacht. Hij verveelde zich, wilde met me praten, hoe gaat de reis, ben ik zonder strafblad door Illinois heen gekomen, ha ha ha ha, bel me terug. De volgende was van pa: 'Hoi Layn. Ik bel zomaar. Rijd niet te hard, bij de staatspolitieagenten werken rotzakken. Zorg ervoor dat de banden goed hard zijn, dan doe je langer met een tank. Bel me terug als je kunt. Ik hou van je.' Ik glimlach. Ik ben dol op mijn vader, hij is zo'n goede, ik weet niet, vader. Ik verwijder het berichtje en luister dan naar het tweede berichtje van Gina. Iets over een Brady en dat ik haar terug moet bellen zodra ik dit hoor. Oeps. Nou, het doet er niet toe. Ik weet zeker dat ze het wel regelt. Gina is best competent als het moet.

Ik bel het nummer van kantoor. Er is natuurlijk nog niemand, het is pas halfzeven 's ochtends in Los Angeles, maar ik wil toch een berichtje achterlaten zodat Gina weet dat ik weer te bereiken ben en dat ze me moet bellen zodra ze er is. Ik moet haar eraan herinneren dat ze die audities online zet. We hebben gisteren al een hele dag verprutst. Tot mijn verbazing neemt ze echter al op nadat de telefoon één keer is overgegaan.

'Met Gina,' zegt ze opgewekt en ik val even stil doordat ik ietwat van mijn stuk ben gebracht. Normaal gesproken neemt ze altijd op met: 'Hallo, met het kantoor van Laynie Carpenter.'

'Hoi, Gina,' zeg ik en ik zorg ervoor dat mijn toon zowel mijn verbazing als mijn ongenoegen overbrengt. 'Met Laynie.' De lange stilte duidt aan dat ze het snapt.

'Laynie, o, god, hoe is het? Het spijt me, het is hier zo druk, er gebeurt zoveel en er zijn mensen die me direct bellen, dus ik was vergeten dat ik jouw telefoon aannam. Sorry.'

'Het geeft niet,' zeg ik. 'Wat is er aan de hand? Waarom ben je er al zo vroeg? Waarom bellen er zoveel mensen naar je?'

'Nou, het zit zo. Gisterochtend, net nadat jij een berichtje had achtergelaten dat je niet kon worden bereikt, nou, toen kwam de manager dagtelevisie hierheen en hij wilde een volledig verslag van de Brady-situatie.'

'Kwam hij zelf naar beneden?' vraag ik.

'Ja, raar hè? Je had moeten zien hoe iedereen zijn best deed om druk bezig te lijken, het was om te gillen. Hoe dan ook, ik vertelde hem dat jij vastzat vanwege de aardbeving, maar dat we bezig waren een manier te vinden om de audities online te zetten.'

'En wat zei hij?' vraag ik.

'Nou, hij was niet blij. Hij zei dat hij binnen een uur verder wilde met de audities en dat er vrijdag tegen het einde van de dag een Brady moest zijn gevonden.'

Ik zucht diep. Dit is een ramp. Ik had nooit naar New Jersey moeten gaan. Ik had naar Ethan moeten luisteren en Sarah het huis laten opruimen, net zoals hij zei.

'Goed. Heb je dat online-gedoe al geregeld? Ik bedoel, er is haast bij. Het is al woensdag.' Gina is weer stil en ik voel dat er iets mis is. 'Wat nou?' vraag ik in antwoord op haar stilte. 'Wat is er aan de hand?'

'Eigenlijk heb ik al iemand,' zegt ze.

'Wat bedoel je, je hebt al iemand? Waar heb je het over?'

'Nou, Laynie, jij was er niet en je was onbereikbaar, dus moest ik een beslissing nemen. Ik heb Sandy Brower gesproken en zij had de perfecte kandidaat voor Brady, dus...'

'Wacht eens even,' onderbreek ik haar. 'Waarom heb jij Sandy Brower gesproken? Sandy Brower doet geen suggesties.' Sandy Brower is een van de machtigste managers in Hollywood en haar tactieken hebben haar beroemd gemaakt. Zij heeft als regel dat ze geen portretfoto's aan castingagenten stuurt zonder overeenkomst waarin staat dat een van haar klanten voor de rol wordt ingehuurd. Als zij dus tien acteurs heeft die ze geschikt acht, stuurt ze ze alleen als wij garanderen dat we een van hen voor de rol aannemen. Veel mensen gebruiken Sandy continu, maar ik gebruik haar maar zelden, een keer of vijf in de afgelopen zeven jaar. Ze heeft inderdaad geweldige acteurs, maar ze heeft iets wat ik niet vertrouw. Bovendien ben ik van mening dat het riskant is om talent op die manier te beperken. Ik weet dat er mensen zijn die een erge misslag hebben gedaan door in te stemmen met een van Sandy's deals.

'Ik weet dat ze geen suggesties doet,' zegt Gina trots. 'Ik heb haar gebeld.'

Ik ben zowel stomverbaasd, in de war als nieuwsgierig. 'Heb jij haar gebeld? Waarom heb je dat gedaan? Je weet dat ik er niet van houd om Sandy te gebruiken.'

'Nou, jij was er niet, Laynie, en we hebben niet zoveel tijd meer.'

'Bel haar terug,' gil ik. 'Bel haar terug en zeg dat je je hebt vergist en dat de deal niet doorgaat. Ik ga mijn hele carrière niet riskeren omdat Sandy Brower misschien de juiste persoon voor deze rol heeft.'

'Het is al te laat,' zegt Gina zonder spijt. 'Ik heb gisteren drie mannen auditie laten doen en ik neem er over een uur eentje mee naar de omroep.'

'Wat?' gil ik. Ik kan mijn aderen van kwaadheid voelen kloppen en hoewel ik probeer kalm te blijven en alles in de hand te houden, voelt mijn hoofd licht aan en heb ik moeite om mijn stem rustig te houden. 'Dat kun je niet doen, Gina. Misschien begrijp je niet hoe dit werkt, maar je bent een assistente. Dat betekent dat je me assisteert. Je doet mijn werk niet voor me. Je hebt geen toestemming om een deal met Sandy Brower te sluiten, je hebt geen toestemming om zelf audities te leiden en je hebt zeker geen toestemming om een callback met vier zenderbazen en de directeur dagtelevisie te houden.'

'Nou eigenlijk is het met vier zenderbazen, de directeur dagtelevisie en de directeur primetime,' zegt ze zelfvoldaan. 'Blijkbaar was dat gerucht over die spin-off waar.'

Plotseling trekt de mist van verwarring die mijn hersenen vertroebelde op en ontvouwt de situatie zich voor mijn ogen, als een ingewikkeld origami-kunstwerk dat plat wordt neergelegd; ze wil mijn baan stelen. Ik hap naar lucht en probeer weer op adem te komen.

'Dat je me dit aandoet,' zeg ik. 'Na alles wat ik voor je heb gedaan.'

Gina snuift. 'Sorry hoor, Laynie, maar dit heb je toch echt over jezelf afgeroepen. Een primetime spin-off is het belangrijkste dat er bij dagtelevisie is gebeurd, in wat, dertig jaar? Als je echt wat om je carrière had gegeven, zou je een tent in dit kantoor hebben opgeslagen en er niet uit zijn gekomen tot je de perfecte Brady had gevonden. Maar in plaats daarvan ga je voor het weekend naar New Jersey. Kijk, ik waardeer wat je voor me hebt gedaan, maar het heet niet voor niets showbusiness en geen showvrienden. Ik heb gewoon een zakelijke beslissing genomen. Als je kwaad op iemand wilt zijn, wees dan maar kwaad op jezelf.'

'Showvrienden. Leuk gevonden, Gina. Heb je dat geoefend? Het onthouden tot je me een dolk in mijn rug kon steken? Je hebt me expres gesaboteerd en dat weet je. Je had alles makkelijk online kunnen zetten zodra je wist dat ik maandag niet zou komen, maar dat heb je niet gedaan omdat je je kans rook. Ik weet zeker dat je alles vanaf het begin zo hebt gepland. Nou ik hoop dat je weet wat je doet, Gina. Ik hoop dat je weet hoe je een callback moet organiseren, Gina, want ik help je niet.'

'Ik weet zeker dat het allemaal goed zal gaan. Ik heb een goede leermeester gehad. O, en Laynie, de detective die het onderzoek naar het lek leidt? Hij wil graag dat je hem meteen terugbelt. Blijkbaar hebben ze een aanwijzing. Een vrouw uit, eh, waar was het ook alweer? O, ja. New Jersey.'

Ze hangt met een luide klik op en precies op dat moment barst ik in snikken uit.

SARAH

Ik loop met een vol dienblad naar de tafel net als Laynie gehaast naar binnen komt. Haar gezicht is rood, zit vol vlekken en haar ogen glinsteren. Onmiddellijk komt dat oude Van Halen-nummer, 'Jamie's crying' in me op. Whoa, oh, oh, Laynies cryi-ing. Mijn vader zong dat altijd voor haar. Het was haar nummer, zei hij altijd, en ze werd er gek van want ze vond het verschrikkelijk om als de huilebalk van de familie te worden bestempeld. Ik denk ook niet dat het hielp dat mijn liedje 'Sarah Smiles', van Hall and Oates was.

'Wat is er?' vraag ik terwijl ik de McMuffins uitdeel.

'Niets,' zegt Laynie en ze veegt haar ogen met de rug van haar hand af. Ik haal het papier van mijn broodje en kijk zenuwachtig naar het droge, ronde ei en de dikke, bruine plak ham erbovenop. Misschien was dit toch niet zo'n geweldig idee.

'Nou, je huilt, dus moet er wel iets aan de hand zijn.' Ik knabbel aan het ei. Het is beter dan het eruitziet, dus ik gooi alle waarschuwingen in de wind en neem een hap. Mmm. Ik weet niet waarom ik zo mijn best doe om McDonald's te mijden. Het is best lekker.

Laynie bestudeert me en ik zie dat ze overweegt of ze me zal vertellen wat er aan de hand is. Waarschijnlijk heeft ze ruzie met Ethan gehad. Ze heeft al eens gezegd dat hij humeurig wordt voordat zijn films uitkomen en gezien de omvang van deze film kan ik me indenken dat hij nu waarschijnlijk vrij humeurig is. Normaal gesproken denk ik niet echt over zulke dingen na, maar het is best bijzonder dat mijn zus met hem gaat trouwen. Bill kon het nauwelijks geloven toen ik een paar weken geleden naar het billboard wees en hem vertelde dat dat Ethans film was. Ze worden vast rijk, had hij gezegd. Zijn stem had wat scherp geklonken; een bitterheid die ik nog niet eerder had gehoord en ik had onmiddellijk spijt dat ik er wat over had gezegd.

Eerlijk gezegd heb ik nog niet zoveel tijd met Ethan doorgebracht – Laynie leerde hem kennen zo rond de tijd dat ze stopte mij te bellen – dus ik ken hem niet zo goed. Meestal zie ik hem als mijn vader en moeder op bezoek zijn. Doorgaans eten we dan met zijn allen een paar keer in de stad en als ze hier het weekend zijn, komen Laynie en Ethan op zondag naar mijn huis om te brunchen. Ethan is vrij luidruchtig voor mijn smaak en ik weet niet zeker of ik ertegen zou kunnen om met iemand samen te zijn die altijd zo sarcastisch is, maar de meiden zijn stapel op hem en Laynie en hij lijken het goed met elkaar te kunnen vinden. Mam heeft eens opgemerkt dat Ethan erg behoeftig is en het goed voor Laynie is om met zo iemand samen te zijn. Iemand die haar het gevoel geeft dat zij voor de verandering eens de leiding heeft. Ik vond het een vrij inzichtelijke opmerking van mijn moeder.

Laynie snikt theatraal en veegt haar neus met een servetje af.

'Als je het zo graag wilt weten, mijn assistente die ik heb aangenomen en alles heb geleerd, probeert mijn baan in te pikken,' verkondigt ze.

'Wat?' vraag ik. 'Hoe dan? Wat bedoel je?'

Laynie steekt van wal en legt het hele verhaal uit: dat Zane dood moest, hoe moeilijk het is om een nieuwe Brady te krijgen, de primetime spin-off, Gina de samenspannende assistente, Marissa Dunn – ik kan nog steeds niet geloven dat Marissa Dunn in staat is om zoiets op touw te zetten – de detective die op zoek is naar het lek, de directeur dagtelevisie die een Brady voor vrijdag heeft geëist en Sandy Brower, de manager die je een contract met de duivel laat tekenen zodat haar mensen aan de bak komen. Tegen de tijd dat ze klaar is, heb ik het gevoel dat ik een flowchart moet tekenen om alles goed te kunnen begrijpen.

'Je werkt niet alleen voor een soap,' zeg ik tegen haar. 'Je leven is een soap.'

Laynie veegt haar neus af en lacht. 'Dat is nog niet de helft,' zegt ze.

'Hoezo, is er nog meer dan?' vraag ik.

'Nee, nee,' zegt ze vlug. 'Ik bedoel alleen maar dat woorden het geen recht doen. Je moet deze mensen ontmoeten om het helemaal te kunnen begrijpen.'

Ik knik, maar ik heb het gevoel dat ze nog iets voor me verzwijgt. 'Nou,' zeg ik en ik schakel over op de Sarah-modus. 'Het eerste dat je moet doen, is Marissa Dunn bellen. Zeg tegen haar dat je weet dat ze CBC heeft gebeld, dat je erg teleurgesteld bent, dat ze de situatie moet ophelderen en je naam moet zuiveren. Dat eerst. Ten tweede moet je Sandy Brower bellen en tegen haar zeggen dat Gina dit achter je rug om heeft geregeld en dat als ze ooit nog voor CBC wil werken tegen die vent moet zeggen dat hij niet naar die auditie moet gaan. Laat Gina dat maar eens oplossen.' Ik kijk op mijn horloge. 'Je hebt nog een halfuur voor de callback begint. Ik weet zeker dat je...'

Laynies ogen vullen zich weer met tranen en ze onderbreekt me. 'Nou, Sarah, ik wil heus geen ruzie zoeken en ik bedoel het niet verkeerd, maar ik wil niet dat jij tegen me zegt wat ik moet doen en hoe ik dit moet oplossen. Ik wil alleen maar dat je luistert. Dat is alles wat ik ooit heb gewild.'

Ik kijk naar haar op de bruine, plastic bank en het valt me op hoe klein ze lijkt. 'Maar ik luister ook naar je,' houd ik vol. 'Ik heb naar elk woord geluisterd. En nu wil ik je helpen met een oplossing voor je probleem. Is dat niet wat mensen doen? Is dat niet wat vrienden doen?'

Laynie schudt haar hoofd. 'Nee, Sarah,' zegt ze vriendelijk. 'Dat is wat jij doet.'

Dat is wat ik doe? Wat bedoelt ze daar nu weer mee?

'Het is wat mam doet,' zeg ik defensief.

'Dat weet ik,' zegt Laynie. 'En daarom kunnen jullie ook zo goed met elkaar overweg.'

Ik overweeg dit even, maar ik vind het nergens op slaan. Waarom vertelt ze me haar problemen als ze geen hulp wil? Wat heeft het voor zin om iemand over je problemen te vertellen als je niet wilt dat ze helpen om een oplossing te bedenken?

'Dus jij zegt dat je wilt dat ik naar je luister en verder niets zeg. Je wilt gewoon dat ik hier blijf zitten en toekijk hoe je baan voor je neus wordt weggegrist.'

'Ja,' zegt ze met een nadrukkelijk knikje van haar hoofd.

'Maar ik kan je helpen,' leg ik uit. 'Ik heb ideeën.'

'Dat weet ik. En als ik ze wil horen, zal ik ernaar vragen. Maar als je ze me ongevraagd voorschotelt, word ik boos. Het geeft me het gevoel dat je denkt dat ik niet in staat ben zelf mijn problemen op te lossen.'

'O,' zeg ik begripvol. 'Het spijt me. Ik wist niet dat jij een ander plan had. Je hebt er niets over gezegd.'

Ze slaat haar ogen ten hemel. 'Ik heb geen ander plan,' stelt ze. 'Ik hoef geen plan te hebben. Jij moet altijd een plan hebben. Dat is jouw ding. En het is prima dat dat jouw ding is, maar ik vind het gewoon niet prettig als je het me oplegt.'

'Wacht, is dit waarom je altijd boos op me wordt? Omdat ik graag een plan heb? Is dit echt de reden waarom je altijd boos op me wordt?' Ik verwacht ergens nog steeds dat ze nee zal zeggen, nee, zo eenvoudig ligt het niet, maar ze knikt en dan knikt ze weer.

'Ja.'

'Is dat het enige, of is er nog meer?' vraag ik.

Laynie glimlacht en vindt mijn reactie duidelijk amusant. 'Nou, dat geldgedoe ook, maar daar hebben we het al over gehad, dus ja, dat is het wel zo'n beetje,' zegt ze. 'Ik bedoel, alles draait om hetzelfde, namelijk dat ik het gevoel heb dat je me als kind behandelt. Of het nou is omdat je me vertelt hoe ik mijn problemen moet oplossen, dat je beslissingen neemt zonder eerst met mij te overleggen of er gewoon van uitgaat dat ik geknuffeld wil worden als ik verdrietig ben, het komt allemaal op hetzelfde neer.'

Het is niet te geloven. Kent ze me dan helemaal niet?

'Maar dit is gewoon wie ik ben,' leg ik uit. 'Het heeft er niets mee te maken dat ik je niet als volwassene zie.'

Laynie is even stil en houdt haar hoofd schuin alsof ze dit zelf nooit in overweging heeft genomen en opeens snap ik het. Zij denkt dat ik dit alleen bij haar doe. Ze denkt werkelijk dat ik bij andere mensen gewoon alleen maar luister, en dat ik alleen voor haar dingen wil oplossen. Grappig genoeg wist ik niet eens dat ik dit bij anderen doe. Nou ja, ik wist het wel, maar ik wist niet dat anderen het niet doen.

Laynie snikt weer.

'Nou, ik voel me net een kind als je het doet, dus ik vraag je of je het niet meer wilt doen. Als anderen het niet erg vinden, is dat prima, maar ik vind het vervelend.'

Wacht eens even, denk ik. Hebben andere mensen er ook last van? Wordt Bill boos op me als ik het bij hem doe? Ik denk aan ons gesprek van gisteravond en hoe gefrustreerd hij was toen ik zei dat ik een nieuw plan wilde bespreken. Of hoe boos hij was toen ik zei dat ik wilde gaan werken. En de meiden dan? Ik luister nooit alleen maar als ze me een probleem vertellen. Ik geef altijd advies of ik hang meteen aan de telefoon om me ermee te bemoeien. En dan mijn moeder. Misschien is de scheiding van ma en pa mijn schuld wel. Nu ik erover nadenk, mijn moeder heeft eigenlijk alleen maar gezegd dat ze zich niet voldaan voelde, maar ik ging maar door en overtuigde haar ervan dat ze weg moest gaan. Ik voel de kleur uit mijn gezicht wegtrekken. Geen wonder dat Laynie me nooit belt.

'Ik zweer het je, ik wist niet dat ik dat deed,' zeg ik somber. 'Bij niemand.' Mijn handen trillen en ik kan het maar niet uit mijn hoofd krijgen dat ik verantwoordelijk ben voor het beëindigen van een liefdevol achtendertigjarig huwelijk. 'Het is echt nooit bij me opgekomen dat ik alleen zou kunnen luisteren en mensen niet moet vertellen wat ze moeten doen. Zoals in therapie. Luistert de dokter dan alleen maar?'

Laynie knikt. 'Precies. Ben jij nog nooit in therapie geweest?' vraagt ze verbaasd.

Ik schud mijn hoofd. 'Nee, nog nooit. Jij wel?'

Laynie lacht door haar gesnik heen. 'O, ja, heel even maar,' zegt ze sarcastisch. Ze strekt haar arm over de tafel uit en klopt op mijn hand. 'Gefeliciteerd,' zegt ze. 'In therapie noemen ze dat een doorbraak.'

24 LAYNIE

Ik zit weer aan het stuur en ik heb tegen Sarah gezegd dat ik voor niets meer stop tot we in Oklahoma City zijn, ook niet om te plassen. We moeten vandaag tijd goedmaken en het kan me niet schelen als we daardoor een blaasontsteking oplopen.

Ondertussen moet ik wel de bloeding stelpen die op kantoor is ontstaan. Er moet iets gebeurd zijn daar in McDonald's want voor het eerst in mijn leven denk ik dat Sarah misschien gelijk heeft. Ik heb een plan nodig, de boel op zijn beloop laten om te kijken wat er gebeurt, telt niet echt. Het is grappig, maar als Sarah en ik hetzelfde gesprek aan de telefoon hadden gehad en zij had gezegd dat ze niet wist dat ze altijd dingen op wil lossen, had ik haar niet geloofd. Waarschijnlijk had ik dan nooit meer met haar gesproken. Maar doordat ik haar gezicht kon zien en zag hoe bleek ze werd, wist ik dat ze de waarheid sprak. Ze had echt geen flauw idee dat ze dat deed. Mijn therapeut heeft het een hele poos geleden al eens gezegd. Ze zei dat sommige mensen geboren oplossers zijn, hoewel het normaal gesproken mannen zijn. Het is de vooronderstelling van dat hele 'Mannen komen van Mars en vrouwen van Venus'-gedoe. Maar ik heb nooit geluisterd. Ik was ervan overtuigd dat Sarah het expres deed en dat ze het alleen bij mij deed, maar mijn therapeut had het bij het rechte eind. Ik bedoel, moet je eens kijken hoe ze Bills problemen probeert op te lossen. Ze heeft achter zijn rug om een baan gezocht, ook al wilde hij het niet. En ze doet het bij de meiden ook. Luister, Jessie, dit is wat je moet doen... Mijn hemel, ze moeten echt allemaal stapelgek van haar worden. Het vreemde is echter, nu ik weet dat ze het bij iedereen doet en nu ik weet dat het geen passieve-aggresieve manier is om commentaar op mij te leveren, dat het me eigenlijk niet zoveel kan schelen dat ze het doet.

Over een doorbraak gesproken.

Zonder een woord te zeggen, pak ik mijn telefoon en draai Sandy's nummer.

'Met het kantoor van Sandy Brower,' zegt haar assistente.

'Hallo, met Laynie Carpenter van CBC,' zeg ik. 'Mag ik Sandy even spreken?' Als Sarah dit hoort, kijkt ze naar me en trekt haar wenkbrauwen op, duidelijk verbaasd dat ik haar advies aanneem terwijl ik net heb gezegd dat ik het niet wil. De assistente zet me in de wacht en dan neemt Sandy op.

'Laynie, ik heb gehoord dat je vastzat in New Jersey,' zegt Sandy.

'En ik heb gehoord dat je dingen hebt geregeld met mijn assistente.' Sandy lacht door haar neus.

'Eh. Problemen in het paradijs?' Ik leg de situatie aan haar uit en Sarah kijkt me gespannen aan.

'Zeg tegen haar dat ze geen zaken meer met CBC zal doen,' fluistert ze hardop. 'Zeg het.'

Zachtjes sus ik haar, ze houdt haar mond en leunt achterover, met haar armen over elkaar. In mijn andere oor biedt Sandy haar verontschuldigingen aan.

'Ik had geen flauw idee,' zegt ze. 'Ik ging ervan uit dat ze in opdracht van jou werkte. Die rotkinderen vandaag de dag ook. Ze werken ergens een halfjaar en denken meteen dat ze directeur zijn. Het gevoel dat ze ergens recht op hebben is echt belachelijk. En allemaal door dat klere You-Tube. Ze denken werkelijk dat ze het verdienen een ster te worden.'

'Ik weet het,' zeg ik en ik probeer niet te laten merken hoe ongeduldig ik ben. 'Hoe dan ook, Sandy, denk je dat je je kandidaat kunt bellen om te zeggen dat de auditie gecanceld is?'

Sandy zucht. 'Dat had ik best willen doen, schat, maar hij is er waarschijnlijk al. De auditie begint over vijf minuten. Maar moet je horen, ik heb de baan van mijn baas ingepikt toen ik even oud was als zij en ik weet hoe deze dingen in hun werk gaan. Als iemand het vraagt, zeg je dat het jouw idee was om mij erbij te betrekken. Je doet gewoon net alsof jij alles hebt bedacht, dat je dat stuk vreten hebt verteld om me te bellen, ik zal je steunen.' Ergens diep vanbinnen, weet ik zeker dat ze Gina precies hetzelfde heeft verteld.

'Oké, Sandy, bedankt,' zeg ik en ik probeer mijn teleurstelling te verbergen. 'Doe me wel een plezier en bel me even als je iets over de auditie hoort? Ik weet dat Gina me niet zal vertellen wat er is gebeurd.'

'Zeker, dame. Ik bel je meteen.'

'Geweldig. Bedankt.' Ik hang op en bel Inlichtingen voor het nummer van Marissa Finarelli. Terwijl ik op de telefoniste wacht, opent Sarah haar mond alsof ze iets wil zeggen, maar ze doet hem weer dicht.

'Wat is er?' vraag ik.

'Niets,' zegt ze en ze zakt dieper in haar stoel weg. 'Ik ga je niet vertellen wat je moet doen.'

'Zeg het nou maar.'

Maar Sarah schudt haar hoofd. 'Nee. Vergeet het maar. Jij doet dit zoals jij het hebt gepland.'

Ik hang Inlichtingen op en kijk haar aan. 'Ik heb niets gepland,' geef ik toe. 'Ik wilde haar gewoon bellen en beginnen te praten.'

Sarah kijkt ontzet. 'Weet je zeker dat je wilt dat ik het doe?' vraagt ze.

Ik sla mijn ogen ten hemel. 'Ja, zeg het maar.' Na die woorden begint ze te glimlachen en gaat opgewekt rechtop zitten, duidelijk blij dat ze haar ideeën aan me kwijt kan. Ik zweer het je, ze doet me denken aan een hond die ik had net nadat ik was afgestudeerd. Het was een bordercollie en het enige dat ze wilde was mensen in een hoek drijven en in hun enkels happen. Maar elke keer dat ze het wilde doen, schreeuwde ik tegen haar, dan kroop ze weg en ging ze in een hoekje zitten mokken. Het was alsof ze wist dat ze geboren was om dat te doen en ze was ongelukkig omdat het niet mocht. Toen ik naar een ander appartement verhuisde waar huisdieren niet waren toegestaan, heb ik haar aan een vriend gegeven die een neef met een boerderij in Californië had, waar ze enorm veel schapen hebben. Ik vond het verschrikkelijk om haar weg te moeten doen, maar ik wist dat ze gelukkiger zou zijn als ze haar taak mocht uitvoeren. Ik probeer een glimlach te onderdrukken bij de gedachte dat ik Sarah naar een boerderij ergens in een uithoek zou sturen.

'Oké, nou, als ik jou was, zou ik vriendelijk beginnen. Verontschuldig je als je haar bij ons thuis hebt beledigd en laat haar weten dat je haar hulp nodig hebt. Doe net alsof je haar helemaal niet verdenkt, maar dat je weet dat ze een invloedrijk soapblog heeft en dat je hoopt dat zij je misschien kan helpen om erachter te komen wie dit heeft gedaan. Zeg dat je de zenderbazen bij CBC over haar hebt verteld en dat iedereen hoopt dat zij kan helpen. Op die manier weet ze dat ze erbij is, zonder dat je het hoeft te zeggen. Kijk dan gewoon wat ze zegt. Misschien begint ze te huilen en geeft ze alles toe.'

Ik knik terwijl ze praat. Dit klinkt goed. Oké. Maar net als ik op het punt sta om haar te bellen, gaat mijn telefoon over. Er staat 'privénummer' op het scherm en het kan Sandy zijn die me terugbelt. Tjee, dat was snel. De auditie kan niet langer dan tien minuten hebben geduurd als ze nu al nieuws heeft. Ik weet alleen niet wat ik moet denken van zo'n korte callback. Doorgaans duren ze minstens een halfuur. Het kan zijn dat ze diep onder de indruk waren of dat hij het heeft verknald. Ik haal diep adem en neem op.

'Met Laynie Carpenter,' zeg ik. Aan de andere kant van de lijn hoor ik een onbekende mannenstem.

'Nou, mevrouw Carpenter, u bent moeilijk op te sporen.'

'Met wie spreek ik?' vraag ik achterdochtig. Heel even denk ik dat het Jay misschien is en de moed zinkt me in de schoenen, want de stem klinkt oud en gevoelloos, helemaal niet alsof hij toebehoort aan het soort persoon dat ik in gedachten had.

'Met detective Alonzo, van de LAPD. Ik ben voor CBC bezig met een chantagezaak. Ik geloof dat uw assistente u al over me heeft verteld.'

'Ja, natuurlijk, detective,' zeg ik zo beleefd mogelijk. Mijn hart begint sneller te kloppen en ik kijk vluchtig naar Sarah om er zeker van te zijn dat ze heeft gehoord wie ik aan de lijn heb. Sarah bijt bezorgd op haar lip. 'Kan ik u ergens mee van dienst zijn?'

'Nou, ik ben bezig om me door de lijst heen te werken van iedereen die bij het programma betrokken is en u bent de enige die ik nog niet heb kunnen bereiken. Ik moet u een paar vragen stellen, zoals met wie u hebt gesproken, met wie u contact hebt, dat soort dingen.' Ik blijf Gina maar in mijn hoofd horen: ze hebben een aanwijzing uit New Jersey. Ze hebben een aanwijzing uit New Jersey. Ik probeer de stem weg te duwen en antwoord zo opgewekt mogelijk.

'Natuurlijk, geen enkel probleem.'

'Goed. Ik heb gehoord dat u de hele week al in New Jersey bent? Daar komt u vandaan?'

'Ja, maar ik ben er niet de hele week geweest. Ik ben er vrijdagavond en zaterdag geweest, maar na de aardbeving kon ik geen terugvlucht krijgen, dus zit ik sinds zondagochtend met mijn zus in de auto. Op dit moment zijn we in Missouri.'

'O, op die manier. Toen u in New Jersey was, hebt u toen iemand gezien? Iemand gesproken?'

'Alleen mijn moeder en mijn zus,' lieg ik. 'We hebben mijn ouders geholpen met inpakken, ze gaan verhuizen.'

'Mm-hmmm,' zegt hij en ik krijg het gevoel dat hij alles noteert. Ik kijk even vlug naar Sarah. Zij vormt met haar lippen de woorden 'niets zeggen' tegen me.

'Nog iemand anders?' zegt hij. 'Misschien bent u iemand tegengekomen, oude vrienden wellicht?'

Ze hebben een aanwijzing uit New Jersey, hoor ik Gina's stem weer zeggen. Ik schud mijn hoofd naar Sarah. Hij weet van Marissa en hij probeert me erin te luizen. Hij wil kijken of ik ga liegen. 'Wacht even,' zeg ik alsof ik me zojuist iets herinner. 'Toch wel. Toen we zaten te ontbijten heb ik iemand gezien. Ze was niet echt een vriendin van me, alleen iemand die vroeger bij ons in de buurt woonde.'

'Hoe heette ze?' vraagt hij.

'Marissa Dunn,' zeg ik en ik gebruik expres haar meisjesnaam.

'Ma-riss-a Dunn,' herhaalt hij terwijl hij het opschrijft. Als hij van haar heeft gehoord, laat hij het in elk geval niet merken.

'Hebt u tegen haar gezegd dat u voor het programma werkt?' vraagt hij.

'Ja, dat heb ik gezegd. Ze was erg enthousiast, blijkbaar is ze een grote fan.'

'Oké. Sorry, maar ik moet u dit vragen, hebt u haar verteld dat Zane uit de serie wordt geschreven? Of hebt u dat aan iemand anders verteld?'

Mijn hart gaat nu tekeer en ik heb het gevoel dat ik moet overgeven. Maar ik heb niet het idee dat hij weet dat ik het haar heb verteld. Misschien wilde Gina me gewoon bang maken. 'Nee,' lieg ik. 'We hebben elkaar maar heel even gesproken, meer niet.'

'Oké. Goed dan. Mevrouw Carpenter, dit is wat we weten. Degene die CBC heeft gebeld en de eis heeft neergelegd, is een vrouw en gebaseerd op de informatie die we bij elkaar hebben gelegd, weten we bijna zeker dat ze uit het midden van het Atlantische gebied komt. Misschien uit New Jersey, maar het kan ook New York zijn. Dat is moeilijk te zeggen. We weten dat ze fan van het programma is en dat ze mensen bij de grote soapsites kent. Is er iemand die u kent die aan deze omschrijving voldoet? Vrienden misschien? Of iemand die zo'n persoon kent?'

Ik realiseer me dat ik mijn adem al inhoud sinds hij aan het woord is en ik adem uit. Dus Gina wilde me alleen maar bang maken. Deze man heeft geen idee wie het is. Verdorie. Ik had hem nooit over Marissa Dunn moeten vertellen. Maar het geeft niet. Als hij Marissa gaat opzoeken en haar blog vindt, kan ik gewoon zeggen dat ik er niets vanaf wist. Wat eigenlijk ook zo is. Ik bedoel, ik wist het niet toen ik haar tegenkwam. Dan krijg ik opeens een ingeving. Een briljante, slechte, wraakzuchtige ingeving.

'Het spijt me,' zeg ik. 'Ik wilde dat ik u kon helpen, maar ik ben niet echt betrokken bij het soapwereldje. Tussen ons gezegd, eigenlijk houd ik niet eens van soaps. Het is toevallig mijn werk. Mijn vrienden werken allemaal. Die zijn overdag niet thuis om naar soaps te kijken. Hoewel, trouwens...' Ik wacht even en doe net of me op dat moment iets te binnen schiet. 'U zei dat u mijn assistente Gina had gesproken?'

'Gina,' herhaalt hij en ik hoor hoe hij door zijn schrijfblok bladert. 'Gina Mancini. Ja, ik heb met haar gesproken.'

'O, laat dan maar,' zeg ik terloops. 'Dan weet u al dat ze een paar zussen in New York heeft.'

Hij zegt niets en ik weet dat hij vlug door zijn aantekeningen kijkt, op zoek naar iets over een zus in New York.

'Nou, eigenlijk heeft ze daar hemaal niets over gezegd.'

Ha. Ik wist het wel. Ze dacht waarschijnlijk dat hij er nooit achter zou komen, dus waarom zou je jezelf verdacht maken als ze net op het punt staat haar intrede in de hoogste regionen van de zender te doen? Vooral als het zo makkelijk was om mij op te zetten. Ik glimlach.

'O, echt?' zeg ik en ik doe net alsof ik verbaasd ben. 'Dat is gek, want ze spreekt haar zussen zo'n tien keer per dag. Ze heeft er drie, allemaal in New York. Daar komt ze vandaan, weet u. Een van haar zussen is trouwens een grote soapfan. Gina stuurt haar regelmatig getekende portretfoto's van de cast en vorig jaar met kerst heeft ze haar een kopie van een van de scripts gegeven die door iedereen uit de serie was gesigneerd. Daar heeft ze niets van gezegd tegen u?'

'Ze heeft gezegd dat ze uit New York kwam, maar nee, ze heeft me niets over haar zussen verteld. Dus wat wilt u daarmee zeggen? Denkt u dat zij het lek is?'

'O, nee,' zeg ik nadrukkelijk. 'Dat wilde ik helemaal niet suggereren. Gina staat bekend als roddeltante, maar ze zou haar baan nooit in de waagschaal stellen. Ik denk alleen dat haar zus misschien wat ideeën zou kunnen hebben over wie dit heeft gedaan. Zij moet alle soapblogs wel lezen, dat doen alle echte fans tegenwoordig. Misschien is haar wat vreemds opgevallen. Je weet maar nooit.' Ik kan horen dat hij op de achtergrond met zijn potlood ergens op tikt, een bureau, een blocnote?

'Erg interessant,' zegt hij langzaam. 'Ik zal erachteraan gaan. Bedankt voor de tip.'

'Graag gedaan,' zeg ik. 'Als ik u daarmee kan helpen.'

'Geweldig. Want als deze vrouw het serieus meent, hebben we nog maar achtenveertig uur voor het op straat komt te liggen, en als het escaleert – en ik weet zeker dat dat zal gebeuren – krijg ik te maken met een stel zeer ongelukkige zendermensen.'

'Nou, als ik nog wat kan doen, bel dan gerust.' We hangen op en Sarah glimlacht naar me.

'Dat was briljant,' zegt ze. 'Hoe wist je dat Gina hem niets over haar zus had verteld?'

'Dat wist ik niet, maar dat had niets uitgemaakt. Dan had hij gewoon geantwoord dat hij het al wist.'

'Maar omdat ze het niet heeft gedaan, lijkt het nu of ze iets verbergt,' zegt Sarah en ze wrijft in haar handen. 'Je bent verdorven. Ik had geen idee dat je zo samenzweerderig kon zijn.'

Ik haal mijn schouders op. 'Het is niet showvrienden,' zeg ik tegen haar. 'Het is showbusiness.'

25 SARAH

Ik bedenk me net dat ik Deb nooit heb gebeld om haar te laten weten dat we uit de gevangenis zijn. Ik weet niet precies waarom ik aan haar moest denken, misschien omdat Laynie met een detective sprak, wat me aan de gevangenis deed denken, wat me aan porno en aan Deb deed denken. Hoe dan ook, ik moet haar wel even bellen. Ik heb het haar beloofd en bovendien moet ik mijn ontslag nog indienen. Nu Bruce Royce in H&H gaat investeren, denk ik niet dat ik nog een baantje nodig zal hebben. Vrolijk pak ik mijn telefoon.

'Met Deb,' zegt ze met haar krakende, hese stem.

'Hoi, Deb, met Sarah Felton.'

'Sarah! Ik ben zo ongerust geweest. Waar zit je? Ben je al uit de gevangenis?'

'Ja,' zeg ik tegen haar. 'En ik moet je echt bedanken, het is precies gegaan zoals je zei. De pro-Deoadvocaat heeft een deal met de officier van justitie gesloten en zij heeft de aanklacht laten vallen voor we zelfs in staat van beschuldiging werden gesteld. Je had het bij het rechte eind.'

Laynie kijkt nieuwsgierig naar me en ik glimlach naar haar.

'Nou, ik heb het wel eens eerder meegemaakt. Wat kan ik zeggen, risico van het vak.' Ze lacht, maar begint bijna onmiddellijk te hoesten. 'Sorry,' krijgt ze er nog net uit. 'Het is een beginnend longemfyseem. Mijn moeder had het ook. Over een jaar of twee praat ik door een gat in mijn keel.'

Ik weet niet goed wat ik hierop moet zeggen, dus doe ik net alsof ik het niet heb gehoord. 'Nou, hoe dan ook, ik wilde je laten weten dat ik het waardeer dat je me de baan hebt gegeven, maar ik denk niet dat hij zo goed bij me past.' Uit mijn ooghoeken zie ik Laynie glimlachen als ze beseft tegen wie ik het heb.

'Ja, ik had al min of meer verwacht dat je niet zou blijven,' zegt Deb. 'Maar hoor eens, als je niks anders kunt krijgen, kun je altijd terugkomen.'

'Bedankt, Deb, dat is erg aardig van je. Zorg goed voor jezelf.'

'Jij ook,' zegt ze. 'O, en hé, die twee films die je nog hebt.'

'O, ja,' zeg ik. Ik was volkomen vergeten dat ik die nog had. 'Ik kan ze wel opsturen zodra ik terug ben,' bied ik aan.

'Nee, het zou net iets voor jou zijn om te worden gepakt voor het versturen van obsceen materiaal per post.' Ze vervalt weer in een hoestlachaanval. 'Houd ze maar,' piept ze. 'Zie ze maar als een afscheidscadeau.'

'Goed,' zeg ik tegen haar. 'Ik hoop dat je je snel weer beter voelt.'

'O, verspil je hoop maar niet aan mij. Twee pakjes per dag, zesentwintig jaar lang. Ik ben verloren.'

Wat triest, denk ik, om je zo te voelen. 'Nou, tot ziens dan.'

'Dag, en succes.'

We hangen op en opeens voel ik dat ik ga huilen. De tranen schieten me in de ogen en ik krijg een brok in mijn keel.

'Dus dat was Deb?' vraagt Laynie. 'Hoe nam ze het op?'

'O, prima,' zeg ik aangeslagen.

Laynie kijkt naar me, haar gezicht een mengeling van verbazing, bezorgdheid en plezier. 'Jeetje, huil je? Jij huilt nooit. Waarom huil je? Vind je het jammer dat je niet meer naar porno mag kijken?'

Ik schud mijn hoofd en probeer mezelf in de hand te krijgen, maar het heeft geen zin.

'Ik heb tegen mam gezegd dat ze bij pa weg moest gaan,' gooi ik eruit. 'Ik heb haar ervan overtuigd dat ze gelukkiger zou zijn zonder hem en ik heb haar geholpen het huis te koop te zetten, een verhuisbedrijf in te huren en een appartement te zoeken.'

'Wat?' vraagt Laynie verward en ze probeert zowel naar mij te kijken als haar blik op de weg te houden.

'Ja, maar je zei toch dat je het je niet meer herinnerde? Je zei dat het een lang proces was geweest.'

'Ik schud mijn hoofd. 'Ik heb gelogen. Ik weet het nog precies. Mam zei dat ze een cruise wilde maken en ze was bang dat het er nooit van zou komen. Ze zei dat er nog zoveel dingen waren die ze wilde doen, dat ze zich zo niet voldaan voelde, maar in plaats van te luisteren moest ik het natuurlijk weer proberen op te lossen, net zoals jij zei. Ik heb tegen haar gezegd dat ze bij pa weg moest gaan. En nu gaan ze scheiden en het is allemaal mijn schuld.' Ik bedek mijn gezicht met mijn handen zodat ze niet kan zien dat ik huil en ik zet mezelf schrap voor het geschreeuw dat nu vast zal volgen. Zo zit ik even, maar er gebeurt niets. Ik spreid de twee vingers voor mijn linkeroog uiteen en gluur naar haar. Ze kijkt recht voor zich uit, gefixeerd op de weg.

'Word je niet boos?' vraag ik en ik laat mijn handen zakken. Het valt me op dat ze het stuur zo stevig vasthoudt dat haar knokkels wit worden.

'Had je niet gewoon kunnen zeggen dat je een cruise met haar zou gaan maken?' vraagt ze knarsetandend.

'Daar ging het niet om,' zeg ik en ik word boos. 'En waarom ga je ervan uit dat ik een cruise met haar moet maken? Ik koop hun kerstcadeautjes, ze logeren bij mij thuis als ze op visite zijn en ik vlieg naar huis om voor ze te zorgen als ze ziek zijn. Ik doe altijd alles. Waarom zou jij niet met haar op een cruise kunnen gaan?'

'Dat zou ik best willen,' gilt ze. 'Maar niemand heeft mij verteld dat ze wilde gaan. Als mam en jij mij misschien eens ergens bij zouden betrekken, zou alles niet meteen zo'n drama worden. Sarah, heb je eerst wel nagedacht over wat je zei? Wilde je echt dat pa en ma zouden gaan scheiden?'

'Ik wil dat mam gelukkig is,' zeg ik. 'En dat is meer dan ik van jou kan zeggen.'

Laynie opent haar mond van verbazing.

'Hoezo? Wat bedoel je daar nou weer mee?'

'Dat jij mam niet als mens ziet, dat heb je nooit gedaan. Je behandelt haar alsof ze alleen maar bestaat om jouw moeder te zijn en zolang jij krijgt wat je nodig hebt, kan het je niet schelen hoe haar leven eruitziet.'

'Dat is niet waar.' Ze gilt niet meer. Haar stem is zacht en ze lijkt oprecht gekrenkt door wat ik heb gezegd. 'Heeft mam dat tegen je gezegd?' vraagt ze.

Help. Ik ga hier zoveel ellende mee krijgen.

'Nee,' zeg ik defensief. 'Het is gewoon iets wat me is opgevallen.'

'Ik geloof je niet.' Ze schudt haar hoofd en ik zie de tranen in haar ogen opwellen. 'Ik kan niet geloven dat mam denkt dat ik niets om haar geef. Alleen maar omdat ik haar niet elke vijf minuten bel zoals jij, wil dat nog niet zeggen dat ik egoïstisch ben. We hebben gewoon een ander soort relatie. Ik dacht dat ze dat wist.'

O, verdorie. Ik vind het vreselijk als ik haar aan het huilen maak.

'Nee, nee,' zeg ik op zachtere toon. 'Ik zweer je dat ze dat nooit tegen me heeft gezegd. Geen een keer. Het is gewoon iets wat ik denk.' Maar ze zegt niets en ik zie dat ze me niet gelooft. Klere. Ik pak mijn telefoon en toets een nummer in.

'Wie bel je?' vraagt ze achterdochtig.

'Ik bel ma,' zeg ik nuchter. 'Als je me niet gelooft, kun je het haar zelf vragen.'

'Nee, Sarah, bel ma nou niet, ik heb nu geen tijd om hierop in te gaan. Ik moet Marissa nog bellen en Gi...'

'Te laat,' onderbreek ik haar als ma de telefoon opneemt. 'Hoi, mam!' Mam klinkt opgelucht als ze mijn stem hoort, en om eerlijk te zijn ben ik best opgelucht om die van haar te horen na alles wat er de afgelopen paar dagen is gebeurd.

'Sarah, waar zijn jullie? Ben je al thuis?' Ik zet hem op de speaker en leg de telefoon op het dashboard.

'Dat zou ik wel willen,' zeg ik. 'We zijn bijna in Oklahoma. Zeg Laynie even gedag, je staat op de speaker.'

'Hoi, schat,' zegt mam. 'Hoe gaat de reis?'

Laynie slaat haar ogen ten hemel en gaat onmiddellijk over tot de orde van zaken. 'Heb jij tegen Sarah gezegd dat je denkt dat ik niets om je geeft?'

'Wat? Waar heb je het over? Sarah, wat heb je tegen haar gezegd?'

'Niets,' zeg ik. 'Ik heb gezegd dat je dat nooit hebt gezegd, maar ze wil me niet geloven.'

'Dat ik wat nooit heb gezegd?' wil mijn moeder weten.

'Dat ik egoïstisch ben en denk dat jij alleen bestaat om mijn moeder te zijn en dat het mij, zolang mijn behoeften worden vervuld, niets kan schelen hoe je leven eruitziet.'

'Hebben jullie nog steeds ruzie?' vraagt ze ongelovig. 'Ik had gedacht dat jullie tegen deze tijd wel een manier zouden hebben gevonden om normaal met elkaar om te gaan.'

'Dat is ook zo,' zeg ik standvastig. 'We hebben een therapeutische doorbraak gehad en alles, maar we lijken een soort terugslag te hebben.'

'Je hebt nog steeds mijn vraag niet beantwoord, mam. Heb jij dat over me gezegd?'

'Natuurlijk heb ik dat nooit gezegd, Laynie. Ken je me niet beter?'

'Nee,' merk ik op. 'Daar ging het ook om.'

'Sarah, doe me een plezier, maak geen ruzie voor mij. Als ik een probleem met Laynie heb, zeg ik dat wel tegen haar.' Laynie lacht zelfvoldaan naar me. 'Hoe is dit eigenlijk begonnen?'

'Nou, mam, eigenlijk omdat jij tegen me hebt gelogen,' zegt Laynie vijandig.

'Heus? Waarover heb ik gelogen dan?' vraagt mam.

'Eh, over *Oprah*? Doet dat misschien een belletje rinkelen?' Mam zegt niets.

'Het spijt me, mam,' zeg ik. 'Ik wilde je thuis net vertellen dat ze wist dat het niet waar was, maar toen kregen we bericht over de aardbeving en is het me ontschoten.'

'Het geeft niet,' zegt ze. 'Het is mijn schuld. Het spijt me, Laynie. Ik had niet tegen je moeten liegen.'

'Ze deed het alleen maar om je te beschermen,' zeg ik tegen Laynie. 'Ik heb haar laten beloven dat ze jou niet zou vertellen dat het mijn idee was dat ze bij pa weg zou gaan. Ik wilde niet dat je boos zou worden.' Ik voel de brok in mijn keel weer opkomen als ik mijn aandeel in dit alles onthul.

'Heb jij gezegd dat het jouw idee was?' vraagt mijn moeder verbaasd.

'Ja,' zeg ik en mijn stem breekt. 'En, ma, ik denk dat ik me heb vergist. Volgens mij heb ik je overgehaald om iets te doen wat je helemaal niet wilt. Ik had niet tegen je moeten zeggen dat je bij pa weg moest gaan. Er zijn ook andere oplossingen. Je zou met een van ons een cruise kunnen maken. Laynie zei dat ze met je meegaat wanneer je maar wilt.'

'Sarah, je hebt Laynie er net van beschuldigd dat ze me niet kent, maar blijkbaar ken jij me nog minder goed. Denk je nou echt dat je me had kunnen dwingen om iets ingrijpends te doen als bij je vader weggaan?

Denk je echt dat ik er nog niet over had nagedacht voordat jij het voorstelde?'

'Eh, nou, eigenlijk wel,' geef ik toe en mam lacht.

'Sarah, ik ben bij je vader weggegaan omdat ik niet gelukkig met hem was en ik al heel lang niet gelukkig ben. Dit heeft niets met een cruise te maken. Er zijn duizenden mensen met wie ik een cruise zou kunnen maken. Ik heb vrienden die me constant aanbieden om me mee te nemen op een cruise. Maar het gaat niet om een cruise. Ik wil een levenspartner en je vader is geen partner. Hij is een eiland. Ik heb mijn koffers waarschijnlijk al twintig keer gepakt sinds we zijn getrouwd, maar dan beloofde je vader weer dat hij zou veranderen en overtuigde hij me ervan dat we het nog een kans moesten geven. Maar toen ik hem deze keer vertelde dat ik weg zou gaan, heeft hij me niet beloofd te veranderen en heeft hij niet eens geprobeerd me te overtuigen om te blijven. De man is zesenzestig jaar oud. Hij verandert niet meer en dat weten we allebei. Toen wist ik dat het voorbij was. Als hij zelfs niet meer wil doen alsof hij het zal proberen, dan kan ik ook niet meer doen alsof. Het had helemaal niets met jou te maken, schat. Ik had allang een beslissing genomen voordat ik met je sprak.'

Ik ben zo geschokt dat ik elektriciteit zou kunnen geleiden. Al die jaren had ik geen idee dat ze de hele tijd op het punt stond hem te verlaten.

'Waarom heb je het me dan niet gewoon verteld?' vraag ik. 'Waarom heb je me in de waan gelaten dat het mijn idee was?'

Mam zucht. 'O, Sarah, ik wilde je niet van streek maken. Ik wilde dat je zou geloven dat je jeugd was zoals je altijd had gedacht. Je raakt zo geobsedeerd met dingen en ik wilde niet dat je je hele leven zou gaan ontleden en elk verjaardagsfeestje en andere blijde gebeurtenissen onder de loep zou nemen op zoek naar tekens dat ik ongelukkig was. Ik neem aan dat ik ergens wilde dat jij zou denken dat het jouw idee was zodat je het zou accepteren.'

'Maar je hebt het mij wel verteld,' brengt Laynie naar voren. 'Toen je belde om me te vertellen dat je bij hem weg zou gaan, heb je het mij wel verteld. Waarom? Waarom heb je het mij wel verteld en Sarah niet?'

Ik kijk geïrriteerd naar de telefoon. 'Ja, waarom heb je het haar wel verteld en mij niet?' vraag ik.

'Dat weet ik niet,' zegt mam. 'Ik neem aan dat ik gewoon dacht dat Laynie het wel aan zou kunnen.'

Laynie straalt, het is de grootste glimlach die ik ooit op haar gezicht heb gezien. Haar hele leven heeft ze die zes woordjes willen horen. Eigenlijk ben ik blij voor haar. En bovendien heeft mam gelijk. Ik zit nu al aan mijn bruiloft te denken en probeer me te herinneren hoe mam keek toen ze met pa danste.

We praten nog even verder en als we ophangen, kijk ik naar Laynie en glimlach.

'Ze zit vol verrassingen, hè?' vraag ik.

Laynie knikt. 'Denk je dat je Jessie en Janie net zo goed kent als mam ons kent?'

Ik denk hierover na, over hoe ik Jessies stemming elk moment aanvoel en hoe ik precies weet hoe Janie in een bepaalde situatie reageert. Ik ken elke uitdrukking, elke traan die ze hebben geplengd, elke angst die ze hebben geuit.

'Ja,' zeg ik nadrukkelijk. 'Dat denk ik wel.'

'Maar zij zullen jou nooit zo goed kennen als jij hen kent?'

Ik schud mijn hoofd even nadrukkelijk. 'Nee,' zeg ik. 'Nooit.'

LAYNIE

Het is tijd om pa te bellen. Sandy Brower, Marissa Dunn, Ethan, Gina... die kunnen allemaal even wachten. Op dit moment heb ik de overweldigende behoefte mijn vader te bellen en niemand anders.

'Wie bel je nu?' vraagt Sarah als ik de telefoon pak. 'Marissa?'

Ik schud mijn hoofd. 'Pa.'

Sarah knikt alsof zij precies hetzelfde dacht. Hij neemt na één keer overgaan op en ik zie hem voor me in zijn flat aan de kust, op de beige bank van keperstof die mam uit de Pottery Barn-catalogus heeft uitgekozen. Het is erg 'strandig' had ze gezegd toen hij uit de vrachtauto kwam. Ik vind hem geweldig. Ik kan bijna ruiken hoe de New Jersey-zeebries door de hordeur naar binnen waait en ik probeer me voor te stellen hoe de woonkamer eruitziet met de enorme flatscreentelevisie boven de open haard. Vast geweldig.

'Hoi, pa,' zeg ik.

'Hé, lieverd. Sorry dat ik je gisteren heb gemist. Het was gewoon geen maandag zonder jou gesproken te hebben. Hoe verloopt de reis?'

'Prima,' zeg ik tegen hem. 'We rijden net Oklahoma in.'

'Oklahoma,' herhaalt hij. 'Wat een geweldige musical was dat toch,' zegt hij.

Ik kreun. 'Sarah, pa vindt het een geweldige musical.'

Sarah lacht. 'Zet hem op de speaker,' zegt ze. 'Ik wil ook met hem praten.'

Ik druk op een toets en zet de telefoon in de bekerhouder tussen ons in.

'Hoi, pa,' zegt Sarah.

'Hoi, Saar. Hebben jullie het naar je zin?'

'Zo zou ik het niet echt willen noemen,' antwoord ik. 'Maar het kan erger.'

'Hoe gaat het met je, pa?' vraagt Sarah. 'Ben je al helemaal uitgepakt?'

'Ja, ik had niet veel meegenomen. Alleen mijn kleren. Al het andere wat ik nodig heb is hier al.'

'Ik heb gehoord dat je een tv hebt gekocht,' zegt ze.

'Zestig inch,' zegt hij trots. 'Niet te geloven dat ik al die jaren zonder scherp beeld heb geleefd. Ik zweer het je, als ik naar honkbal kijk, kan ik de stiksels op de bal zien.'

'Dat is geweldig, pa,' zeg ik. 'Welkom in de eenentwintigste eeuw. Je klinkt beter trouwens. Ben je weer helemaal in orde?'

'O, ja.' Zo te horen schaamt hij zich en ik vraag me af of het komt doordat Sarah meeluistert. 'De vorige keer had ik even een moment van zwakte. Alles is goed nu. Ik denk erover om me op te geven voor *The Bachelor*. Ken je dat programma? Echt geweldig.'

Jezus, misschien wist mam toch wat ze deed toen ze de tv er al die jaren geleden uit gooide. Pa met een satellietschotel zou een ramp kunnen zijn. Ik vraag me af wanneer hij voor het laatst naar buiten is geweest.

'Over bachelors gesproken, Laynie, heb je al een trouwdatum geprikt?'

vraagt hij. 'Ik heb mijn smoking tijdens de verhuizing gevonden en ik moet weten hoeveel tijd ik heb om tien kilo kwijt te raken zodat ik hem weer pas.'

'Tijd genoeg,' zeg ik tegen hem. 'Waarschijnlijk nog genoeg om vijftien kilo af te vallen.'

'Geen datum nog?' vraagt hij.

Hij lijkt teleurgesteld. Arme pa. Hij wil zo graag dat ik trouw. Hij denkt vast dat als Ethan mijn echtgenoot is, er voor me gezorgd wordt. Soms vraag ik me af of hij misschien een andere Ethan in gedachten heeft, want mijn Ethan kan nog niet voor een goudvis zorgen. Letterlijk. We hebben er twee dagen een gehad en toen heeft Ethan hem vermoord omdat hij was vergeten het ontchloorspul in het water te doen toen hij de kom verschoonde.

'Binnenkort,' zeg ik tegen mijn vader. 'Dat beloof ik.' We rijden langs een groen bord: OKLAHOMA CITY 6 KM.

Sarah klapt in haar handen.

'Oké, pa, we moeten gaan,' zeg ik. 'We zijn bij de volgende stop. Ik spreek je volgende week. Ik hou van je!'

'Dag, pa, ik hou van je,' gilt Sarah in de speaker.

'Ik ook van jullie, meiden! En vergeet niet de banden hard te houden!'

We hangen op en terwijl ik de snelweg verlaat om een plekje te zoeken zodat we kunnen gaan eten, zeggen we allebei geen woord. Ze gaat me naar Ethan vragen, dat weet ik gewoon.

We komen bij een kruising met aan de ene kant een Arby's en aan de andere kant een Pizza Hut. Ik kijk naar Sarah.

'Jij mag kiezen,' zeg ik tegen haar.

Ze zucht terneergeslagen. 'Ik kan niet op één dag én een McMuffin én bewerkte rosbief eten. Dat kan echt niet.'

'De Pizza Hut dan,' zeg ik en ik zet de rechterrichtingaanwijzer aan. 'Misschien is de sla hier wel vers,' opper ik.

'We zullen zien. Mijn verwachtingen zijn momenteel lager dan laag. Echt, zolang ze een wc hebben, ben ik al blij. Mijn blaas is net de Hoover Dam.'

We gaan met ons eten aan een tafeltje met een rood-wit plastic tafelkleed-je zitten, ik met een Pan Pizza met olijven en groene paprika, Sarah met een bord verlepte sla, zompige tomaten, bonen en rauwe broccoli.

'Je krijgt straks enorme honger,' zeg ik. 'Dat is niet genoeg voor de lunch.'

'Het is prima,' zegt ze. 'Ik neem wel een proteïnereep in de auto. Ik eet echt niet weer pizza. Mijn stofwisseling is niet meer zoals die van jou. Zodra je vijfendertig bent, wordt die een stuk langzamer.'

Ik neem een hap van mijn pizza en er glijdt een groot stuk kaas vanaf dat aan mijn kin blijft hangen.

Sarah trekt haar wenkbrauwen op. 'Daarom moet je opschieten en kin-deren krijgen,' zegt ze. 'Hoe langer je wacht, hoe moeilijker het voor je lichaam is om weer in vorm te komen.'

O, daar gaan we weer. Ik trek de kaas van mijn gezicht en houd het voor mijn wang terwijl ik wacht tot ze vraagt wanneer Ethan en ik gaan trou-wen. Vijf, vier, drie, twee...

'Dus, wanneer gaan jij en Ethan eigenlijk een datum prikken?' vuurt ze af.

'Ik wil er liever niet over praten,' mompel ik, mijn mond nog vol kaas.

Ze kijkt verbaasd. 'O, oké. Prima. Dan niet.'

Ik neem nog een hap pizza, maar ik weet zeker dat het nog niet voorbij is.

'Is alles in orde?' vraagt ze. 'Je hoeft het me niet te vertellen, maar ik voel gewoon, nou, als je zus, dat ik het moet vragen.' Ik zou het haar gewoon moeten vertellen. Morgen zijn we in New Mexico en ik heb nog steeds niet bedacht hoe ik Jay kan ontmoeten zonder haar mee te nemen, of wat ik moet zeggen als ik haar wel meeneem. Maar wat zou ik trouwens moe-ten zeggen? Ik hou van Ethan, maar ik wil graag weten of ik niet meer van deze vreemdeling hou die ik nog nooit heb ontmoet? Ik bedoel, ik kan het niet eens aan mezelf uitleggen, laat staan aan Sarah. Ik zucht.

'Het gaat prima,' zeg ik. 'Dank je.'

Sarah haalt haar schouders op. 'Oké, maar als je van gedachten veran-dert en erover wilt praten, dan ben ik er.' Ze giechelt. 'Dat is duidelijk. Maar wat ik bedoel is, ik ben geïnteresseerd. Ik wil naar je luisteren, meer niet. Ik beloof het, ik zal je niet zeggen wat je moet doen of een oplossing aandragen.'

'Het is al goed,' zeg ik. 'Daar maak ik me geen zorgen over.'

SARAH

Daar maakt ze zich geen zorgen over? Nadat ze me vanmorgen tijdens het ontbijt zo heeft toegesproken? Echt, ze is nog erger dan een kind. Ik ken niemand die zo gecompliceerd is als zij. Ze heeft me vanmorgen in principe verteld dat ze me haat omdat ik haar al deze jaren heb verteld wat ze moet doen en nu probeer ik rekening te houden met haar gevoelens en mijn gedrag te veranderen om een betere relatie met haar te krijgen en alles wat ze te zeggen heeft, is dat ze zich er geen zorgen over maakt. Terwijl het duidelijk hetgeen is waar ze zich haar hele leven al zorgen over maakt elke keer dat ik mijn mond opentrok. Niet: bedankt dat je het probeert. Niet: ik waardeer het dat je het ter harte hebt genomen. Alleen: daar maak ik me geen zorgen over. Ik zweer het je, het liefst zou ik haar met die gore, vette pizza die ze naar binnen zit te schrokken, willen slaan. Misschien maakt ze zich dan zorgen.

'Bill heeft een deal uitgewerkt met een investeerder,' zeg ik in plaats daarvan. 'Ze gaan geld in het bedrijf steken en helpen alles weer op de rit te krijgen. Hij zal zichzelf weer een salaris kunnen betalen en ik zal Helene eindelijk niet meer nodig hebben.'

'Dat is geweldig,' zegt Laynie. 'Wanneer is dat gebeurd?' Ze rukt zichzelf los van haar pizza en kijkt me aan, ongewild valt het me op dat er saus op haar kin zit. Nou, dat vertel ik haar lekker niet. Mevrouwtje 'daar maak ik me geen zorgen over'.

'Gisteravond,' antwoord ik. 'Ik heb Bill gesproken toen jij sliep. Het grappige is dat de investeerder de vader van een meisje uit Janies klas is.'

'Echt waar?' vraagt Laynie. 'Hebben ze elkaar zo ontmoet?'

'Nee. Het is puur toeval. Eigenlijk weet ik niet eens of Bill het wel weet. Het bedrijf dat investeert is een dochteronderneming van het bedrijf van die man, dus hij is niet betrokken bij de dagelijkse gang van zaken. Volgens mij geeft hij alleen zijn uiteindelijke goedkeuring voor alle deals.'

'Wie is het?' vraagt ze. 'Hoe heet hij?'

'Bruce Royce. Ken je hem?'

Laynie knikt. 'Ja, ik heb die naam weleens gehoord,' zegt ze. 'Volgens mij heeft hij een paar kabelstations, kan dat? Het klinkt erg bekend.'

'Zou kunnen. Ik wist niet wie hij was, maar blijkbaar is hij vrij bekend in de mediawereld.' Het heeft niet echt veel zin om haar over Molly en de rest van het verhaal te vertellen. Het is nu voorbij en bovendien heeft Laynie haar eigen chantageproblemen, ze hoeft zich geen zorgen over die van mij te maken.

'Ga je Marissa nog bellen?' vraag ik van onderwerp veranderend.

Laynie zucht. 'Dat weet ik niet. Wat ik van de detective meekreeg, is dat het iedereen kan zijn. Zij hoeft het niet te zijn.'

Ik kijk haar sceptisch aan. 'Je vindt het niet erg toevallig dat jij Marissa over het programma vertelt, je haar vervolgens het huis uit schopt en CBC de volgende dag een telefoontje krijgt en jij erachter komt dat ze een blog heeft en een echtgenoot die als rechercheur bij de politie werkt?'

'Ik weet het, ik weet het. Maar misschien vinden ze haar nooit. Voor zover zij weten zit Gina's zus overal achter.'

'Voor zover jij weet, hebben ze Marissa Dunn al opgepakt en zitten ze te wachten tot ze je kunnen arresteren als je volgende week binnen komt wandelen.'

'Oké, ten eerste kan ik niet worden gearresteerd. Ik heb niets illegaals gedaan. Ik kan wel worden ontslagen omdat ik de geheimhoudingsclausule heb verbroken die ik heb getekend. Maar als deze auditie van Gina een succes wordt, word ik toch ontslagen als ze haar mijn baan geven. Dus vind ik dat ik maar beter gewoon kan afwachten wat er komen gaat.'

Ze is echt onuitstaanbaar. Ik ken niemand die minder bereid is om actie te ondernemen dan zij.

'Dat is het stomste dat ik ooit heb gehoord,' zeg ik tegen haar. Ik sta op het punt een monoloog af te steken over hoe passief ze is, maar dan merk ik waar ik mee bezig ben en haal ik mijn schouders op. 'Maar doe gerust wat je wilt.'

'Ik zal je zeggen wat ik moet doen, ik moet Sandy Brower bellen. Zij moet onderhand wel wat over de auditie hebben gehoord.' Ze pakt de telefoon, toetst het nummer in en wacht met een elleboog op het plastic tafelkleed tot ze opneemt.

'Hallo, Laynie Carpenter voor Sandy.'

Ik kijk naar haar en bied weerstand tegen de impuls om mijn hoofd te schudden. Dit gaat niet goed aflopen, dat voel ik gewoon. Het is verbazingwekkend hoe snel geluk een andere wending kan nemen. Gisteren was zij dolgelukkig en ik de mislukkeling zonder geld en een baantje waarvoor ik stukjes over pornofilms schreef. Nog geen dag later ben ik financieel weer stabiel en vrijwilliger op Caldwell terwijl haar baan op het punt staat te worden afgepikt door haar assistente en haar naam door een schandaal wordt besmeurd. Nou, ze heeft Ethan tenminste nog. Denk ik.

'O,' zegt Laynie tegen degene aan de andere kant van de lijn. Ze lijkt teleurgesteld. 'Nou, als ze pauze heeft, kunt u dan vragen of ze me terug wil bellen?' Ze luistert even. 'Oké. Bedankt. Tot ziens.' Ze hangt op en wendt zich tot mij. 'Sandy heeft de hele ochtend vergaderingen,' zegt ze en in de lucht maakt ze aanhalingstekentjes rond het woord vergaderingen. 'Met andere woorden: ze mijdt me. Wat denkt ze, dat ik achterlijk ben? Denkt ze dat ik niet weet dat je tijdens een callback aan je bureau blijft zitten om geen telefoontje te missen? Er is maar een paar uur om over het aanbod te onderhandelen. Je moet wel beschikbaar zijn.' Ze gooit haar telefoon op tafel. 'De conclusie is dat ze wil dat een van haar kandidaten de baan krijgt, dus staat ze aan Gina's kant. Ik wist wel dat ik haar niet kon vertrouwen.'

'Het spijt me Laynie,' zeg ik.

'Het is mijn eigen schuld. Gina heeft gelijk. Ik had dit weekend niet naar huis moeten gaan. Ik was zo vastberaden omdat ik niet wilde dat jij de leiding had, dat ik niet inzag hoe dom het was.'

'Maar je had niet kunnen weten dat er een aardbeving zou zijn,' breng ik haar in herinnering.

'Nee, maar ik had niet weg moeten gaan. Als ik het echt belangrijk had gevonden om voor primetime te gaan werken, had ik thuis moeten blijven en het weekend door moeten werken. Het was dom.' Net op dat moment gaat de telefoon weer. Ze pakt hem op en kijkt ernaar.

'Het is Gina,' zegt ze zenuwachtig. 'Zal ik opnemen?'

'Ja!' gil ik tegen haar als hij voor de tweede keer overgaat. 'Neem op!' Hij gaat weer over. 'Laynie, waar ben je zo bang voor? Je moet je leven in eigen hand houden,' spoor ik haar aan. 'Neem nou op.'

Ze drukt op een toets en houdt de telefoon bij haar oor. 'Met Laynie,' zegt ze.

LAYNIE

'Hoe durf je mijn zus hierbij te betrekken?' schreeuwt Gina in de telefoon. 'Dat recht heb je niet.' Ik glimlach. Ik neem aan dat ze iets van detective Alonzo heeft gehoord.

'Nou, Gina, misschien had je je dat moeten bedenken voordat je probeerde mijn baan in te pikken.' Ik kijk vluchtig naar Sarah die haar duim in de lucht steekt.

'Het is voorbij, Laynie. De zender vond mijn kandidaat geweldig. Ze zijn op dit moment aan het onderhandelen over een aanbieding. Doe jezelf een lol en dien je ontslag in voordat je jezelf in verlegenheid brengt. Je wilt toch niet dat iedereen je volgende week op kantoor aanstaart als je erachter komt dat mijn naam op jouw deur staat.'

'Ik denk dat ik het er maar op waag,' zeg ik tegen haar en ik druk zo hard als ik kan op het rode knopje om het gesprek te beëindigen. Verdorie, wat mis ik die oude telefoons toch. Er is niets zo bevredigend als een grote, lompe, plastic hoorn neerslaan als je kwaad bent.

'Ze nemen haar kandidaat,' zeg ik tegen Sarah die naar een gekartelde scheur in het plastic tafelkleed staart. De scheur zit in een van de rode blokjes en is ongeveer een centimeter lang en uit het midden piept een dun stukje draad. 'Ze zei dat ik mijn ontslag moest indienen.'

'Zou je dat doen?' vraagt Sarah.

Ik kijk naar haar. 'Dat weet ik niet. Vind jij van wel?'

'Ik heb geen flauw idee. Denk je dat ze de waarheid vertelt? En als dat zo is, denk je dan echt dat ze je zullen ontslaan? Je werkt er al zeven jaar. Denk je niet dat ze je het voordeel van de twijfel zullen gunnen? Denk je niet dat ze ervan uitgaan dat jij overal achter zit?'

'Dat zou kunnen, maar volgens mij laat Gina dat niet gebeuren. Ik weet zeker dat iedereen op kantoor zich ervan bewust is dat ik deze week spoorloos was en ik weet ook zeker dat zij zichzelf heeft afgeschilderd als de heldin van het jaar.' Sarah zegt niets en ik voel me een beetje gedesoriënteerd door haar stilte. Normaal gesproken zou ze er nu bovenop zitten en haar drieledige strategie uit de doeken doen, inclusief grafieken en cirkeldiagrammen.

'Ga je me niet vertellen wat ik moet doen?' vraag ik.

'Dat meen je niet, hè? Trouwens, zelfs als je niet zo tegen me tekeer was gegaan dan had ik nog niet geweten wat je moet doen. Voor zover ik weet, liegt Gina en vonden ze haar kandidaat afschuwelijk. Ik zou niets doen totdat je alle feiten kent. Is er niemand anders die je kunt bellen? Heb je geen baas?'

'Ja, maar dat zou raar zijn. Ik ben de castingdirecteur voor die serie en mijn baas is hoofd CBC casting dagtelevisie. Zij is verantwoordelijk voor een miljoen dingen; talkshows, spelletjes, ochtendshows en alle soaps. Het is mijn verantwoordelijkheid om alles voor mijn serie te regelen zodat zij het niet hoeft te doen. Als ik met mijn problemen naar haar ga, doe ik mijn werk niet.'

'O,' zegt Sarah. 'Heb je dan geen vrienden op kantoor?'

Ik schud mijn hoofd. 'Iedereen zal achter Gina staan. Ik vond het zo prettig om haar als mijn assistente te hebben omdat ze iedereen kent en haar oren en ogen altijd goed openhoudt. Ze was altijd als eerste op de hoogte van alle roddels en de eerste om ze te verspreiden. Niemand wil in een slecht daglicht komen te staan bij iemand als zij.'

Sarah knikt meelevend, maar zegt niets. Ik geloof niet dat ze ooit eerder in een situatie zo nutteloos is geweest.

'Ik denk dat je Marissa Dombo moet bellen,' zegt ze. 'Het kan geen kwaad. In het ergste geval zegt ze dat ze het heeft gedaan en dan weet je in elk geval dat je je ontslag moet indienen.'

Dat is natuurlijk zo. Ik pak mijn telefoon weer, toets het nummer in en Marissa neemt bij de tweede keer meteen op. Op de achtergrond staat de tv erg hard, een kinderprogramma, en ik hoor ook een baby dicht bij de telefoon huilen.

'Hallo?' vraagt ze. Ze klinkt zowel geïrriteerd als doodmoe.

'Hoi, Marissa, met Laynie Carpenter.'

'Wie?'

'Laynie Carpenter,' zeg ik wat luider. 'Van de middelbare school? Weet je nog, ik ben je een paar dagen geleden tegengekomen met...'

'Ja, ik weet wel wie je bent, ik kon je alleen niet horen omdat de baby huilt. Is er iets? Waarom bel je me?' Het lijkt alsof er echt complete chaos in haar huis heerst en ik ben er ogenblikkelijk van overtuigd dat zij het niet is geweest. Deze vrouw is niet in staat om een bedrijf te chanteren. Ik vraag me af of ze überhaupt weet wat het is.

'Er is niets. Ik wilde, eh, alleen mijn verontschuldigingen aanbieden voor wat er een paar dagen geleden bij ons thuis is gebeurd. Ik wilde niet tegen je schreeuwen. We waren alleen erg gestrest vanwege de aardbeving.'

'Stop daarmee, Cole! Je doet hem nog pijn,' schreeuwt ze luidkeels. 'Ja, dat weet ik. Ik schreeuw continu tegen mijn kinderen als ik gestrest ben. Geeft niks. Belde je echt alleen maar om me dat te vertellen?'

'Nou, eigenlijk is er nog iets. Weet je nog dat ik je heb verteld dat Zane doodgaat?'

'Eh, ja, natuurlijk weet ik dat nog. Ik kan nog steeds niet geloven dat ze dat doen.'

'Je hebt het toch niet per ongeluk aan iemand verteld? Want toen ik je googelde zag ik dat je een blog hebt en veel over de serie schrijft.' Op de achtergrond hoor ik een harde bons en vervolgens een schriele, doordringende gil.

'Cole, verdorie! Ik heb je toch gezegd dat je daar niet op moest klimmen. Je valt nog eens te pletter. Hier komen, nu!' Ze zucht diep. 'Sorry,' zegt ze tegen me. 'Die peuterpuberteit is geen pretje. Hoe dan ook, je had gezegd dat ik het aan niemand mocht vertellen, dus dat heb ik ook niet gedaan. Ik wil niet dat jij in de problemen raakt met je werk of zo. Maar het valt niet mee, dat kan ik je wel vertellen. Ik heb het alleen aan Joe verteld. Het is jammer want ik zou zoveel meer bezoekers en adverteerders kunnen krijgen, maar ik houd me aan mijn woord. Want zo ben ik nu eenmaal, ik houd me aan mijn beloftes.'

'Bedankt, Marissa. Dat waardeer ik erg.' Ik voel me rot omdat ik zulke gemene dingen over haar heb gezegd en omdat ik haar achter haar rug Marissa Dombo noemde. Ze is misschien niet de slimste, maar ze bedoelt het goed.

'Was dat het? Want ik moet gaan voordat een kind zich in de fik steekt of zichzelf door de wc trekt of zoiets.'

'Ja, sorry, nog één ding. Herinner je je Heather Maloney nog?' vraag ik haar.

'Heather Maloney,' herhaalt ze bedachtzaam. 'Ja, woonde die niet aan de andere kant van onze buurt? Vrij klein?'

'Ja,' zeg ik. 'Ze was mijn beste vriendin.'

'Wat is er, is ze overleden?'

'Nee, nee. Ik heb haar gezien en ik vroeg me af of jij je haar nog kon herinneren.'

'Ja, hoewel ik niet veel aandacht aan jullie groepje op school schonk. Ik wil je niet beledigen, maar jullie waren nogal sukkels.'

Meent ze dat nou? Marissa Dunn, het meisje dat elke dag dat stomme footballshirt met die gaatjes droeg, vond mij een sukkel? Wauw. Ik neem aan dat niets is wat het lijkt. Of hoe je het je herinnert.

'Ik ben niet beledigd,' zeg ik tegen haar. 'Nou ja, ik moet nu ophangen. Zorg goed voor jezelf.'

'Ja, jij ook,' zegt ze en dan hangt ze op, zonder gedag te zeggen. Sarah kijkt me angstvallig aan en ik schud mijn hoofd.

'Zij is het absoluut niet,' zeg ik overtuigd. 'En moet je horen, zij vond ons op de middelbare school sukkels.' Sarah kijkt verbaasd.

'Zei ze dat tegen je?'

'Ja.' Sarah begint te lachen en ik schiet ook in de lach.

'Laten we gaan,' zegt ze en ze stapelt het afval op haar bord. 'Ik wil voor het avondeten in Amarillo zijn.'

26 SARAH

Tegen de tijd dat we bij het motel zijn, ben ik doodmoe. Mijn benen doen pijn, mijn rug doet pijn, mijn nek doet pijn, ik heb behoefte aan een douche en vooral aan een bed. De ene nacht in een badkuip en de volgende nacht in een auto, heeft me niet echt goed gedaan. De volgende keer dat ik een dakloze in Los Angeles zie, koop ik een luchtbed voor hem.

Het is me eindelijk gelukt om Bill te pakken te krijgen. Ik heb hem de hele middag gebeld, maar hij nam niet op, niet op kantoor en niet op zijn mobiel, ik werd er gek van. In gedachten had ik al een aantal verschrikkelijke scenario's bedacht – de deal was niet doorgegaan, Bruce Royce was van gedachten veranderd, Janie had Carly weer geslagen – maar alles was in orde. Hij had alleen de hele dag vergaderingen gehad om de deal uit te werken, dus kon hij zijn telefoon niet beantwoorden.

Het gaat echt gebeuren, Saar, had hij tegen me gezegd. De advocaten zijn er op dit moment mee bezig. Hij klonk zo opgewonden, zo vervuld van hoop en belofte. Er was geen spoor van de bitterheid meer te horen die de laatste tijd in zijn stem was geslopen.

Ik zet de douche aan, geniet van het warme water en negeer het feit dat de douche net zoveel druk als een lekkende kraan heeft. Ik doe mijn ogen dicht, ik ben zo moe dat ik staand in slaap zou kunnen vallen. Het gebeurt ook bijna, maar plots schrik ik weer tot bewustzijn door hard gebons op de deur.

'Sarah!' Het is Laynie. Jakkes. Ze lijkt mijn kinderen wel. Is het te veel gevraagd om in alle rust en stilte te willen douchen?

'Wat?' roep ik geïrriteerd.

'Jessie is aan de telefoon. Ze wil met je praten.'

'Zeg maar dat ik haar zo terugbel,' gil ik. 'Ik sta onder de douche.'

'Dat weet ik,' gilt ze terug. 'Ik ben niet achterlijk. Ze huilt. Ze wil nú met je praten.'

Ik zucht. Waarschijnlijk heeft ze ruzie met Janie over waar ze op tv naar willen kijken en ik vind het irritant dat ik zelfs nog voor scheidsrechter moet spelen als ik in een andere staat ben. God verhoede dat Helene tussenbeide komt. Hoewel, waarschijnlijk heeft zij Jessie gevraagd om me te bellen.

Laat je moeder het maar oplossen, schat. Hier, neem mijn telefoon maar. Helene. Waarom is zij niet doodgegaan in plaats van Bills vader? O, het is niet aardig om dat te zeggen. Wacht, ik heb het niet gezegd, maar toch, het is verschrikkelijk om het zelfs maar te denken. Ik kijk naar het plafond. Dat meende ik niet, zeg ik telepathisch tegen God. Grapje. Ik droog mezelf vlug af, wikkel een handdoek om me heen en stop hem net boven mijn linkerborst in. Hij is hard en ruw en bedekt mijn achterste nauwelijks. Ik trek nog een handdoek van de plank, wikkel hem als een tulband om mijn haar en doe dan de deur open. Laynie steekt haar hand uit en ik neem de telefoon van haar over.

'Waarom neem je mijn telefoon trouwens op?' vraag ik.

'Dat heb ik niet gedaan,' antwoordt ze vinnig. 'Ze heeft vijf keer naar die van jou gebeld en toen heeft ze mij gebeld.'

Ik kijk naar de telefoon en zie dat het inderdaad die van Laynie is. O, o. Er moet echt iets vreselijk mis zijn.

'Jess?' zeg ik en ik schuif de telefoon onder de handdoek op mijn hoofd. 'Is alles in orde?'

'Niet echt,' zegt ze. Haar stem is hoog en aan de telefoon klinkt ze zoveel jonger dan in het echt.

'Wat is er gebeurd?' vraag ik.

Ze snikt. 'Oma heeft ons vandaag van school gehaald en ze zei dat ze thuis een verrassing voor ons had.'

Het zal eens niet. Laat het maar aan Helene over om hun genegenheid te kopen. 'Oké, wat is het probleem dan?'

'Nou, oma heeft Janie een groot poppenhuis gegeven en ik vind het niet leuk wat ik heb gekregen.'

'Jessie, dat is niet aardig,' foeter ik. 'Als je het geluk hebt dat iemand een cadeau voor je koopt, mag je er niet over klagen. Er zijn genoeg kinderen die nooit een verrassing krijgen.'

'Dat weet ik,' zegt ze. 'Maar oma heeft gezegd dat ik het iedere dag moet gebruiken. En ze heeft ook gezegd dat als ik het niet gebruik, ik geen avondeten krijg.'

'Wat? Wat is het dan? Wat heeft ze voor je gekocht?'

'Ik weet niet eens precies hoe het heet. Een lopende band of zo? Oma zei dat ik erop moest rennen.'

Ik voel de stoom uit mijn oren komen voor ze haar zin heeft afgemaakt. 'Een loopband?' vraag ik. 'Ze heeft een loopband voor je gekocht?' Laynie ligt op bed tv te kijken en ze kijkt vlug op als ik het zeg en erachter probeer te komen wat er aan de hand is.

'Ja,' zegt Jessie. 'Een loopband.'

'Jessie, geef oma maar even. Nu.' Laynie kijkt naar me en ik schud mijn hoofd van kwaadheid.

'Heeft ze een loopband voor haar gekocht?' fluistert Laynie. 'Is ze soms gestoord?'

'Dat kun je wel zeggen,' zeg ik knarsetandend. Helenes dikke, nepbezorgde stem komt aan de lijn.

'Is er íéts, Sarah? Jessíé zei dát je me wilde spréken. Weet je, je zóú haar echt bétere manieren moeten léren. Het is níét netjes om te zeggen dát je een cádeau niet leuk vindt. Vooral níét als het om íéts duurs áls een loopbánd gaat. Ik moest zélfs extra betalen óm het te laten bezorgen voordat ze úít school zóúden komen.'

'Helene,' onderbreek ik haar. Ik ben té boos om mijn gedachten te ordenen of mezelf te kalmeren voor ik iets zeg en eerlijk gezegd kan het me ook niet schelen. In mijn achterhoofd weet ik dat Bill een deal gaat sluiten, dat hij weer geld gaat verdienen en dat we haar niet meer nodig hebben. Wat maar goed is ook, want in mijn gedachten zijn alle dingen waarvoor ik altijd te beleefd, te vriendelijk, te afhankelijk en te bang was om ze te zeggen, veranderd in een gewelddadige brij woorden en gedachten. Terwijl ik mijn mond opendoe om Helene precies te vertellen hoe ik over haar denk, voel ik ze allemaal in een kwaadaardige, rode stofwolk naar buiten wervelen waardoor het moeilijk vast te stellen is wat er eigenlijk uit gaat en wat er in de filter van mijn gedachten achterblijft. Maar woorden als 'sadistisch', 'marionet' en 'machtsvertoon' lijken eruit te springen. En dan als ik uitgesproken ben, zie ik alleen Laynie, haar ogen verder uitgepuild dan ooit.

Een paar seconden zegt Helene niets en ik verwacht dat ze op zal hangen, of tegen me gaat schreeuwen of iets zegt als 'wel heb ik ooit!' zoals in oude films waarin vrouwen witte handschoenen dragen om naar de markt te gaan. Wat ik echter niet verwacht, is dat Helene kalm en rationeel reageert alsof dit elke dag gebeurt. Hoewel ik ergens denk dat ze misschien al jaren wacht tot ik uit zal barsten. Misschien heeft ze zich alleen maar zo gedragen omdat ik haar haar gang laat gaan en nu ik eindelijk ben uitgebarsten, zal ze me misschien wat respect gaan tonen.

'Ten éérste, Sarah, mág ik je eraan herinneren dat jij míj hebt gevraagd om deze week op de méíden te passen om jóú een plezier te dóén. Ten tweede, wíl ik je graag hérinneren aan het gézegde "bíjt niet in dé hand die jé voedt".'

Of niet.

'Je kunt me overal aan herinneren wat je wilt, Helene, maar ik wil jou eraan herinneren dat Jessie, ondanks onze financiële regeling, mijn dochter is en ík maak de beslissingen over haar welzijn.'

Helene gaat zachter praten en zegt: 'Ze is te dik, Sarah. Ik wil haar helpen nu af te vallen voordat het haar hele leven verpest. Voor het geval je het bent vergeten, dit is Los Angeles. Er zijn geen dikke mensen in Los Angeles.'

'Die zijn er wel, Helene, alleen zijn ze slim genoeg om bij jou uit de buurt te blijven. Ik wil dat je die loopband als de wiederweerga uit mijn huis laat halen en mijn dochter met rust laat.'

'Het is jouw huis niet,' zegt Helene hooghartig en plotseling ben ik weer witheet.

'Weet je wat?' gil ik in de telefoon. 'Het kan me niet schelen of het bedrijf failliet gaat. En het kan me niet schelen als jij ons geen geld meer geeft. Als H&H zijn deuren moet sluiten en wij op straat komen te staan, dan moet dat maar. Ik heb jouw stomme huis, die stomme school en al helemaal jouw goedkeuring niet nodig. Wat voor moeder ben je eigenlijk? Je enige zoon is continu bang om je teleur te stellen. Je kwelt hem zijn hele leven al. Niets wat hij doet is goed genoeg voor jou. Misschien vindt Bill dat prima, maar als je denkt dat ik toe ga staan kijken hoe je dat ook bij mijn kinderen flikt, heb je het mooi mis. Ik ben nog liever arm dan dat ik naar jou moet luisteren.'

'Hoezo, als H&H zijn deuren moet sluiten? Waar heb je het over?'

Wacht. Wat bedoelt ze? Hoe weet ze dat H&H misschien zijn deuren moet sluiten? Ik kijk naar Laynie, maar die staart slechts terug. Ik kan aan haar ogen zien dat ze doodsbang voor me is. O, help. Heb ik dat allemaal hardop gezegd?

'Sáráh,' eist Helene en ze beklemtoont elk woord. 'Wáár héb jé hét óvér?'

'Niets,' stamel ik. 'Ik bedoelde alleen maar dat als zoiets ooit zou gebeuren, weet je, hypothetisch gesproken, dan...'

'Je kunt verschrikkelijk slecht liegen,' onderbreekt ze me. 'Zit het bedrijf in de problemen? Probeert Bill me daarom de laatste tijd te mijden?'

Ik ben een verschrikkelijk slechte leugenaar. Altijd al geweest. Dat is een van de redenen waarom ik als kind nooit iets uithaalde, ik wist dat ik nooit iets op geloofwaardige wijze zou kunnen ontkennen als ik zou worden betrapt. Ik zucht.

'Je kunt beter met Bill praten,' zeg ik nadat ik heb besloten de waarheid te vertellen. 'Ik ken de details niet, maar ja, het bedrijf zit in de problemen. Het goede nieuws is echter dat Bill denkt dat hij een manier heeft gevonden om het nog te redden. Ieder ander zou het maanden geleden al hebben opgegeven, maar hij bleef het proberen. Hij was zo bang voor wat jij zou denken als het bedrijf op de fles zou gaan, en nu gaat er, dankzij hem, niets gebeuren.'

Helene is stil. 'Nou,' zegt ze eindelijk. 'Misschien besefte ik niet hoe hij zich voelde.' Haar stem klinkt gespannen, alsof ze haar best doet om niet in te storten en haar menselijkheid verbaast me.

'Nee, misschien niet,' antwoord ik.

Helene schraapt haar keel en zet haar normale, geaffecteerde stemmetje weer op. 'Maar Sárah. Als jé maar niet dénkt dat ik ben vergeten hóé onbeschoft je tegen me dééd. Dat aanbod dát ik je héb gedaan om een óógcorrectie te betalen? Vérgeet het maar. En als je hét stomme húís en die stomme schóól niet meer wílt, kan ik dat állemaal regelen. O, en zorg ervoor dat je iemand ánders vindt óm de rest van dé week op de méíden te passen, want ík ben niet méér beschikbaar.'

'Geen probleem,' lieg ik. 'En neem die loopband mee als je weggaat. Tot ziens!' Ik druk zo hard als ik kan op het rode knopje op Laynies telefoon, wat extreem onbevredigend is, en als ik opkijk, zit Laynie te klappen.

'Echt, Sarah. Je was geweldig!' giert ze.

Ik geef de telefoon aan haar terug en opeens besef ik wat ik heb gedaan. 'Bill vermoordt me,' fluister ik te zeer met afschuw vervuld om hardop te praten. 'Jemig, Laynie. Wat heb ik gedaan?'

'Je hebt gedaan wat ieder ander zou hebben gedaan, Sarah. Je bent voor je kind opgekomen. Je bent voor jezelf opgekomen.' Laynie ploft neer op bed. 'Alles komt goed. Zoals je al zei, je hebt haar geld niet nodig. Je hoeft je nergens druk over te maken.'

'Het gaat niet om het geld,' probeer ik uit te leggen. 'Ik heb tegen Helene gezegd dat ze een slechte moeder is en dat Bill bang voor haar is en ik heb haar verteld dat er problemen zijn met het bedrijf. Ik heb haar dus iets verteld wat Bill al bijna een jaar voor haar verborgen probeert te houden.' Ik schud mijn hoofd. 'Ik weet eerlijk gezegd niet of hij me ooit zal vergeven.'

'Hij vergeeft je,' zegt Laynie. 'Je bent zijn vrouw. Hij gaat heus niet bij je weg omdat je ruzie met zijn moeder hebt.'

Maar ik ben er niet zo zeker van en de tranen springen in mijn ogen. 'Je begrijpt het niet. Helene is niet zoals mam, Laynie. Ze vergeeft niet en ze vergeet niet. En ze hebben samen een soort van wederzijdse afhankelijkheid. Soms denk ik dat hij meer behoefte aan haar heeft in zijn leven dan aan mij...' Terwijl ik op de rand van het bed ga zitten laat ik mijn gedachten afdwalen en ik probeer me een beeld te vormen van de consequenties van hetgeen net is gebeurd.

'Ik moet hem bellen,' zeg ik tegen haar. 'Ik moet hem bellen voordat zij met hem praat.'

Hij pakt de telefoon op nadat hij één keer is overgegaan.

'Hoi,' zeg ik zenuwachtig. Ik kijk Laynie met een verontschuldigend lachje aan, loop naar de badkamer en doe de deur op slot. Hoewel ik me nu volkomen bij haar op mijn gemak voel, is dit toch een gesprek dat geen publiek behoeft.

'Hoi,' antwoordt hij. Hij klinkt oprecht blij om mijn stem te horen waardoor ik het gevoel heb dat ik moet huilen. 'Ik wilde je net bellen. Weet je met wie ik vandaag een afspraak had?'

'Wie dan?' vraag ik. Ik moet het hem vertellen. Ik moet het hem vertellen.

'Bruce Royce. De grote mediabaas. Blijkbaar is hij de eigenaar van het bedrijf dat in H&H investeert en hij wilde me persoonlijk ontmoeten voordat hij de deal zou goedkeuren. En raad eens?'

'Nou?' vraag ik hem ietwat nerveus. Ik moet het hem vertellen. Ik moet het hem vertellen. Ik hoop dat Bruce niets over Molly en mij heeft gezegd. Ik moet het hem vertellen.

'Carly Royce is zijn dochter. Je weet wel, dat kind dat Janie een klap heeft verkocht? Het is nooit bij me opgekomen dat ze familie van elkaar konden zijn. Hij is halverwege de zestig, dus ik nam aan dat als hij kinderen zou hebben, ze nu volwassen zouden zijn. Maar toen begonnen we te praten en ik liet vallen dat ze op Caldwell zitten en toen zei hij: o, Felton, die naam ken ik, jij hebt die dochter met die gemene linkse. Ik kreeg bijna ter plekke een beroerte toen ik besefte dat hij het over Janie had en dat Carly Royce, dé Carly Royce was. Hij was erg sportief. Hij lachte alleen maar, en zei dat als ze ooit een neuscorrectie nodig heeft, hij de kosten in de aandeelhoudersovereenkomst zal verwerken.'

'Wauw,' zeg ik onwetendheid pretenderend. 'Wat een toeval.' Ik bijt op mijn onderlip. Ik moet het hem vertellen. 'Schat, er is iets wat ik je moet vertellen.'

'Wat dan?' vraagt Bill en hij klinkt bezorgd. 'Is alles in orde?'

'Nee,' zeg ik tegen hem en ik probeer mijn tranen te bedwingen. 'Niet echt, Bill.' Ik haal diep adem en stel het zo lang mogelijk uit terwijl ik een manier probeer te bedenken om dit aan hem uit te leggen.

'Je maakt me bang. Huil je?' Ik moet het hem vertellen. Het heeft geen zin om eromheen te draaien. Ik open mijn mond en alles komt er in één lange adem uit stromen.

'Je moeder heeft een loopband voor Jessie gekocht omdat ze vindt dat ze te dik is, dus heb ik haar gezegd dat ik nog liever arm ben dan dat ik mijn kinderen aan haar blootstel en nog meer dingen die ik me niet kan herinneren, iets over een marionet en misschien iets over een machtsstrijd, denk ik, en toen zij zei dat als we het huis niet willen of niet willen dat zij voor de school betaalt, ze dat kan regelen en het spijt me zo ontzettend.' Ik houd mijn adem in terwijl ik op zijn reactie wacht.

In eerste instantie zegt hij niets – stomverbaasde stilte, zou ik het noemen – en dan: 'Oké.'

'Oké? Hoe bedoel je, oké?'

'Precies wat ik zeg. Ik bedoel: oké, je hebt mijn moeder op haar nummer gezet en zo te horen had ze dat verdiend.'

'Ben je niet boos?' Je hebt het hem nog steeds niet verteld.

'Op jou? Nee.'

'Maar ik dacht dat je bang was om je moeder van streek te maken. Ik dacht dat je daarom nooit iets zei als ze zulke dingen doet of tegen mij zegt dat ik een oogcorrectie nodig heb. Waarvoor ze trouwens ook niet meer wil betalen, dus ik hoop dat je je niet had verheugd op een glimmend, kraaienpootloos vrouwtje.'

Bill grinnikt. 'Ten eerste heb ik niets tegen haar gezegd, dat heb jij gezegd. Ten tweede was ik bang dat ze boos op ons zou worden. Maar zoals ik al zei, niet vanwege het geld. Ik wist dat als ze ons financieel zou afsnijden, ze erachter zou komen dat we geen geld hebben en dan zou ze achter de problemen komen waar het bedrijf in zit. Zodra de deal rond is, ga ik haar vertellen dat ze het huis kan verkopen omdat we zelf een huis gaan kopen. Een nieuw huis dat we echt mooi vinden.'

Ik ben zo blij dit te horen, opgewonden zelfs, maar het wordt afgezwakt door het refrein dat nog steeds door mijn hoofd maalt. Je moet het hem nog vertellen. Je hebt het hem nog niet verteld. Je moet het hem vertellen.

'Dat is geweldig, liefje. Maar, eh, er is nog iets.'

'Wat dan?' vraagt hij. Hij klinkt afgeleid alsof hij denkt dat ik een huisvrouwenprobleempje aan hem kwijt wil. Schat, het toilet in de badkamer is stuk. Je zult het niet geloven, maar Jessie had een tien voor wiskunde. Je zult zo boos worden, onze buurman heeft zijn hond in de voortuin laten poepen en hij heeft het weer niet opgeruimd.

'Ik heb je moeder over de problemen van het bedrijf verteld.' Zo. Ik heb het gezegd. Deze keer is de stilte boos. Ik kan hem bijna door de telefoon horen koken van woede.

'Waarom heb je dat gedaan?' vraagt hij op scherpe toon en ik weet dat hij woedend is.

'Het ging per ongeluk,' leg ik uit. 'Ik flapte het eruit.' Hij is weer stil en ik probeer de stilte te vullen door mijn zaak te bepleiten. 'Ik was niet van plan het haar te vertellen. Je weet dat ik zoiets nooit expres zou doen.'

'Is dat zo?' vraagt hij. 'Want ik begin zo langzamerhand te geloven dat je wilde dat ze het wist. Je probeert me er al maanden van te overtuigen dat ik het haar moet vertellen en dat wilde ik niet, dus heb je het zelf maar gedaan. Want Sarah weet het altijd beter, niet? Sarah moet altijd alles oplossen zodat het precies gaat zoals Sarah het wil.'

Ik deins een beetje van de telefoon weg. Bill praat nooit zo tegen me. Doorgaans als we ruzie hebben, komt het doordat ik boos op hem ben. Hij maakt er een grapje van of doet iets liefs, ik vergeef hem, we vrijen en alles is weer normaal. Maar ik kan me niet meer herinneren wanneer hij voor het laatst boos op me is geweest. En ik geloof niet dat hij ooit eerder heeft gezegd dat er iets is wat hem niet bevalt. Maar ik neem aan dat hij gelijk heeft. Het was niet alleen Laynie. Ik maak iedereen gek met mijn oplossingen. Geweldig. Zo gaat hij me ook nog vertellen dat hij het ver-schrikkelijk vindt dat ik in bed altijd zo lig te woelen, en dat hij de manier waarop ik ademhaal haat en vervolgens zijn we verwikkeld in een bittere scheidingsprocedure en zet ik foto's van mezelf op Match.com om een man te krijgen die zonder medische hulp nog een erectie kan krijgen.

'Weet je, je had me best kunnen vertellen dat je daar een hekel aan hebt. Ik besefte niet eens dat ik het deed tot Laynie me er een paar dagen gele-den op wees. Je moet mensen vertellen hoe je je voelt, Bill. Zo is ook dit gedoe met je moeder ontstaan. En ze had overigens geen enkel idee hoe belangrijk haar goedkeuring voor jou is.'

'Dus dat heb je haar ook verteld?' vraagt hij beschuldigend.

'Ja, dat heb ik gedaan. En ik heb haar ook gezegd dat ze je je hele leven al kwelt en dat jij het gevoel hebt dat je het nooit goed doet. Sorry hoor, als je denkt dat ik dat ook wil oplossen, maar de relatie met je moeder kan wel een paar oplossingen gebruiken.'

'Wat zei ze?' vraagt hij. Zijn stem is laag, hij fluistert bijna alsof hij doodsbang is om het antwoord op zijn eigen vraag te horen. Ik ga ook zachter praten, alsof ik tegen een klein kind praat.

'Ze zei dat ze niet besefte dat je je zo voelt. En het leek net alsof ze ging huilen, wat ik eerlijk gezegd doodeng vond. O, en ze zei ook dat ze de rest van de week niet beschikbaar is om op de kinderen te passen.'

Bill zucht. 'Heeft ze echt een loopband voor Jessie gekocht?' vraagt hij. 'Ja, echt waar.'

'Ik neem aan dat ik haar maar beter kan bellen,' zegt hij. 'Ze zal zo boos zijn dat ik haar niet heb verteld wat er aan de hand was.'

'Oké, maar wat maakt het nog uit? Ze krijgt ook goed nieuws. Je hebt het bedrijf gered. Ze zal trotser op je zijn dan ze ooit is geweest. Je bent geniaal. Jij hebt dit uitgevogeld terwijl niemand anders het kon. Maar het spijt me, oké? Het spijt me dat ik het haar heb verteld.'

'Het is al goed,' geeft hij toe. 'Waarschijnlijk is het maar beter ook. Nu hoef ik het haar tenminste niet zelf te vertellen.'

'Ik hou van je,' zeg ik tegen hem. 'En ik mis je zo ontzettend. Was ik maar weer thuis bij jou en de meiden. Ik heb het gevoel dat ik drie ledematen kwijt ben.'

'Ik hou ook van jou. En ik mis je meer dan je je voor kunt stellen. En het spijt me dat ik dat zei, over hoe je dingen wilt oplossen. Ik vind het prettig als je dingen voor me oplost. Ik ben zelf niet zo goed in het oplossen van dingen.'

Ik glimlach. 'Dank je,' zeg ik. 'Je hebt geen flauw idee hoe graag ik dat wilde horen.'

Als ik de badkamerdeur opendoe, ligt Laynie languit op bed naar *Jeopardy!* te kijken.

'Wie is Pocahontas?' roept ze tegen de tv.

'Ze was een indiaan die verliefd werd op de blanke John Smith en ze hielp vrede tussen hun twee naties af te dwingen. Er is een leuke Disneyfilm over gemaakt.'

Laynie draait zich om en kijkt naar me. 'O, hoi,' zegt ze en ze gaat rechtop zitten. 'Ik wist niet dat je er al stond. Hoe ging het? Was hij boos?' Ik trek de sprei naar beneden, vouw de lakens terug en glijd ertussen. Ahhh. Een goedkoop, dun matras heeft nog nooit zo goed gevoeld.

'Een beetje wel, in eerste instantie,' antwoord ik. 'Maar toen besefte hij volgens mij dat hij de waarheid niet meer voor haar hoeft te verbergen nu hij een deal heeft gesloten. In feite, denk ik dat hij eerder als held tevoor-schijn komt.'

'Goed,' zegt ze. 'Dat is super.'

'Ja, en hij zei ook dat hij het fijn vindt als ik dingen voor hem oplos. Zie je nou wel, niet iedereen heeft er last van.'

'Op ieder potje past een dekseltje.'

'Ja,' zeg ik en ik negeer haar sarcasme. 'Net als jij en Ethan. Kun je je iemand voorstellen die beter bij je past?'

Laynie zucht en zet de tv met de afstandsbediening uit. 'Sarah, ik moet je iets vertellen.'

LAYNIE

Ik neem aan dat ik ervan uitging dat ze verbaasd zou zijn. Ik bedoel, ik had natuurlijk niet verwacht dat ze om zou vallen terwijl ze haar hart vast-pakte of iets dergelijks, maar ik had minstens verwacht dat haar mond wat open zou hangen en dat ze misschien iets zou roepen als 'Nee, man!' of 'Dat meen je niet!' of toch in elk geval dat ze een wenkbrauw op zou trek-ken en me boos aan zou kijken. Maar ze bleef gewoon zitten luisteren en toen ik had verteld hoe Jay en ik elkaar hebben ontmoet, hoe ik me sinds-dien over Ethan voel, dat we elkaar tien keer per dag mailen en dat ik hem morgenmiddag ga ontmoeten, zei ze alleen maar: dus daarom was je zo geïnteresseerd in New Mexico. Alsof de grootste complicatie in mijn leven voor haar niet meer dan een curiositeit is.

'Dus dat is het?' vraag ik. 'Meer heb je er niet over te zeggen?'

'Wat moet ik dan zeggen? Dat je een idioot bent om zelfs maar te over-wegen je relatie met Ethan in gevaar te brengen? Dat het té idioot voor woorden is om een volkomen vreemdeling bij hem thuis te ontmoeten in een plaats waar je verder helemaal niemand kent? Dat kan, maar ik heb het gevoel dat je dat niet wilt horen.'

'Nou, dat klopt.' Ik erger me. Ik dacht dat ik er minstens op kon reke-nen dat zij de voorspelbare veiligheidswaarschuwingen zou overslaan. Ik sla mijn armen over elkaar en ga tegen het hoofdeinde liggen. 'Weet je, ik dacht jij het wel zou begrijpen.'

'Hoe bedoel je dat ik het wel zou begrijpen? Wat valt eraan te begrijpen dat jij bij je verloofde weg wilt zodat je ervandoor kunt met een vent die je nog nooit hebt ontmoet?' Ik sla mijn ogen ten hemel.

'Ik dacht dat je het zou begrijpen, omdat jij iemand hebt die je begrijpt. Kijk eens naar wat er net met Bill is gebeurd. Jij dacht dat hij boos op je zou worden omdat je zijn moeder op haar nummer hebt gezet, maar in plaats daarvan bedankte hij je omdat je dingen voor hem oplost. Het werkt bij jullie. Jullie zijn hetzelfde. Jullie denken hetzelfde. Dat heb ik met Ethan niet.'

'Waar heb je het over?' vraagt ze. 'Ethan en jij zijn precies hetzelfde.'

'Nee, dat zijn we niet. Ethan is onmogelijk. Hij is behoeftig, hij is humeurig en hij begrijpt me totaal niet omdat hij dat niet wil. Omdat het hem niet interesseert. Hij is helemaal niet zoals ik.'

Sarah staart naar me en kijkt alsof ze probeert niet te lachen.

'Wat?' vraag ik. Haar mondhoeken trillen ondanks haar wilskracht. 'Wat?' vraag ik opnieuw.

'Meen je dat nou?' vraagt ze uiteindelijk. 'Je hebt jezelf net tot in detail beschreven. Behoeftig, humeurig en geen interesse in het begrijpen van anderen. En je bent vergeten doodsbang voor je eigen succes, waar jullie allebei last van lijken te hebben.' Ik kijk haar boos aan en dat ziet ze blijkbaar. 'Sorry, het is echt niet gemeen bedoeld, maar het is wel waar.'

Ik ben niet doodsbang voor mijn eigen succes. Denkt ze dat dat het probleem is met mijn baan? Dat is weer typisch iets voor haar om het helemaal niet te begrijpen.

'Laat maar,' zeg ik tegen haar. 'Vergeet maar dat ik wat heb gezegd.'

'Nee, ik vergeet het niet. Laynie, luister, je kunt veel over Bill zeggen, maar niet dat hij net zo is als ik. Hij is de eeuwige optimist en ik maak me altijd overal druk over. Hij is altijd kalm en relaxed en dobbert met de stroom mee, terwijl ik gespannen en gestrest ben en gek word als er geen structuur is of wanneer ik niet in mijn dagelijkse routine zit. Hij houdt er niet van om te praten en ik praat graag overal over. Maar daarom kunnen we goed met elkaar overweg. Yin en yang. Tegenpolen die elkaar aantrekken. Een cliché, maar het is niet voor niets een cliché. Misschien is het probleem met jou en Ethan dat jullie te veel op elkaar lijken. Misschien voel je je tot Jay aangetrokken omdat hij helemaal niet op je lijkt.'

'Maar kijk eens naar pa en ma,' spreek ik haar tegen. 'Ze zijn zo verschillend en dat ging helemaal niet. Mam heeft zich achtendertig jaar lang ellendig gevoeld.'

'Dat klopt,' zeg ik. 'Maar ik denk ook dat je wel een aantal overeenkomsten moet hebben. Je kunt niet helemaal niets met elkaar gemeen hebben, dat was het probleem bij pa en ma. Maar dezelfde interesses hebben of dezelfde persoonlijkheden hebben zijn twee verschillende dingen.'

Ze heeft gelijk, neem ik aan. Zo heb ik er nog nooit over nagedacht, maar het is een interessante theorie. Maar wat betekent dat voor mij? Ben ik echt net zoals Ethan? Is dat echt hoe mensen mij zien?

'Dus jij denkt dat deze cactusjuicejay, je zielsverwant is?' plaagt ze me.

'Moet je het nu echt zo goedkoop laten klinken?' vraag ik.

Sarah lacht, maar dan kijkt ze net zo snel weer serieus. 'Je weet toch wel dat ik met je meega?' zegt ze. 'Ik wil er echt niet verantwoordelijk voor zijn dat jij in stukken wordt gescheurd omdat ik je alleen laat zijn met een vent die je in een chatroom hebt ontmoet. Het is al erg genoeg dat je bijna bent gekidnapt door Heather Maloney.'

'Dus ik heb een eerste afspraakje met mijn zielsverwant en word gechaperonneerd door mijn grote zus? Hij zal denken dat ik niet helemaal spoor.'

'Hij zal denken dat je onderweg bent met je zus en dat je mij niet drie uur alleen in een wegrestaurant kunt laten zitten terwijl jij bij hem op bezoek bent.' Sarah rekt zich uit en doet het licht uit. 'Doe me nu een lol en houd op met praten, goed? Ik ga slapen.'

'Welterusten,' zeg ik tegen haar.

'Welterusten.'

Ik wacht nog een paar minuten tot haar ademhaling regelmatig en rustig is en loop dan met mijn Blackberry naar de badkamer.

Hoi. Ik kan nog steeds niet geloven dat ik je over minder dan achttien uur zal zien. We zijn er rond een uur of een. O, mijn zus

komt mee. Hoop dat je het niet erg vindt. Ik kon geen manier
bedenken om haar kwijt te raken.

Ik verstuur het en wacht tot hij reageert en dat doet hij, bijna meteen.

Kom nou toch, ik had niets anders dan een entourage verwacht;
je komt niet voor niets uit Los Angeles. Ik voel me net een kind
op kerstavond. Ik vind het zo spannend dat ik nauwelijks stil kan
blijven zitten. Maar ik ben ook zenuwachtig, gespannen en bang.
Ik hoop dat ik je niet teleurstel. Ik hoop dat je me aardig vindt. Ik
hoop dat je de plek waar ik woon leuk vindt. Maar bovenal wil ik
je zeggen dat ik hoop dat wanneer de magie die we online
hebben zich niet in het echte leven vertaalt we wel vrienden
kunnen blijven.

De tranen schieten me in de ogen. Ik hoop echt dat ik weet waar ik mee
bezig ben.

27 SARAH

'Nee, nee, nee. Dit is mijn definitieve antwoord. Ben je klaar?'
Laynie knikt. 'Ik ben klaar, maar je weet, als ik win rijden we linea recta
door naar Los Angeles, twintig uur.'
'Ik weet het, ik weet het. Oké. Wacht, jij zei een meter tachtig, toch?'
'Ja. Zeg het nou maar.'
'Oké, oké. Daar gaan we. Sarahs schatting van Cactus Juice Jays lengte
is een meter eenenzeventig.'
'Een eenenzeventig? Denk je echt dat hij zo klein zal zijn?'
'Je hebt hem online ontmoet, Laynie. Als het een enorm lekker ding
was, zou hij geen vrouwen in een chatroom van een beleggingsmaatschap-
pij oppikken. Dan zou hij wel naar een bar gaan. Bovendien krijg ik een
centimeter speling in beide richtingen, weet je nog? Zo waren de regels.
Dus eigenlijk zeg ik dat hij een meter tweeënzeventig zou kunnen zijn.'

'Of een meter zeventig. O, god. Je denkt toch niet dat hij echt een meter zeventig is?'

'Dat weet ik niet. Hoe klein moet hij zijn om voor lilliputter door te gaan?'

'Dus nu denk je al dat hij een lilliputter is. Erg grappig.'

Ze kijkt uit het raam en ik merk dat lilliputter niet iets is wat ze heeft overwogen.

'Oké,' zegt ze verslagen. 'Als hij een lilliputter is, bedenk dan maar iets waardoor we na vijf minuten weg kunnen.'

Ik lach. We spelen dit spelletje al sinds we deze morgen uit Amarillo zijn weggereden en het wordt steeds duidelijker dat ze er niet zo goed over heeft nagedacht als ik dat bijvoorbeeld zou doen. Zo te zien had ze wel nagedacht over lelijk, sullig, onder huisarrest, seriemoordenaar of elefantiasis. Maar ze had niet nagedacht over slachtoffer van een brand, paraplegisch, 65-plusser, incontinent, transgender, erectiele disfunctie, wonend bij zijn moeder of lilliputter blijkbaar. Volgens mij is dat het wel. Ik ben vrij zeker dat er niets ontbreekt aan de 'dingen die er mis zouden kunnen zijn met Cactus Juice Jay'-lijst. Naast het feit natuurlijk dat hij zichzelf Cactus Juice Jay noemt.

'Ik heb spijt dat ik je dit ooit heb verteld,' zegt Laynie.

'Hoezo?'

'Omdat jij me ervan hebt overtuigd dat hij een rare leip is en nu wil ik hem niet eens meer ontmoeten.'

'Och, kom op. Hij kan ook gewoon normaal zijn. Alles is mogelijk.'

'Wauw, jij stelt me zo fijn gerust.'

'Nou, we zijn er bijna, dus als je van plan bent van gedachten te veranderen, kun je dat beter in de komende tien minuten doen.'

Laynie slaat haar armen over elkaar en kijkt weer naar buiten.

'Het is hier best mooi,' zegt ze.

'Stel je je voor hoe het zou zijn om hier te wonen?' vraag ik geschokt. 'Denk je echt dat je verliefd op deze vent zal worden en nog lang en gelukkig zult leven?'

'Waarom zou ik hier anders zijn, Sarah, als ik dat niet zou denken?' Ik kijk naar haar alsof ze gek is. En zo langzamerhand begin ik nog te geloven dat ze dat is ook.

'Geen idee. Denk je niet dat je hem onbewust misschien wilt ontmoeten zodat je met je eigen ogen kunt zien dat hij niet de ware is? Je weet wel, om hem uit je gedachten te krijgen?'

'Nee. Dat weet ik niet. Jij bent zo cynisch. Ik zeg je, als je zijn e-mails leest, zou je begrijpen dat hij normaal is. Hij is intelligent, hij is grappig, hij heeft een goed gevoel voor humor, hij is gevoelig en hij snapt de beleggingstheorie. Ik denk niet dat hij een mislukkeling is. Ik denk dat je verbaasd zult zijn.'

'Oké. Het maakt niet uit. Hé, hadden we niet af moeten slaan op Bailey Street?' Laynie checkt haar Blackberry om de aanwijzingen die hij vanmorgen heeft gestuurd opnieuw te lezen.

'Ja, links op Bailey. Hij schrijft dat er eerst een bocht komt en als er dan een tijdje geen huizen meer staan en je denkt dat je op een doodlopend stuk zit, je zijn oprijlaan aan de rechterkant ziet.'

'Oké. Ik snap het.' Ze trekt de zonneklep omlaag om nog een keer in de spiegel te kijken.

'Je ziet er geweldig uit,' zeg ik. 'Ben je zenuwachtig?'

'Heel erg.'

'Ik ook.'

'Ik denk dat we zenuwachtig zijn om andere redenen,' zegt ze.

'Ben jij zenuwachtig omdat je denkt dat hij onze kleren uit zal rukken, ons in een kuil gooit en ons dwingt ons helemaal met lotion in te smeren?'

Laynie kijkt me boos aan. 'Nee.'

'Dan zijn we om andere redenen zenuwachtig.'

We zien de oprijlaan tegelijkertijd.

'Daar,' roept Laynie.

'Ik zie het,' zeg ik en ik houd in. De oprijlaan is lang en net als ik me afvraag of ik misschien iets verkeerd heb gedaan en dit gewoon een klein weggetje is, komt het huis in zicht. Het is onbeschrijfelijk mooi: opgetrokken uit sequoiahout, staal en grijs cement waardoor het naadloos in het woestijnlandschap versmelt en je kunt gewoon zien dat het in *Modern Architecture* heeft gestaan of dat de architect in elk geval heeft gehoopt dat het zou gebeuren. Laynie grinnikt op een 'ik heb het je toch gezegd'-manier.

'Oké,' geef ik toe. 'Misschien is hij wel normaal. Hij heeft een goede smaak, dat is zeker.' Ik zet de auto neer en we stappen allebei uit. Een pad van vierkante tegels leidt naar de voordeur die wordt geflankeerd door cactussen in elke vorm en formaat, in vier dertig centimeter hoge roestvrijstalen plantenbakken.

'Zweet ik?' vraagt ze.

'Het is hier honderd graden. De cactussen zweten zelfs.' Ik hoor voetstappen naderen en door het gedempte geluid weet ik dat hij geen schoenen aanheeft. De deur wordt van het slot gehaald en gaat open.

Nudist, denk ik en in gedachten klik ik met mijn vingers. Dat was ik vergeten op mijn lijstje.

LAYNIE

Ik weet niet waar ik mijn handen moet laten. Hij is naakt, hij omhelst me en ik weet niet waar ik mijn handen moet laten en daar concentreer ik me op want als ik me concentreer op het feit dat hij de deur poedelnaakt heeft opengedaan, ga ik huilen en ik ben hier niet helemaal heen gekomen om meteen de eerste minuut een zenuwinzinking te krijgen.

'Laynie,' zegt hij als hij me eindelijk loslaat. Hij doet een stapje naar achteren en neemt me in zich op. Ik staar naar een plekje op de muur net boven zijn hoofd. 'Ik moet zeggen, ik ben zo opgelucht. Gisteravond kwamen er allerlei vreemde dingen bij me op, dat je misschien misvormd, dik of paraplegisch zou zijn.'

'Of een lilliputter,' voegt Sarah daaraan toe.

'Eigenlijk was dat niet bij me opgekomen, maar ik vind het prettig dat jullie ook zo'n lijst hebben gemaakt. Maar kijk eens aan: je bent bloedmooi.' Hij glimlacht. 'Natuurlijk wist ik dat.'

'En jij,' zeg ik hoewel ik hem nog steeds niet recht aankijk. 'Jij, jij bent... naakt.'

Hij lacht, het is een diepe, warme, mooie lach, net als ik me had voorgesteld. Behalve dat ik me had ingebeeld dat diegene een broek zou dragen.

'Ik neem aan dat naakt niet op je lijstje stond.' Hij zucht. 'Het spijt me als ik je overrompel. Ik heb de hele nacht wakker gelegen en nagedacht of ik kleren aan zou trekken of niet om de deur open te doen. Maar ik vond het beter om je vanaf het begin te laten zien wie ik ben. Wacht, dat kwam er niet helemaal goed uit. Ik wilde je niet laten zien hoe ik er naakt uitzie, ik bedoelde alleen maar dat ik wilde dat je meteen zou weten dat ik op deze manier leef. Ik ben een naturist.'

'Een naturist,' herhaal ik. 'Wat betekent dat?'

'Het betekent dat ik geen kleren draag, tenzij het absoluut noodzakelijk is. In de hele gemeenschap hier is kleding optioneel, dus tenzij ik in de stad moet zijn, trek ik geen kleren aan.' Hij pakt mijn hand en ik dwing mezelf om mijn ogen niet naar beneden af te laten dwalen. 'Ik wist niet hoe ik het je per e-mail moest vertellen, want ik was bang dat je in paniek zou raken, maar ik wilde me ook de eerste keer niet anders voordoen dan ik ben. Ik hoop dat je het begrijpt.'

Ik kijk voor het eerst naar zijn gezicht, ik kijk er echt goed naar en neem hem in me op. Hij heeft een zongebruinde, olijfkleurige huid en zijn zwarte haar zit achterovergekamd in een nette paardenstaart waar strepen grijs doorheen zitten. Hij heeft lange, donkere wimpers en zijn ogen hebben de kleur van lentebladeren, zo groen dat het bijna niet mogelijk is, en hij heeft dikke, perfect gebogen wenkbrauwen. Zijn kaaklijn is verfijnd en zijn jukbeenderen zijn hoog en prominent. Hij is lang, slank en van nature gespierd. Hij is waanzinnig knap. Het type vent waar een castingagent een moord voor zou doen. Knap, intrigerend, hoofdroltype: lang, elegant, charmant. Intelligentie verplicht. En hij is zelfs bereid volledig naakt te gaan.

Ik laat mijn ogen een fractie van een seconde naar beneden afdwalen. Jemig. Mijn hart klopt zo snel dat ik zelfs niet kan praten. De stilte in de hal is opgelaten en ongemakkelijk en het overvalt me plotseling dat ik hem helemaal niet ken en dat ik mezelf niet ken. Het is net alsof de persoon die ik ben wanneer ik hem e-mail heel iemand anders is, een soort voormalige zelf die ik nauwelijks meer herken. Dan besef ik plotseling dat ik hem niet ken – dat we elkaar niet kennen – helemaal niet. Alles wat ik van hem weet, is wat hij wil dat ik weet en alles wat hij van mij weet, is wat ik hem heb voorgeschoteld. Voor zover hij weet ben ik een slimme, opgewekte, kwetsbare vrouw met kennis van investeringen. Wat hem betreft heb ik geen onzekerheden, complexen of persoonlijke bagage. Ik heb geen irritante gewoonten of eigenzinnige trekjes, geen problemen, geen raadsels, geen realiteit. Ik kijk hoe hij daar staat, naakt in zijn moderne, smaakvol ingerichte hal en ik heb het gevoel dat ik over moet geven.

'Kom binnen,' zegt hij en hij gebaart dat we met hem mee moeten komen. 'Ik heb wat te eten klaargemaakt. Jullie hebben vast honger.' Hij draait zich om en onbewust zie ik hoe gespierd zijn achterste is.

'Vind je dit net zo bizar als ik?' fluister ik tegen Sarah als we het huis in lopen.

'Ik weet het niet,' fluistert ze terug. 'Ik heb het gevoel dat het wel zou moeten, maar hij heeft iets waardoor het wel goed zit. Hij is niet erg bedreigend.'

'Maar hij is nudist.'

'Een naturist,' corrigeert ze me. 'Trouwens, zo bijzonder is het nu ook weer niet. Het is maar een lichaam. En ook nog eens een prachtig lichaam.'

'Geweldig, je zit nog geen vijf minuten in de pornobusiness en plotseling ben je mevrouw vrij van geest.'

'Ik zeg alleen maar, dat het veel erger had kunnen zijn. Hij had de Elephant Man wel kunnen zijn, weet je nog? Hij had de Elephant Man kunnen zijn, in zijn nakie.'

We lopen achter hem aan naar de eetkamer, waar hij een blad met sandwiches, grote schalen fruit en kannen met sap op een lange, donkerhouten tafel heeft neergezet.

'Ik ben veganist,' legt hij uit. 'Ik hoop niet dat jullie het erg vinden dat het panini met gegrilde groenten zijn. De meeste groenten heb ik zelf verbouwd.' Op het roestvrijstalen buffet achter hem ligt een stapel netjes opgevouwen, witte handdoeken. Hij trekt er een vanaf en legt hem op de zitting van zijn stoel.

'Huisregels,' zegt hij met een grijns. 'Geen naakte billen op de meubels.' Hij gaat zitten en nu ik niet langer met zijn onderkant word geconfronteerd, ontspan ik een beetje.

'Goede regel,' antwoord ik.

'Ah, daar is mijn vriendin Laynie,' zegt hij met een glimlach. Hij kijkt me recht aan. 'Ik wist wel dat je daar ergens verborgen zat.'

Iets in de manier waarop hij het zegt, stelt me op mijn gemak. Natuurlijk kennen we elkaar. 'Het spijt me,' antwoord ik. 'Ik was voorbereid op een lilliputter, brandwonden of elektronisch huisarrest. Maar naakt bracht me even van mijn stuk.'

Hij kijkt me bezorgd aan. 'Als je je niet op je gemak voelt, kan ik zo mijn kleren aantrekken. Het geeft echt niet.'

'Nee laat maar, het is oké. Ik vind het goed.'

'Weet je het zeker?'

Ik glimlach naar hem. Hij is zo schattig. 'Ja, ik weet het zeker.'

Hij slaakt een diepe zucht alsof hij zojuist een weddenschap met zichzelf heeft gewonnen. 'Mooi. Zie je nou wel? Ik wist wel dat dit het beste was. Veel beter dan dat ik je halverwege de lunch had verteld dat ik het liefst naakt leef. Dat zou pas bizar zijn geweest.'

Ik stel me voor dat hij midden in de nacht in bed ligt en niet kan slapen. Ik zie hoe hij zich zorgen maakt over hoe hij de situatie moet aanpakken, verschillende scenario's in zijn hoofd afspeelt en ik heb medelijden met hem. Ik vind het jammer dat ik hem zoveel kopzorgen heb bezorgd. 'Dit is inderdaad beter,' geef ik toe.

'Bedankt. En zullen we, nu we de olifant in de porseleinwinkel hebben doodgeknuppeld, gaan eten?' Hij pakt een van de kannen en houdt hem boven mijn glas.

'Ik heb sangria gemaakt,' biedt hij aan. 'Of heb je liever limonade?'

'Ik heb een verloofde,' gooi ik eruit. Ik voel dat mijn gezicht knalrood wordt zodra ik het heb gezegd en zowel hij als Sarah staart me aan.

'Ik had het je van tevoren moeten vertellen. Het is net als jouw nudistending. Ik wist niet hoe ik het in een e-mail moest brengen.'

'Oké,' zegt hij en hij zet de kan weer op tafel. 'Dat is eerlijk. Hou je van hem?'

Ik voel hoe Sarahs ogen kleine gaatjes in mijn schedel branden. 'Dat weet ik niet.'

'Dus daarom ben je hier? Om te zien of een ontmoeting met mij de dingen zal ophelderen?'

Ik denk dat ieder ander deze woorden in deze situatie vijandig of beschuldigend had laten klinken, maar hij klinkt slechts nieuwsgierig.

'Eigenlijk wel,' antwoord ik.

Hij knikt begripvol. 'En?'

'Nou, ik weet het nog niet. Ik heb je net ontmoet. Vraag het over een paar uur nog maar eens.'

Hij glimlacht een zelfverzekerde, sexy lach. 'Dat zal ik doen.'

28 SARAH

Ik ben zo geïntrigeerd door deze man. Hij lijkt zo slim, ontwikkeld, grappig en normaal en toch zit hij hier naakt te lunchen, te entertainen en te praten. Fascinerend.

'Dus, Jay, wat doe je eigenlijk?' vraag ik.

Jay neemt een slok sangria en veegt zijn mond met een witlinnen servet af. 'Ik tuinier voornamelijk. Ik ben een paar jaar geleden een voedselcoöperatie voor mezelf en de buren begonnen zodat we ons niet meer zo vaak aan hoeven te kleden en naar de supermarkt hoeven en daar ben ik best wat tijd mee kwijt.' Hij knipoogt naar Laynie. 'En natuurlijk struin ik chatrooms van beleggingsmaatschappijen af in de hoop daar vrouwen op te kunnen pikken.'

Laynie glimlacht naar hem. 'Maar je hebt toch wel gewerkt?' vraagt ze.

'O, je bedoelt wat ik vroeger deed? Wat ik heb gedaan om me te kunnen veroorloven mijn dagen naakt en tuinierend door te brengen?'

Ik kuch. 'Nou, zo zou ik het niet hebben gesteld, maar ja, daar komt het wel op neer.'

'Nou, ik was begin jaren negentig een vrij invloedrijke bedrijfsovernamespecialist in New York. Ik heb een paar goede deals gesloten, meer geld verdiend dan ik in dit leven kan opmaken en ik voelde me volkomen ellendig. Ik was niet in vorm, ongezond, een workaholic, ik had geen vrienden, ik had een vrouw die alleen maar iets om dingen gaf en er was niets in mijn leven waar ik plezier uit haalde. Op een dag had ik er gewoon genoeg van. Dus ben ik in mijn auto gestapt, richting het westen gereden en toen ik in Santa Fe kwam, wist ik dat ik hier thuishoorde. Dus ben ik gebleven.'

'En je vrouw?' vraagt Laynie.

Jay glimlacht. 'Zij wilde niet mee. Ik heb gehoord dat ze is hertrouwd met haar plastisch chirurg en dat ze op Long Island woont.' Hij lacht. 'En dat past goed bij haar.'

'Waarom ben je naturist geworden?' vraag ik. 'Is het iets wat je altijd hebt gedaan?'

'O, nee. Ik was een tycoon op Wall Street. Ik was Gordon Gecko. Als je me vijftien jaar geleden had verteld dat ik op een dag naakt rond zou lopen bij iedereen die ik ken, had je een rechtszaak aan je broek gehad.' Hij schudt zijn hoofd en hij heeft een geamuseerde blik in zijn ogen alsof hij aan de voormalige versie van zichzelf denkt en hem uitlacht. 'Nee, ik heb hier wat mensen ontmoet die zo leefden en zij hebben me uitgenodigd voor een etentje waarbij kleding optioneel was. Ik wilde eerst niet gaan, maar ze bleven aandringen, eigenlijk hebben ze me er gewoon toe gedwongen. En ik zal je zeggen, het was bizar, al die mensen zonder kleren, volkomen op hun gemak met zichzelf en het kon ze niet schelen dat hun buik uitgezakt was of hun dijen wiebelden en ik weet nog goed dat ik dacht: wat is dit bevrijdend. En zodra ik het had geprobeerd, was er geen weg meer terug. Het voelde nep om weer kleren aan te trekken, snap je?'

'Nee, maar ik geloof je op je woord,' zeg ik.

Hij lacht en draait zich om om naar Laynie te kijken. Hij is verkocht, dat is duidelijk. Ik hoop dat ze weet wat ze doet. Ik zou het verschrikkelijk vinden als ze zijn hart zou breken.

'Weet je, Laynie, ik heb geen idee wat je doet. Je schrijft in je e-mails altijd dat je het zo druk op je werk hebt, maar je hebt me nooit verteld wat je doet. Ik was altijd bang om het te vragen, want ik dacht dat er misschien een reden was dat je er nooit iets over zei.'

'Dacht je misschien dat ik een erotische danseres of een pornoster was?' Jay lacht om haar en ik voel dat ik bloos bij het woord porno.

'Zoiets ja.'

'Laynie werkt in casting,' zeg ik vlug voordat ze de kans krijgt om een opmerking over mijn meest recente blunder te maken.

Jay lijkt oprecht verbaasd om dit te horen. 'Echt waar? Wat voor soort casting? Voor films?'

LAYNIE

'Tv,' zeg ik en ik sla mijn ogen ten hemel. 'Ik werk voor een soapserie: *The Strong and the Stunning.*'

'Ik kijk niet veel tv,' geeft hij toe. 'Ik vind het energieverspilling.'

'Mijn moeder ook,' zeg ik tegen hem. 'Hoewel, als het op soaps aankomt, ben ik het wel met je eens. Het is nou niet echt iets waarvan ik als kind droomde.'

'Waarom doe je het dan?'

'Weet ik niet. Casting leek me leuk toen ik eraan begon, en dagtelevisie was een manier om mijn voet tussen de deur te krijgen. Ondertussen zit ik er al zeven jaar en de deur staat nog niet veel verder open.'

'Maar wat is je doel dan?' vraagt hij. Zijn ogen zijn zo groen dat het moeilijk is om er zelfs naar te kijken. Als hij iemand anders was geweest, had ik kunnen zweren dat het gekleurde lenzen waren. Bij acteurs zie ik ze de hele tijd. Als er in de castingoproep wordt gevraagd naar een 'klassiek Amerikaans type', gaan ze allemaal op pad voor een paar blonde highlights en nemen ze ook een paar helderblauwe lenzen, alsof dat alles verandert. Maar het is niet mogelijk dat hij ze draagt. Ik bedoel, wat voor vent noemt zichzelf een naturist en vervalst vervolgens de kleur van zijn ogen? Nee, ze zijn absoluut echt. Prachtig.

'Op dit moment,' zeg ik, 'is het mijn doel niet ontslagen te worden. Alles op mijn werk is in het honderd gelopen nadat ik vorige week ben vertrokken. Maar ik neem aan dat ik uiteindelijk voor primetime casting zou willen werken.'

'Dat neem je aan?'

'Ja. Ik bedoel, het moet wel beter dan dagtelevisie zijn, toch?' Jay fronst zijn voorhoofd, alsof hij echt goed over deze vraag nadenkt en ik kan er niets aan doen dat ik dit vergelijk met de manier waarop Ethan mijn vragen beantwoordt.

'Geen idee,' zegt hij uiteindelijk. 'Is het werk anders?'

'Natuurlijk is het anders. Op dit moment cast ik soaps. Het is gênant om het zelfs hardop te zeggen. Maar in primetime cast je voor programma's die worden gerespecteerd. En de acteurs die je aanneemt kunnen mogelijk grote internationale filmsterren worden. Kijk maar naar Jennifer Aniston. Of Katherine Heigl.'

Jay kijkt me met samengeknepen ogen aan. 'Ja, maar je hebt nog steeds niet gezegd waarom de baan anders is. Je hebt het over externe factoren, maar intern, in de dagelijkse bezigheden, is het min of meer hetzelfde?'

Daar denk ik even over na. Zo heb ik het eigenlijk nog nooit bekeken. Ergens heeft hij wel gelijk. Als je het zo bekijkt, zit ik ook in een kamer en luister ik steeds opnieuw naar dezelfde tekst. Alleen maar omdat de acteurs op een dag filmsterren zullen zijn, is het niet minder geestdodend. Ik staar hem verstomd aan.

'Weet je, waarschijnlijk wel.'

'Waarom wil je het dan doen?' vraagt hij.

'Dat wil ze niet,' zegt Sarah die tussenbeide komt. 'Je moest eens weten wat er allemaal aan de hand is. Haar assistente wil haar baan inpikken, een talentscout heeft haar een oor aangenaaid, ze proberen haar erin te luizen zodat zij het zwarte schaap van een schandaal is en het enige dat ze doet is duimen draaien en alles laten gebeuren. Ik zeg de hele tijd dat als ze haar baan echt wil houden, ze zich weleens wat agressiever kan opstellen.'

'Dat heb je niet gezegd,' betwist ik. 'Wanneer heb je dat gezegd dan?'

'In de auto. Ik heb toch gezegd dat je je leven in eigen hand moet nemen, weet je nog?'

'Neem je leven in eigen hand komt niet in de buurt van wat je net hebt gezegd. Je liegt gewoon.'

Jay tikt met een mes tegen de zijkant van zijn glas en we houden allebei op met praten. 'Jullie zijn zo grappig,' zegt hij. 'Jullie doen me aan mij en mijn broer denken. Wij kibbelen net zo als we langer dan vijf minuten bij elkaar zijn. Laynie, mag ik je wat vragen? Wat vind je het leukst aan je werk?'

'Het leukst?' Ik denk hier even over na. Er is niet veel wat ik leuk vind aan mijn baan. Tenminste, niets tastbaars. Ik haal mijn schouders op. 'Ik neem aan dat ik het leuk vind om acteurs die ik al ken te matchen met een rol. Het is leuk om een castingomschrijving te zien en te denken: hé, wacht eens, daar heb ik de perfecte kandidaat voor. Maar ik zou dat niet echt een deel van mijn werk willen noemen. Het is gewoon iets wat ik leuk vind om te doen.'

'Goed dan. Hoe vaak krijg je de kans om dat te doen?'

Ik schud mijn hoofd. 'Niet vaak. Meestal willen schrijvers nieuwe mensen. Ze willen niet iemand die al jaren in het soapcircuit zit en door het publiek wordt herkend uit andere series. De mensen die dat mogen doen zijn de talentscouts. Zij krijgen de castingomschrijving van ons en gaan door hun klantenbestand om te kijken wie de juiste personen voor een auditie zijn.'

Jay leunt achterover en slaat zijn armen voor zijn naakte borstkas over elkaar. Hij glimlacht naar me. 'Dat is het dus. Je zou talentscout moeten worden.'

Sarah knikt. 'Net als dat Sandy-mens. Je zou haar concurrente moeten worden. Je zou ervoor moeten zorgen dat ze zonder werk komt te zitten na wat ze jou heeft aangedaan.'

'Ik kan geen scout worden,' zeg ik, het idee van tafel vegend.

'Waarom niet?' vraagt hij. 'Ik zou denken dat iemand in jouw positie een geweldige scout zou zijn, want je weet precies waar de castingagenten naar op zoek zijn. Het is net zoals mensen adviseur worden. Iemand die twintig jaar voor Boeing heeft gewerkt, wordt door een constructiebedrijf ingehuurd dat vliegtuigonderdelen maakt, alleen maar omdat hij weet wat Boeing waarschijnlijk zal aanschaffen. Dit is precies hetzelfde. Jij brengt een enorme hoeveelheid toegevoegde waarde mee aan tafel.'

'Nee, zo werkt het in Hollywood niet. Je moet eerst leergeld betalen. Er is een systeem als je agent of scout wilt worden, je begint in de postkamer, meteen na de universiteit. Daarna word je assistent-manager, dan junior manager en als je dat vijf tot tien jaar hebt gedaan, mag je je eigen klanten uitzoeken. Maar je kunt niet gewoon ergens tussen springen en een andere kant op gaan, zoals jij zegt. Dan zou niemand je serieus nemen.'

Jay kijkt me fronsend aan.

'Alleen maar omdat het altijd zo is gegaan, wil nog niet zeggen dat het altijd zo moet blijven gaan. Het is niet alsof je geen relevante werkervaring hebt.'

Ik sla mijn ogen ten hemel. 'Oké, zelfs al kon ik talentscout worden, wat niet zo is, maar laten we aannemen dat ik in sprookjesland woon en het kan, wat moet ik dan doen? Gewoon een bordje ophangen? Laynie Carpenter Talentscout? Zo makkelijk is het niet.'

Maar Jay knikt. 'Zo makkelijk is het wel. Kom op, Laynie, je kent vast duizenden acteurs. Ik weet zeker dat je er een aantal zou kunnen overtuigen om bij jou te tekenen.'

'Net als Jerry Maguire!' gilt Sarah opgewonden. '*Show me the money!*'

'Dat was een film,' zeg ik geïrriteerd. 'Het is fictie. En ik ben Tom Cruise niet. Ik ben ik maar. Weet je wat Sandy Brower zou doen als ik haar concurrente zou worden? Ze zou me met huid en haar opvreten. Ze zou overal in de stad roddels over me verspreiden.' Ik schud mijn hoofd. 'Nee. Geen denken aan. Ik heb mijn pad gekozen en daar wijk ik niet vanaf. Ik hoef alleen maar een manier te vinden om alles weer recht te zetten en Gina kwijt te raken en dan zal ik uiteindelijk promotie naar primetime maken. Ik geloof in het systeem. Het werkt. En het antwoord op je oorspronkelijke vraag is dat ik een baan in primetime wil, gewoon omdat ik het wil. De externe factoren maken het leuk.'

'Oké, dan,' zegt Jay en hij heft zijn glas. 'Op Laynie. Dat het systeem je vriend mag zijn.'

Ik hef mijn glas, tik het tegen dat van hem en hij grijnst naar me. Had ik al gezegd dat hij echt een schatje is?

SARAH

Het onroerend goed hier is ongelofelijk. Ik kan me niet eens voorstellen hoe het moet zijn om een dergelijke hoeveelheid grond in Los Angeles te hebben. Het is minstens vierduizend vierkante meter, misschien wel het dubbele, met honderden vierkante meters moestuin en een rotstuin met een natuurlijke warmwaterbron waarin hij kan zwemmen. Het enige dat niet leuk aan deze plek is zijn de muggen. Ze zijn enorm en ze steken me lek sinds we aan het buitengedeelte van de tour zijn begonnen. Ik voel er een op de achterkant van mijn arm en sla erop.

'Gaat het?' vraagt Jay die zich omdraait en naar me kijkt. Laynie en hij lopen hand in hand en ik sukkel erachteraan als een soort chaperonne of een vermoeide hond. Hij heeft mazzel dat hij een lekker achterste heeft anders had ik hier een halfuur geleden al een einde aan gemaakt.

'Het zijn de muggen,' antwoord ik. 'Hoe komt het dat ze jou niet bijten? Je hebt niet eens kleren aan.'

Jay lacht. 'Jouw bloed ruikt lekkerder omdat je vlees eet. Ik ben al zo lang veganist dat ze denken dat ik een boom ben. Je zou het water in moeten gaan,' suggereert hij. 'Daar laten ze je wel met rust.'

'Ik heb geen badpak bij me,' zeg ik tegen hem. Maar hij haalt slechts zijn schouders op. 'Voor het geval je het nog niet had gemerkt, dat is hier niet echt een probleem.' Hij wendt zich tot Laynie. 'Heb jij zin om te zwemmen?' vraagt hij. 'Het water is erg lekker.'

Tot mijn grote en uiterste verbazing stemt ze toe. Ze loopt naar een grote steen waar ze haar T-shirt en beha uitdoet. Zomaar. Ik kijk haar aan en zij kijkt terug.

'Wat nou?' fluistert ze. 'Jij hebt je broek naar beneden getrokken voor een paar kerels.' Ze stapt uit haar spijkerbroek en gooit hem op de steen bij de rest van haar kleren. Ze lijkt zich volkomen op haar gemak te voelen en ineens heb ik het gevoel dat ik haar helemaal niet ken. Alsof ze veel meer eigenschappen heeft dan sarcasme, humeurigheid en de onbereidbaarheid om anderen te begrijpen.

'Normaal gesproken draag ik wel een slipje,' legt ze aan Jay uit als ze het water in glijdt. 'Maar ik had voor deze reis niet genoeg bij me.'

'Mij maakt het niet uit, schat,' zegt hij als hij er naast haar in glijdt. 'Weet je zeker dat je er niet in komt, Sarah? Het is echt zalig.'

'Nee, bedankt,' zeg ik want ik herken een vijfde wiel aan een wagen als ik er een zie. 'Ik vind het goed zo. Ik kan wel naar binnen gaan en jullie alleen laten.' Maar als ik dat zeg, puilen Laynies ogen uit en ze kijkt me paniekerig aan. Een blik die zegt: ik weet dat ik naakt in een zwembad lig met een verschrikkelijk sexy vent, maar ik doe het alleen omdat jij erbij bent en ik ben niet voorbereid op wat er zou kunnen gebeuren als jij weggaat. Typisch Laynie. Ik weet niet wie ik in de maling nam. Ik ken haar als mijn broekzak. 'Nou,' voeg ik daar vlug aan toe, 'misschien ga ik toch wel even pootje baden. Het ziet er eigenlijk wel verfrissend uit.' Ik trek mijn schoenen uit, stroop mijn spijkerbroek op, klim op een lage rots en steek mijn benen tot de onderkant van mijn kuiten in het water.

'Lekker, niet?' vraagt Jay terwijl ik een mug van mijn nek sla.

'Jazeker. Ik had niet verwacht dat het zo warm zou zijn. Net een jacuzzi.'

'Alleen zonder de energie die nodig is om het te verwarmen,' zegt hij en hij pakt Laynies hand onderwater vast. 'En wat doe jij, Sarah?' vraagt Jay terwijl hij naar me kijkt. 'We hebben het tijdens de lunch over Laynie gehad, nu is het jouw beurt.'

Ik bloos. 'Ik ben getrouwd,' zeg ik en ik haal mijn schouders op. 'Ik heb twee dochters van acht en zes. Ik neem aan dat mijn leven in veel opzichten op dat van jou lijkt. Mijn dagen zijn gevuld met het rondrijden van de kinderen, boodschappen doen en koken. Vroeger zat ik in de reclame. Ik schreef kopij voor een groot reclamebureau.'

'De grootste,' voegt Laynie daaraan toe. 'Ze stond op het punt om partner te worden.'

'Had je er een hekel aan?' vraagt hij. 'Ben je daarom weggegaan?'

Ik schud mijn hoofd. 'Nee, eigenlijk vond ik het ontzettend leuk. Ik deed niets liever.'

'Waarom ben je dan weggegaan?'

'Dat moest van haar man,' zegt Laynie en ze slaat haar ogen ten hemel. 'Hij wilde dat ze thuisbleef om voor de baby te zorgen.'

Ik geef Laynie een 'waar heb je het over'-blik. 'Nee, dat heeft hij niet gedaan. Bill had niets met mijn beslissing te maken. Eigenlijk vond hij juist dat ik een vergissing beging. Hij wilde dat ik een paar jaar als partner zou werken, zodat ik in elk geval "partner" op mijn cv zou kunnen zetten voor het geval ik ooit terug zou willen. Blijkbaar wist hij waarover hij het had.' Ik kijk haar boos aan. 'In tegenstelling tot sommige mensen die ik ken.'

'Het spijt me,' zegt ze verdedigend. 'Ik nam aan dat je ermee opgehouden was vanwege Bill. Ik bedoel je zei het zelf al, je was dol op die baan. En ik weet nog hoe rot je je voelde toen je ontslag had genomen. Ik kon me gewoon niet voorstellen waarom je het anders had gedaan.'

'Ik ben weggegaan omdat ik bij Jessie wilde zijn. Zo ingewikkeld is het niet. En in plaats van gewoon maar aan te nemen dat Bill een controlfreak is die een perfect huisvrouwtje wil, had je me ook kunnen vragen waarom ik ben weggegaan.' Laynie steekt haar tong in haar wang en kijkt naar het water.

'Je weet wat er gebeurt als je dingen zomaar aanneemt,' voegt Jay eraan toe.

Laynie kijkt hem boos aan. 'Ik dacht dat jij aan mijn kant stond,' zegt ze.

'Sta ik ook. Tenzij je het bij het verkeerde eind hebt.' Jay kijkt weer naar mij. 'Wat doet Bill? Zit hij ook in de reclame?'

'Hij is eigenaar van H&H Records,' vertelt Laynie en ik ben verbaasd door de trots die in haar stem doorklinkt.

Jays mond valt open van verbazing. 'H&H Records? Meen je dat nou? Als kind was ik dol op dat label. Al mijn favoriete bands zaten bij H&H. Ik speelde de lp's op mijn pick-up en zie nog dat gele label met de H's aan beide kanten van het gaatje voor me... lieve god, ik moet er de helft van mijn jeugd naar hebben gestaard. Hoe gaat het met het bedrijf? Ik kan me herinneren dat ik in de krant heb gelezen dat de oorspronkelijke eigenaar een paar jaar geleden is overleden.'

'Dat was mijn schoonvader,' zeg ik tegen hem. 'Mijn man heeft het overgenomen nadat hij is overleden. De business is echter niet meer wat het was. Hij had het moeten verkopen toen hij de kans had, maar dat kon hij niet. Hij was er te emotioneel bij betrokken.'

'Nou, je man moet wel een ongelofelijk goede zakenman zijn, want alle kleine labels zijn verdwenen. Met iTunes en de bands die internet gebruiken om zichzelf te promoten, is het überhaupt verbazingwekkend dat hij het heeft overleefd.'

Ik knik naar hem. Het is zo prettig om hierover te praten met iemand die zo intelligent is. Iemand die het snapt. 'Het is de laatste tijd best spannend geweest. Bill heeft heel veel ideeën om H&H up-to-date te houden en om geld te verdienen, bijvoorbeeld door een partnerschap met online-bedrijven aan te gaan in plaats van tegen ze te vechten. Maar hij moet daarvoor in technologie en marketing investeren en het bedrijf heeft niet genoeg geld om dat te doen.' Ik wapper met mijn hand in de lucht. 'Maar dat komt allemaal goed. Hij heeft een investeerder gevonden die hem cash gaat geven en die hem met een strategie kan helpen.'

Jay trekt zijn wenkbrauwen hoopvol op. 'Echt waar? Wat geweldig. Wie is de investeerder?'

'Weet je, eigenlijk weet ik niet eens hoe het bedrijf heet. Maar de eigen-aar heet Bruce Royce. Heb je weleens van hem gehoord?'

Hij fronst zijn wenkbrauwen en krijgt een bezorgde blik in zijn ogen. 'Ja. Ik ken Bruce Royce vrij goed. Mijn bedrijf heeft veel overnames in de media-industrie gedaan en ik heb veel deals voor hem gesloten.' Hij perst zijn lippen stijf op elkaar en ik kan zien dat hem iets dwarszit.

'Is er iets?' vraag ik.

'Ik weet dat het mijn zaken niet zijn,' zegt hij, 'maar heeft je man de papieren al getekend? Of zelfs maar een intentieverklaring?'

Ik schud mijn hoofd. 'Nee, hij heeft nog niets getekend.'

'Wacht, de advocaten zijn de papieren zeker nog aan het opstellen?'

Mijn hart bonst nu hard. 'Ja. Hoe weet je dat?'

Hij zucht. 'Sarah, ik vind het echt heel erg dat ik je dit moet vertellen, maar er is een reden waarom Bruce Royce miljonair is en dat is niet omdat hij zo aardig is. Ik heb hem dit al honderden keren zien doen. Hij laat zijn oog op een klein bedrijfje vallen, doorgaans met veel bezittingen, maar weinig cashflow. Hij laat zijn mensen de eigenaar ontmoeten die zijn hoofd vullen met praatjes over cashinjecties, strategisch partnerschap en andere zoethoudertjes. Vervolgens rekt hij het "papierwerk" maandenlang uit tot het bedrijf dood is gebloed en geen rekeningen meer kan betalen en dan komt Bruce binnenstappen om een laag bod te doen en alles voor een habbekrats op te kopen. De eigenaren zitten dan in zo'n slechte posi-tie dat ze geen andere keuze hebben dan het te accepteren. Het is zijn modus operandi. Zo doet hij het altijd.'

'Nee,' zeg ik en ik schud mijn hoofd ferm heen en weer. 'Misschien doet hij dat bij anderen, maar niet bij ons. Onze dochters zitten in dezelfde klas. Ik ken zijn vrouw.'

Jay kijkt verbaasd. 'Ken je haar?' vraagt hij. 'Ben je goed met haar bevriend?'

'Nee,' geef ik toe. 'Ik kan haar niet uitstaan. Zij denkt dat ze beter is omdat ze voorzitter van de ouderraad is en ik word stapelgek van haar.'

Jay lacht. 'Geweldig,' zegt hij. 'Een klassieker. Mevrouw Bruce Royce denkt dat ze beter is dan anderen. Weet je hoe ze elkaar hebben ontmoet?'

Ik schud mijn hoofd en Jays ogen beginnen te glinsteren. 'Een jaar of tien geleden was Bruce in New York voor een deal waarmee we bezig waren en een groep kerels dacht dat het grappig zou zijn om bij Hooters te gaan eten. Het zat midden in de stad, het was net geopend en iedereen had het erover. Op een avond waren ze zelfs bij Letterman. Hoe dan ook, iedereen zat daar te flirten met de Hooters-meisjes en Bruce, die net was gescheiden, wordt stapelverliefd op een van hen. Hij vraagt haar nummer, maar zij zegt nee, en wij denken allemaal, o, hij is dronken, hij probeert een vijfentwintigjarige te versieren, morgen is hij haar weer vergeten. Maar Bruce vergeet niets. Hij raakt geobsedeerd door haar. Hij stuurt bloemen en sieraden naar het restaurant en eindelijk geeft ze toe en gaat ze met hem uit eten. Toen besefte ze waarschijnlijk wie hij was en wat voor soort leven hij haar zou kunnen bieden, want pats boem! zes weken later waren ze getrouwd.'

Mijn mond hangt open. Mijn mond hangt fysiek open en ik moet mezelf dwingen hem weer te sluiten voordat de muggen naar binnen vliegen.

'Dus jij beweert dat Molly Royce een Hooters-meisje was?' vraag ik.

Jay knikt. 'Ja. Dus als ze de volgende keer weer zo hooghartig doet, stel je je gewoon voor dat ze een wit shirtje en een superkort oranje broekje draagt.' Jezus. Dit is te mooi om waar te zijn. Ze zou het besterven als iemand op Caldwell daar achter zou komen.

'Wauw,' zeg ik. 'En zij had het lef om mij te chanteren.'

'Chanteerde ze je?' vraagt Laynie. Haar lichaam zit tot haar nek onderwater – gelukkig maar, want het is een vreemde gedachte dat ze alle twee helemaal naakt zijn – en ik wuif haar vraag met een gebaar van mijn hand weg.

'Het was stom. Janie heeft haar dochter op haar neus geslagen en zij dreigde ermee dat ze iedereen zou vertellen dat we geen geld hebben als ik Janie niet bij haar kind weg zou houden.'

'Wat een trut,' zegt Laynie. 'Maar wat geweldig dat Janie dat kind een klap op haar neus heeft gegeven.' Ze kijkt naar Jay en glimlacht. 'Blijkbaar lijkt mijn nichtje op mij.'

'Blijkbaar,' zeg ik en sla mijn ogen ten hemel. 'Hoe dan ook, alles was alweer voorbij voordat het goed en wel was begonnen. Molly heeft me die avond teruggebeld en me gezegd dat ik alles moest vergeten. Toen vertelde ze me ook dat Bruce van gedachten was veranderd en zich niet uit de deal zou terugtrekken.'

'Zij vertelde je dat hij van gedachten was veranderd?' vraagt Jay sceptisch.

Ik zucht. 'Ja. Het is een lang verhaal, maar het komt erop neer dat we ruzie kregen omdat Janie Carly had geslagen en tijdens die ruzie vertelde ze me dat ze van onze financiële situatie wist omdat een van haar mans bedrijven in gesprek met H&H was en toen liet ze vallen dat haar man van plan was zich terug te trekken uit de deal met Bill en het bedrijf te kopen als het bij opbod zou worden verkocht.'

'Wanneer is dit gebeurd?' vraagt Laynie. 'Ik wijk al geen vijf dagen van je zijde. Hoe kan dit drama hebben plaatsgevonden zonder dat ik er iets vanaf weet?'

'Jij zat in Olive Garden met Heather Maloney. Weet je nog? Ik bleef buiten om een paar telefoontjes te plegen?'

Ze knikt. 'Oké, goed, maar waarom heb je het me naderhand niet verteld?'

Ik werp haar een betekenisvolle blik toe. 'Eh, weet ik veel, we waren misschien druk bezig om de auto uit het depot los te krijgen?'

Laynie giechelt. 'O, juist ja.' Ze draait zich om en kijkt naar Jay. 'Sarah heeft haar achterste op een depot in Indiana aan twee boerenkinkels laten zien. Het was hilarisch.'

Jay trekt zijn wenkbrauwen naar me op. 'Wat voor autoreis was dat?' vraagt hij. 'Het lijkt wel een film.'

'Nou, nu ik er nog eens goed over nadenk,' voegt Laynie eraan toe, 'jij bent niet de eerste die ons tijdens deze trip met naaktheid confronteert. Je bent zelfs, even kijken, de derde!'

'De derde?' vraagt Jay stomverbaasd. 'Wie waren die andere twee? Heb je achter mijn rug nog meer e-mailrelaties met andere naturisten?'

'Was het maar zo,' antwoordt Laynie. 'Nee, het waren de boerenkinkels in Indiana, en daarvoor de porno...'

'De porno?' vraagt Jay.

'Oké,' onderbreek ik het gesprek. Ik voel dat mijn gezicht warm wordt. 'Kunnen we weer terug naar mijn verhaal, ja? We hebben het wel over het levensonderhoud van mijn gezin.'

'Sorry,' zegt Laynie. 'Ga verder.'

'Hoe dan ook, zoals ik al zei, Molly en ik kregen ruzie, maar toen belde ze me even later terug...' Ik kijk naar Laynie, 'toen jij sliep. Het was die avond toen ik op de parkeerplaats van de McDonald's was gaan staan, en zij zei dat ik alles moest vergeten. Ik nam aan dat ze Bruce over ons gesprek had verteld en blijkbaar wist hij niet dat onze kinderen op dezelfde school zaten en hij had gezegd dat hij er niet verantwoordelijk voor wilde zijn dat de familie Felton op straat zou komen te staan en toen heeft hij gezegd dat ze me moest terugbellen om haar excuses aan te bieden.'

'Oké. En wat vond Bill hiervan?' vraagt Jay.

'Niets. Zij zei dat ik niets tegen Bill moest zeggen. Ze zei dat Bruce niet wilde dat hij het wist omdat Bill misschien van streek zou raken als hij wist dat Bruce iets dergelijks van plan was en...' Mijn stem sterft weg als ik besef dat ik erin ben geluisd. Door een voormalige Hooters-meid nog wel. 'O, lieve hemel.'

'Het spijt me,' zegt Jay meelevend.

Mijn maag draait zich om en ik raak in paniek. 'Dit is een nachtmerrie,' zeg ik. 'Mijn schoonmoeder heeft ons financieel gesteund en gisteravond heb ik haar eens flink de waarheid gezegd. Ik heb gezegd dat ik nog liever arm ben dan dat ik geld van haar aanneem. Jemig. Arme Bill. Ik heb tegen zijn moeder gezegd dat het bedrijf in de problemen zit en hij wilde niet dat zij erachter zou komen en nu zit hij echt in de problemen en is hij opgelicht en zijn moeder gaat hem overal de schuld van geven. Wat een ramp. Dit is verschrikkelijk. En we kunnen niets meer betalen. We kunnen de hypotheek, het schoolgeld of de andere rekeningen niet zonder haar hulp betalen. We hebben al ons spaargeld opgemaakt en ik heb net de enige baan die ik kon krijgen opgezegd.' Ik voel de lucht uit mijn longen zakken en ik kan nauwelijks meer op adem komen. Ik kijk naar Laynie. 'Wat moeten we doen?' vraag ik. Ze staart vanuit het water naar me op en ik zie dat ze niet weet wat ze zeggen moet.

Jay is degene die antwoordt.

'Sarah, ik weet dat we elkaar nog maar pas hebben ontmoet, maar als je me vertrouwt, heb ik wel een idee.'

29 LAYNIE

Alles wordt ineens glashelder: de scheiding, de trip naar New Jersey, de aardbeving, het gesloten vliegveld, de autoreis, de route door New Mexico en Jay die me vraagt hierheen te komen om hem te ontmoeten. Zelfs het feit dat ik Jay heb ontmoet en al deze maanden een relatie met hem heb. Dit had allemaal een reden, alles leidde tot dit moment. Het was alleen niet mijn moment. Het was van Sarah. Dit alles – dit allemaal – is gebeurd zodat Sarah kon worden gered. Zodat Jay met zijn miljoenen dollars en zijn nostalgische zwak voor H&H Records niet alleen kon voorkomen dat zij door Bruce Royce werden genaaid, maar hij kon ook te hulp schieten en de deal sluiten die Bruce Royce zogenaamd had willen sluiten. Na alle valse voorwendsels van het universum dat alles praktisch zo ordende om hem te ontmoeten, bleek het niets met mij te maken te hebben. Ik was slechts het voertuig dat Sarah daar bracht. Ik was slechts haar gezelschap.

Sarah is vooruit gerend om haar mobiele telefoon te pakken zodat ze Bill kan bellen en Jay en ik zijn voor het eerst alleen samen. Naakt.

'We kunnen er maar beter uit gaan,' zeg ik. 'Ze wil vast dat je met Bill praat.' Ik doe net alsof ik de vlaag van teleurstelling die over zijn gezicht trekt niet opmerk terwijl ik mezelf uit het water hijs.

Ik loop naar de rots waar ik mijn kleren heb neergelegd en droog me af met mijn T-shirt terwijl Jay uit het water klimt. Ik voel me erg bewust van mezelf dus trek ik mijn kleren weer aan, maar ik voel me nog zelfbewuster als mijn natte T-shirt tegen mijn beha plakt.

'Je hoeft niets aan te trekken,' zegt hij in reactie op de manier waarop ik aan mijn T-shirt trek om het aan de lucht te laten drogen.

'Ja, liever wel.' Daar is die teleurstellende blik weer en ik kijk vlug naar beneden en concentreer me op het aantrekken van mijn spijkerbroek met een beetje elegantie, wat niet meevalt als je achterste kletsnat is.

'Je redt haar hiermee echt, weet je,' zeg ik zodra ik de rits van mijn broek dicht heb. Ik voel me verdoofd, koud en niet met hem verbonden, en ik ben opgelucht. Want ik weet dat in dit bevroren omhulsel mijn hart overloopt van verdriet en teleurstelling, zoals de gesmolten vulling van een chocoladecakeje, dat eruit loopt bij het eerste teken van een barst.

'Ik doe het graag,' zegt hij. Zijn glimlach is oprecht en nog steeds hoopvol wat mij een nog verdoofder gevoel geeft. 'Ik help mensen graag. Bovendien vind ik je zus erg aardig. Jullie hebben een leuke relatie.'

Ik zucht. 'Meen je dat nou? Tot voor drie dagen spraken we nauwelijks met elkaar.'

Hij kijkt verbaasd. 'Echt? Waarom niet?'

Ik haal mijn schouders op. Ik zou nu eigenlijk moeten huilen. Ik zou op de grond moeten gaan liggen, met mijn vuisten moeten slaan en het uit moeten snikken vanwege de onrechtvaardigheid van dit alles. Maar ik ben onverschillig, alsof ik een marionet van mezelf ben en aan de touwtjes trek zodat mijn mond beweegt en mijn gezicht de juiste uitdrukking heeft, hoewel ik niets voel.

'Weet ik niet. Ik dacht dat ik alles van haar wist, maar het lijkt erop dat ik haar helemaal niet ken.'

'Je beoordeelt alles vlug, niet?'

Ik trek aan een touwtje en mijn ogen versmallen zich tot streepjes. 'Hoe bedoel je?'

'Ik bedoel dat je iemand lijkt te zijn die vlug een oordeel klaar heeft over een situatie. Het is niet kwaad bedoeld. Gewoon een observatie. Ik weet zeker dat het je in je carrière goed van past komt. Je kunt waarschijnlijk zodra iemand door de deur komt zien of degene de rol krijgt of niet.'

Hij heeft gelijk. Dat kan ik. Ik heb me nooit gerealiseerd dat ik het in mijn gewone leven ook doe, maar ik neem aan van wel. Ik neem aan dat ik het de hele tijd doe, met alles. Net als Sarah met haar oplossingen.

'Mediteer je weleens?' vraagt hij opeens. 'Het helpt mij erg goed om mezelf te begrijpen. Als je stil bent en een uur lang op een plek zit, met je ogen dicht, zul je verbaasd zijn wat er vanbinnen uit allemaal naar boven komt. Het is alsof onze geest precies weet wat er gedaan moet worden om de dingen op te lossen die in ons leven niet goed gaan, maar omdat we altijd zo druk met andere dingen bezig zijn, horen we nooit echt goed wat hij te zeggen heeft.'

'Ik kan niet zo goed stilzitten,' zeg ik het onderwerp wegschuivend voor hij er verder mee kan gaan. 'Hoe dan ook, ik vind het erg aardig dat je Sarah helpt, maar ik hoop niet dat je het voor mij doet.'

Hij pakt mijn hand weer en ik kijk in zijn groene, groene ogen. De vlinders zouden in mijn buik moeten fladderen, maar ik voel niets.

'Maak je geen zorgen,' zegt hij. 'Ik doe dit niet voor jou. Het is een goede investering en ik geloof in het bedrijf.' Hij knijpt in mijn hand. 'Maar het is wel een goed excuus om naar Los Angeles te gaan.'

'Maar dan moet je kleren aan.'

'Een paar dagen hier en daar zal wel lukken.'

Ik zeg niets terug. Ik weet niet hoe ik hem uit moet leggen dat ik zeker weet dat wij niet bij elkaar horen. Naast het gebrek aan vlinders, naast het gebrek aan wat voor gevoelens dan ook en zelfs naast het feit dat mijn aanwezigheid hier niets met mij te maken heeft, is dit gewoon niet het soort leven dat ik ooit zou willen leiden. Ik kan me niet indenken dat ik ergens in een uithoek woon en naakt mediteer, tuinier en rondloop. Ik kan me niet voorstellen dat ik tussen naakte buren woon en mijn eten in een coöperatie met naakte mensen koop. Ik heb mijn kleren in het zwembad uitgetrokken omdat ik mezelf wilde dwingen het een kans te geven. Ik wilde uit mezelf stappen en ruimdenkend zijn. Ik wilde eens een keer niet zo vlug oordelen. De onvervalste waarheid is dat ik het echt leuk wilde vinden. Ik wilde me bevrijd voelen zoals Jay dat voelde tijdens dat etentje. Ik wilde het gevoel hebben dat ik altijd zo zou kunnen leven en dat ik nooit meer terug naar Los Angeles zou willen, naar dat nepgedoe en die giftigheid. Ik wilde me een ander mens voelen, maar het gebeurde niet. Het was alleen maar vreemd om op die manier in Sarahs aanwezigheid te zijn en net te doen alsof het heel gewoon was. En ik bleef maar denken hoe raar het zou zijn als mijn vader op bezoek zou komen.

Nee, het spijt me. Dit is niet mijn ding.

We lopen over het pad richting het huis, in stilte.

'Waar denk je aan?' vraagt hij even later. Ik blijf staan, laat zijn hand los en kijk hem in zijn ogen. Eigenlijk ben ik blij dat ik momenteel niks voel. Als ik iets zou voelen, zou ik niet in staat zijn om dit te doen.

'Ik vind je een geweldige vent en ik ben enorm blij dat ik hierheen ben gekomen. En ik zou het super vinden als we goede vrienden zouden kunnen blijven.'

Zijn gezicht betrekt. 'Dus je wilt alleen maar vrienden zijn?'

Ik knik. 'Het spijt me, Jay. Ik vind het hier prachtig, je huis is verbazingwekkend, jij bent verbazingwekkend, maar ik geloof niet dat dit iets voor mij is.'

'Ik begrijp het,' zegt hij, maar de blik in zijn ogen is bijna ondraaglijk. Mannen zijn in dat opzicht zo grappig, ze zijn zo kwetsbaar en rauw. Veel meer dan vrouwen. 'Wanneer is de bruiloft?' vraagt hij en ik besef plotseling dat hij denkt dat hij van Ethan heeft verloren. En dat is grappig, want ik was Ethan helemaal vergeten.

'Nou, ik denk niet dat er een bruiloft komt,' zeg ik tegen hem. Ik denk het voor het eerst terwijl ik het zeg en zelfs als ik de woorden uitspreek, vraag ik me af of ik het echt meen. Ze hangen in de lucht en hebben iets lekker definitiefs, een vastberadenheid die ik al lange tijd niet van mezelf heb gehoord. En ik weet absoluut zeker, dat ik het meer meen dan alles wat ik ooit eerder heb gezegd.

Jay lijkt van zijn stuk gebracht. 'Oké, nu ben ik in de war,' geeft hij toe.

Ik glimlach. 'Echt waar? Want voor mij is alles glashelder. Deze hele week heb ik gedacht dat ik een keuze tussen jou of tussen hem moest maken. Maar wat ik nu besef is dat het niet een van jullie beiden hoeft te zijn. Wat ik nu begrijp is dat ik opnieuw moet beginnen, overal mee. Met werk, met mannen, met mijn zus, met mezelf. Ik moet gewoon opnieuw beginnen.' Net zoals mijn moeder, denk ik. Ik moet het verleden loslaten en voor mezelf gaan leven.

Jay knikt tegen me en hij glimlacht aarzelend. 'Daar heb ik niets tegenin te brengen,' zegt hij schouderophalend. 'Als er iemand is die opnieuw beginnen snapt, dan ben ik het wel. Zie je nou, ik zei toch dat je geest wist wat je moest doen? Je hoeft alleen maar te luisteren, meer niet.'

Mijn mobiele telefoon gaat over en ik schrik ervan. Ik was vergeten dat hij in mijn zak zat. Ik pak hem eruit en kijk naar het nummer.

'Het is kantoor,' zeg ik zenuwachtig.

'Nou, zou je niet opnemen, dan?' vraagt Jay.

'Ik weet het niet. Ik ben bang. Stel dat ze me willen ontslaan?'

Jay haalt zijn schouders op. 'Dan ben je ontslagen. Je zei net dat je opnieuw wilde beginnen.'

Hij heeft gelijk. En wat is het ergste dat er zou kunnen gebeuren? Ik word ontslagen en Gina krijgt mijn baan en mijn promotie. Dat had ik toch al verwacht. Ik druk op een toets om op te nemen.

'Hallo?'

'Laynie, jezus, ik heb je het afgelopen uur wel twintig keer gebeld.'

'Margot?'

'Ja, verdorie, met Margot. Weet je nog? Je baas? Of ben je al zo lang weg dat je bent vergeten dat je een baan hebt?'

'Nee, nee, natuurlijk niet. Het verbaast me alleen dat ik iets van jou hoor. Zo vaak bel je me nu ook weer niet.'

'Dat komt omdat je er niet zo vaak een zootje van maakt.'

Mijn maag draait zich om. Dus ik word ontslagen. 'Margot, laat me het alsjeblieft uitleggen. Ik had geen enkel idee dat Gina audities hield terwijl ik weg was. Ze heeft me volledig gesaboteerd. Ze heeft Sandy Brower zonder mijn toestemming gebeld, ze heeft de callback georganiseerd zonder...'

'Laynie, stop. Het doet er niet toe.'

'Nee,' houd ik vol. 'Het doet er wel toe. Als ik word ontslagen, wil ik in elk geval de kans hebben om mijn kant van het verhaal te vertellen.'

Jay vangt mijn blik en vormt met zijn mond zoiets als, ik laat je dit gesprek afhandelen, en loopt over het pad richting zijn huis.

'Je wordt niet ontslagen,' zegt Margot. 'Ik wil je alleen maar zeggen dat Gina is ontslagen.'

'Wat?' vraag ik. 'Gina? Waarom? Wat is er gebeurd?'

Margot giechelt. 'Wat er is gebeurd? Eh, laat eens kijken. Gina had in het geheim een affaire met Tommy Runson...'

Ik onderbreek haar voor ze haar zin zelfs maar af kan maken. 'Tommy Runson! De acteur die Zane speelt?'

'Precies.'

Godsamme. Wat een leugenaar. Na al dat geklaag dat ze nooit een afspraakje heeft.

'En moet je dit horen,' gaat Margot verder. 'Ze speelden samen met Sandy Brower onder één hoedje om Zane weer in de serie te krijgen.'

'Hoe bedoel je onder één hoedje? Wat heeft Sandy Brower hiermee te maken?'

'Nou, natuurlijk weet je dat Sandy Tommy vertegenwoordigt.'

Ik zeg niets terwijl alles duidelijk wordt. Ik had geen flauw idee dat Sandy Tommy vertegenwoordigde. Ik had het waarschijnlijk moeten weten, maar hij was al gecast lang voordat ik bij CBC kwam werken en om eerlijk te zijn heb ik er nooit echt over nagedacht. Ik besef dat ik haar nog geen antwoord heb gegeven en dat probeer ik vlug te herstellen.

'Ja,' lieg ik. 'Natuurlijk wist ik dat.'

'Nou, toen Sandy erachter kwam dat Zane uit de serie zou worden geschreven, was ze woedend. Ze belde mij, ze belde het hoofd dagtelevisie, ze belde zelfs de zenderbaas.' Ik snap het al. Hij is haar zakkenvuller. 'De tien procent die ze van hem krijgt betaalt de Bentley en het strandhuis in Malibu. Een geweldige plek, trouwens. Ben je er weleens geweest?'

'Nee,' zeg ik ongeduldig. 'Maar ga verder, ik wil weten wat er is gebeurd.'

'Oké, goed dan. Blijkbaar is Sandy de chanteur. Nou ja, zij zelf niet, maar ze heeft een nicht die in New Jersey woont en het telefoontje heeft gepleegd, maar Sandy zat overal achter. Intussen wist Gina overal van en het was haar idee om alles zo te draaien dat het zou lijken dat jij het lek was omdat jij ook in New Jersey zat.'

'Maar waarom?' vraag ik. 'Wat levert het Gina op om met Sandy Brower samen te werken?'

'Wat levert het haar op? Ze zou jouw baan krijgen. Die twee hebben afgesproken dat als Sandy Gina zou helpen jouw baan te stelen, zij Sandy exclusiviteit zou geven voor elke vaste, terugkerende rol in *The Strong and the Stunning.*'

'O, god,' zeg ik. Mijn handen trillen waardoor het moeilijk is om de telefoon tegen mijn oor te houden.

'Ik weet het,' antwoordt Margot. 'Over een soap gesproken. Ik wilde dat onze schrijvers creatief genoeg waren om dergelijke dingen te bedenken.'

'Hoe zijn jullie erachter gekomen?' vraag ik. 'Door de detective?'

Ze buldert van het lachen. 'De detective zat in de buurt. Hij was Gina op het spoor. Hij had een gevoel dat Gina de waarheid niet sprak en er was iets met een zus in New York, maar hij had geen bewijs.'

'Hoe dan?' wil ik weten.

'Door Tommy. De zender gaat een spin-off van *S&S* op primetime doen – dat heb je toch zeker wel gehoord? – nou ja, gisteren hebben ze besloten in plaats van Zane uit de serie te schrijven en een spin-off met Brady en Karen te lanceren, het logischer is om van de populariteit van Zane te profiteren en hem bij de spin-off te betrekken. Dus nu is het plan om Zane naar een andere stad te laten verhuizen zodat hij dichter bij zijn broer woont.'

'Brady,' zeg ik.

'Precies. Dus hebben ze Tommy gistermiddag langs laten komen, hebben ze hun verontschuldigingen aangeboden over de contractonderhandelingen, hebben ze flink lopen slijmen en hem alles over het nieuwe plan verteld. Een van de mannen in de kamer liet toevallig iets over de chantage vallen. Dat het een veiligheidsaangelegenheid is, dat er een probleem met de verzekering kan ontstaan en dat hij echt hoopt dat alles wordt opgelost omdat het de deal in de weg zou kunnen staan. Bla, bla, bla. Het was eigenlijk zomaar een terloopse opmerking. Ik denk niet dat iemand van plan was om het ter sprake te brengen. Maar zodra Tommy hoorde dat het een probleem zou kunnen veroorzaken, biechtte hij alles op. Het was eigenlijk belachelijk. In nog geen dertig seconden had hij zijn vriendin en zijn manager van vijftien jaar verraden.'

'En toen? Hebben ze het aanbod toen ingetrokken?'

Margot lacht alsof dit een belachelijke vraag is. 'Nee, ze hebben het aanbod niet ingetrokken. Heb je niet gehoord wat ik zei? Ze hebben hem nodig voor de spin-off. Kom op, Laynie, dit is showbusiness. Weet je dat nu nog niet?'

Ik zucht. 'Ja,' zeg ik. 'Dat had ik gehoord, ja.'

'Ik heb wel nog een lekkere roddel; de zender gaat een aanklacht tegen Sandy indienen. Ze zou zelfs gevangenisstraf kunnen krijgen. Dat gebeurt natuurlijk niet. Als iemand weet hoe ze zichzelf hieruit moet redden, is het Sandy Brower wel. Maar toch, haar carrière is naar de filistijnen. Ze zal in deze stad nooit meer kunnen lunchen, als je begrijpt wat ik bedoel!'

En met die woorden houden mijn handen op met trillen, kijk ik naar de hemel en glimlach. 'Ik snap het,' zeg ik tegen haar. 'Ik snap precies wat je bedoelt.'

Ik kom bij de achterzijde van het huis en tref Jay languit op een ligstoel aan met zijn ogen gesloten. Hij ziet er zo vredig uit dat ik het vervelend vind om hem te storen. Maar hij hoort mijn voetstappen en doet zijn ogen open.

'Hoe ging het?' vraagt hij. Hij klinkt aarzelend alsof hij bang is om het antwoord te horen. Ik ga op de ligstoel naast hem zitten en leg mijn voeten omhoog.

'Het ging geweldig,' zeg ik.

'Je bent dus ontslagen?'

'Nee, dat niet.' Net als ik het uit wil leggen, komt Sarah het huis uit stormen met haar mobiele telefoon tegen haar oor gedrukt.

'Wacht even,' zegt ze in de telefoon, 'hier is hij.' Ze overhandigt de telefoon aan Jay. 'Hij is nog steeds een beetje in de war,' zegt ze. 'Maar ik heb hem gezegd dat jij het beter uit kan leggen dan ik.'

Jay neemt de telefoon aan en loopt naar binnen en Sarah komt naar mij toe.

'Het spijt me,' zegt ze. 'Maar ik moest hem de waarheid vertellen over waar we zijn en hoe je Jay hebt ontmoet. Ik hoop dat je niet boos bent. Ik zag geen andere mogelijkheid. Maar hij zal niets tegen Ethan zeggen. Ik heb het hem laten zweren op het leven van de meiden.'

'Het geeft niet,' zeg ik. 'Ik ga bij Ethan weg.'

'Wauw,' zegt ze en ze trekt haar wenkbrauwen op. 'Dat was snel. Dus wat ga je doen?' Haar gezicht bevriest. 'Wacht, je gaat toch niet hierheen verhuizen? Je wordt toch geen naturist omdat je tien minuten naakt hebt gezwommen? Toch?'

Ik kijk haar aan met een blik van: alsjeblieft zeg. 'Nee. Ik heb hem gezegd dat ik alleen vrienden wil zijn. Ik wil helemaal opnieuw beginnen.'

'Waarmee?' vraagt ze.

'Overal mee.' Sarah vernauwt haar ogen tot spleetjes en ik zie dat ze het niet begrijpt.

'Sarah, zou je met mij samen willen gaan werken?'

SARAH

Ik. En Laynie. Samen. Werken. Ik leun tegen het portier aan de passagiers-zijde en kijk naar haar. Ik weet dat ze veel dingen in New Mexico heeft opgehelderd, maar ik heb het gevoel dat ze is veranderd – fysiek – sinds we de arme, naakte, diepbedroefde Jay op zijn oprit hebben uitgezwaaid. Zelfs zijn penis leek depressief. Ik bestudeer Laynie weer en ik probeer erachter te komen wat het is en plotseling weet ik het. Ze lijkt groter. Het is alsof dat kleine, kwetsbare persoontje is verdwenen en er op de een of andere manier meer van haar is en meer ruimte in de auto inneemt. Wacht, dat is het. Ik sluit mijn ogen. Ja.

'Ik weet het,' kondig ik aan.

Ze haalt haar blik van de weg en kijkt me even aan. 'Echt? Nu al?'

Ik sluit mijn ogen en steek mijn handen in de lucht en stel me voor dat de woorden aan een luifel hangen. 'Carpenter Talent Management. Waar carrières worden gebouwd.'

Laynie neemt het even in zich op en dan kruipt er langzaam een glim-lach over haar gezicht. 'Ja,' zegt ze knikkend. 'Super. Het is perfect.'

Ik kijk haar stralend aan. 'Ik denk dat ons logo de letter C moet zijn waar een spijker uitsteekt met daarboven een hamer die op het punt staat de spijker erin te slaan. Maar het moet wel strak vormgegeven zijn.

Een hamer, maar dan ontworpen door Philippe Starck.'

'Ik denk dat het allemaal erg leuk wordt,' zegt ze. 'Alles.' Dan schudt ze haar hoofd. 'Het is moeilijk te geloven, hè? Jij en ik? Partners? Als iemand me vijf dagen geleden zou hebben verteld dat ik mijn ontslag zou indienen, bij Ethan weg zou gaan, dit met Jay zou beëindigen en met jou samen zou gaan werken, dan had ik gezegd, ontslag, uit elkaar en Jay dat had ik misschien geloofd, maar partners met Sarah? Geen haar op mijn hoofd.'

'Nou, als iemand mij vijf dagen geleden had verteld dat ik mijn schoonmoeder de waarheid zou vertellen, Bill een engelachtige investeerder zou vinden, ik als copywriter in de porno-industrie zou werken, ik erachter zou komen dat Molly Royce een Hooters-meid was en een partnerschap met jou... nou, ik weet het niet. Ik had alles waarschijnlijk wel geloofd behalve het gedeelte over de Hooters-meid.'

Laynie lacht. 'Ga je haar vertellen dat je het weet?'

'Dat denk ik niet,' zeg ik. 'Ik denk dat het veel leuker is om haar te kwellen met de gedachte dat ik het misschien weet. Tijdens de vergaderingen gebruik ik het woord Hooters gewoon heel vaak en maak heel veel verwijzingen naar bars.' Laynie lacht. 'Het is maar tot het einde van het jaar. Toen ik Bill net sprak, hebben we afgesproken dat we niet alleen een nieuw huis gaan kopen, maar ook dat we de meiden van die school af halen en ergens een goede openbare school voor ze gaan zoeken. Misschien in Calabasas of in de vallei. Ik denk dat het goed voor Jessie zal zijn. Ik ben ervan overtuigd dat ze te zwaar is omdat ze het niet naar haar zin heeft op school. En het is waarschijnlijk ook beter voor Janie. Geen geknok meer over privévliegtuigen of luxe jachten.'

'Ik denk er ook over om te verhuizen,' zegt ze. 'Ik krijg waarschijnlijk drie keer zoveel voor mijn appartement dan wat ik ervoor heb betaald en ik kan de overwaarde gebruiken om iets nieuws te kopen en dan heb ik nog geld over om in ons bedrijfje te investeren. Bovendien denk ik dat het goed voor me zal zijn om ergens anders te gaan wonen. Schone lei, weet je wel?'

Ik kijk naar haar en glimlach. 'Ja,' zeg ik. 'Dat weet ik.'

'Ik denk dat we een goed team zullen vormen,' zegt ze.

'Ik denk dat we een geweldig team zijn,' antwoord ik. 'Maar je moet me één ding beloven.'

'Wat dan?'

'Als we ooit voor zaken op reis moeten, kun je dan alsjeblieft genoeg ondergoed voor de hele reis meenemen? Want dit hele rampetampgedoe vind ik echt supergoor.'

Laynie slaat haar ogen ten hemel en begint te grijnzen. 'Afgesproken.'

Ze steekt haar hand uit en ik steek die van mij uit, en ze ontmoeten elkaar precies halverwege.